Елена
СТРЕЛЬЦОВА

ПОСЛЕДНИЕ
СОЛДАТЫ
ИМПЕРИИ

ВАГРИУС
Москва
1999

ББК 84(2Рос-Рус)6
С 84

Стрельцова Е.
С 84   Последние солдаты империи: Роман. — М.:
ВАГРИУС, 1999. – 432 с. – (Пантера).

ISBN 5-264-00112-X

Они — «последние солдаты империи». Секретные агенты
внешней разведки. Люди, чья профессия — игра со смертью. Люди, чья работа — совершать то, что совершить невозможно, и возвращаться оттуда, откуда не возвращается никто. Они отправ-
ляются на задания, еще не зная, что их послали на верную гибель,
дабы использовать в чужой преступной игре как пешки и уничтожить, когда они сделают свое дело. Но расчет не оправдался. Они
выжили. Теперь им остается только мстить...

ББК 84(2Рос-Рус)6

Посвящается моему отцу

За помощь в написании этой книги автор выражает глубокую признательность заместителю главного редактора альманаха «Вымпел» Ирине Комаровой и подполковнику КГБ СССР, бывшему сотруднику подразделения «Вымпел» Эркебеку Абдулаеву (Беку).

— Он где-то здесь. У нас три минуты, чтобы найти его. Иначе не успеваем.

— Давай, в темпе вальса! Я — юг, ты — север.

Вооруженные автоматами парни в черных комбинезонах разошлись в разные стороны и начали прочесывать непролазный, с точки зрения обычного человека, участок леса. Вид поваленных друг на друга елей наводил на мысль о катастрофе вроде падения Тунгусского метеорита. По площади этому бурелому, может, и далеко было до космического, но по навороту разрушений он значительно превосходил то, давнее, бедствие. Передвигаться здесь можно было только, прыгая по скользким, качающимся бревнам или пролезая под ними. Задачу осложняли острая напряженность со временем и тяжелые рюкзаки за спиной. Но прежде чем добраться до этого «объекта» на тренировочном маршруте, парни проломились буквально через огонь и воду, проползли под рядами колючей проволоки, натянутой на высоте сорока сантиметров над землей. По ним стреляли, закидывали взрывпакетами. На них охотились другие курсанты, получившие задание поймать «диверсантов». Парни в черных комбинезонах — Олег Ставров и Сашка Ярцев, сотрудники секретного подразделения разведки особого назначения Комитета госбезопасности, — проходили обучение по индивидуальной программе. Им были присвоены псевдонимы Ставр и Шуракен.

5

— Ставр, я нашел жмура! — заорал в буреломе Шуракен. — Топай сюда быстро!

Перескакивая через поваленные деревья, Ставр ринулся на голос напарника.

Шуракен настороженно рассматривал лежащего в кустах «жмурика» — манекен, сделанный из старого прыжкового комбинезона воздушно-десантных войск. Изображающий труп парашютиста «мертвец» выглядел вполне реалистично. Одежда была залита побуревшей кровью, в дыры черной маски, натянутой на голову, смотрели нарисованные глаза.

— Жмур может быть заминирован, — сказал Шуракен.

Ставр бросил взгляд на часы.

— Рисковать не будем, — решил он. — Вытаскивай веревку.

Шуракен выдернул из-под верхнего клапана рюкзака напарника моток веревки. Парни накинули петлю на десантный ботинок «парашютиста», сдернули его с места и на всякий случай протащили немного по земле, приготовившись к взрыву дымовой шашки или еще какому-нибудь сюрпризу.

Но «жмурик» никак себя не проявил.

— Неужели Командор поленился сделать нам подлянку? — Ставр явно сомневался в том, что никакого сюрприза нет.

— Не думаю, просто если бы жмур считался подорванным, нечего было бы шмонать.

Парни вытащили ножи и, не теряя время на возню с застежками, начали вспарывать карманы манекена и складывать в полиэтиленовый пакет все их содержимое — даже пыль, смешанную с табачными крошками. Ощущалось, что внутри комбинезон наполнен какой-то тяжелой бесформенной массой, несло оттуда тухлятиной... Ребят мутило от невыносимой вони. Собираясь осмотреть одежду изнутри, Ставр одним рывком вспорол ее снизу доверху — и оба невольно отпрянули. Из распоротого комбинезона ползли кровавые ошметки внутренностей и сизые петли кишок.

— Вот и подлянка, — прокомментировал Шуракен. — Но шмонать все равно придется.

— Твою мать! Лезть в это говно?!

— Десять минут осталось. По времени мы на пределе.

Пасмурное небо висело над полигоном — участком бесплодной земли, покрытой редкой бурой травой. Борясь за существование, растительность утратила природную нежность и цвет. В отдалении виднелось ограждение из колючей проволоки.

Из двух запыленных армейских «уазиков» вылезли четыре офицера. Трое были столичные чины, приехавшие с инспекторской проверкой в секретное учебно-оперативное подразделение. По случаю выезда в «поле» на них, обычно носивших гражданскую одежду, была новенькая, со склада, камуфляжная форма без знаков различия. А четвертым с ними прибыл начальник подразделения полковник Марченко, имевший оперативный псевдоним Командор. На высокой атлетической фигуре полковника зеленый пятнистый камуфляж сидел как родной. Лицо Командора разительно отличалось от сытых, вежливых физиономий паркетных вояк. Сухое, жесткое, с резкими волевыми складками, оно напоминало лицо конкистадора, конная статуя которого выставлена в Москве, в музее на Волконке.

Наряд спецназовцев охранял грузовик с брезентовым тентом. По знаку Командора оттуда выпустили крупного мускулистого мужика в казенных тюремных штанах и куртке, со скованными за спиной руками. При взгляде на него в сознании возникало одно слово — зверюга.

Этот герой криминального мира, бандит, беспредельщик, одинаково ненавидел и фраеров, и ментов, и своих. Фраеров и ментов он резал, своих — стрелял. Женщин насиловал, потому что их тоже ненавидел — предательницы, курвы. Необыкновенно сильный, он был вдобавок поразительно изобретателен при необходимости спасать свою шкуру. Ментам его сдали свои — за убийство авторитетного вора. По совокупности преступлений суд приговорил его к высшей мере. Иногда смертники живут годами, но этот знал, что его час настал. За убийства своих товарищей менты приговорили его собственным судом. А замешкайся они с исполнением, так не заставит себя ждать братва.

Он не знал, куда его привезли. Грузовик остановился, ни окон, ни дыр в тенте не имелось. Время тянулось томительно. Наконец брезентовый полог откинулся, и в кузов запрыгнул крепкий седоватый человек в камуфляже без знаков различия.

— Встать!

Бандит выполнил команду с подчеркнутой неохотой. Но сразу почуял, что этот человек привычен приказывать, а главное — умеет «правильно» смотреть. От его взгляда напрягалось нутро и возникала готовность повиноваться.

— Ты кто? — спросил бандит. В этой жизни он умел немногое: только убивать, грабить и ломать чужую волю. Но это он делал хорошо.

— Я Командор, — ответил седой. — Ты теперь мой. Вот копия акта о приведении в исполнение смертного приговора. Ты больше не значишься в живых.

— Мне по херу. Что дальше?

— Ты «кукла». У тебя одна задача — драться за свою жизнь. Через час тебя ждет бой, у тебя есть шанс остаться в живых, если ты убьешь своего противника.

— Что потом?

— Потом будет следующий.

Командор ушел, и грузовик снова двинулся куда-то. Вскоре кузов начало трясти и качать, словно машина ехала по грунтовой дороге или просто без дороги. Потом было долгое ожидание. Бандит думал о предстоящем бое. Он догадывался, что такое «кукла». Ходили мутные слухи, что приговоренных к смерти уголовников иногда используют для натаски спецназовских головорезов. Приучают ребят к настоящей крови.

«Кукла» оценивающе посмотрел на охранявших его парней: молоденькие солдатики срочной службы, уже ожидающие приказа о дембеле. Таких против него надо не меньше трех, да и то двух он порвет на куски. Раз уж суждено подыхать, то напоследок он умоет гадов кровью.

Когда «кукла» со скованными за спиной руками неловко спрыгнул с борта грузовика, члены комиссии вопросительно посмотрели на Командора. Они приехали наблюдать подготовку по рукопашному бою и не понимали, откуда взялся очевидный уголовник в наручниках.

Но Командор отошел в сторону с парнем в черной футболке и камуфляжных десантных штанах. Это был сотрудник спецподразделения, имевший псевдоним Зеленый.

Наряд спецназа оцепил поле боя. Командир наряда снял с «куклы» наручники. Разминая затекшие руки, бандит поглядывал на автоматчиков. Он мог пойти на них, как раньше ходил на ментов, — случалось, по нему жарили из «калашей» и не попадали. Теперь рассчитывать на это не приходилось. Но если б его расстреляли при попытке к бегству, все равно вышло бы, что он сам решил свою судьбу и не позволил слепить из себя клоуна. А с другой стороны, Командор (его единственного здесь «кукла» признал), так вот, Командор мог не понять его, решить, что просто он психанул напоследок. В бою же можно показать себя.

Выслушав последние указания полковника Марченко, парень в черной футболке вышел на поле, встал по стойке «вольно» и стал спокойно ждать команды к началу боя. Казалось, «кукла» совсем не интересует его.

Бандит же, напротив, внимательно рассматривал своего противника, пытаясь поймать его взгляд. «Кукла» умел смотреть так, что люди теряли самообладание. Однако спокойные глаза Зеленого не позволяли угадать ни мыслей, ни эмоций. И все равно «кукла» знал, какое преимущество остается за ним в любом случае — в отличие от Зеленого он не раз убивал и делал это с удовольствием.

— Убей его! — голосом, прозвучавшим как выстрел, приказал Командор. У членов комиссии неприятно дрогнуло внутри от интонации и смысла приказа.

Зеленый сделал бросок вперед мгновенно, не переходя в боевую стойку. «Кукла» отступил, вынуждая врага атаковывать, тратя силы и раскрывая особенности своей повадки.

За свою жизнь он повидал и поломал немало «круто сваренных» парней из бывших спортсменов и армейского спецназа. Молчаливый, безразличный к боли, Зеленый оказался бойцом несоизмеримо более опасным и совершенным, чем те. Но необходимость убивать, чтобы самому жить, пока оставалась для него абстракцией. И сейчас он хотел драться — жестоко и честно. В этом был корень его уязвимости.

«Кукла» же помнил, что стволы автоматов оцепления направлены только в него, и боялся одного: что ему не позволят убить врага. Он стремился скорей завалить Зеленого на землю, переплестись с ним так, чтобы нельзя было отличить своего от чужого. Тогда никто уже не смог бы помешать довести дело до конца.

Командор обещал не прерывать бой. Он не сулил пощады, но обещал другого противника, если «кукла» останется жив. Почему-то бандит ему верил.

По окровавленным, разбитым лицам уже нельзя было отличить уголовника от офицера элитного подразделения. У обоих были сломаны ребра. У Зеленого треснула ключица и почти бездействовала левая рука. Он плотно прижал ее к боку и работал только правой и ногами.

— Николай Пантелеевич, довольно! Остановите их, — потребовал возглавляющий комиссию полковник, нервы которого не выдержали свирепого зрелища.

Командор даже не посмотрел на него.

— Бой должен быть закончен, — бросил он.

— Это не бой, это убийство! Прекратите, я приказываю, прекратите!

— Полковник, здесь приказываю я. Не лезьте не в свое дело. Вы наблюдатель, вот и наблюдайте.

— Я не понимаю, что здесь происходит! Это не тренировки, а гладиаторские бои. Ваш сотрудник тяжело травмирован. Прекратите это! У вас нет права распоряжаться жизнью людей!

— Моих людей я сам крещу, сам отпускаю им и последние грехи.

Требовались исключительная выносливость, стойкость и терпимость к боли, чтобы вести бой с бездействующей рукой и переломанными ребрами. Но Зеленый не только не прерывал схватки — он побеждал!

Он придавил «куклу» к земле и зажал его шею согнутой в локте правой рукой. Полузадушенный бандит хрипел, силился освободиться, но кулак Зеленого упирался ему в сломанную челюсть, и любое движение вызывало нестерпимую боль.

Это был конец.

«Кукла» до предела напрягся, ожидая страшного рывка вверх и резкого поворота, треска ломающихся позвонков, последней смертной боли.

Зеленый посмотрел на полковника. Командор бесстрастно ждал.

После секундного колебания спецназовец выпустил шею «куклы». Бандит был уже не боец, не человек, а добивать падаль, по мнению Зеленого, было неинтересно и грязно.

Вот только бандит не хотел пощады, да и не было ее для него никогда — была везуха, да вся вышла. Его все равно пристрелят и, чтобы не тратить лишних усилий, закопают на стрельбище в воронке из-под снаряда. Выходит, ему гнить, а гаду валяться на койке в медсанбате? Нет уж, подыхать будем вместе.

Ярость отчаяния собрала обессилевшие мускулы в тугие узлы. «Кукла» поднялся с земли, черный, весь в своей и чужой кровище, переломанный. Из глотки вырвался нечеловеческий рык. Бандит прыгнул на спину врагу, обхватил его поперек груди и сдавил сломанные ребра. Крик Зеленого перешел в рычание и хрип. У, это наслаждение — чувствовать, как гад обмяк!

Одной рукой беспредельщик прижимал к себе офицера, обхватив поперек сломанных ребер, ладонь другой держал у его горла — мог убить одним ударом. В изворотливом мозгу уголовника вспыхнула надежда на побег. Он решал, можно ли, прикрываясь телом Зеленого, добраться до какой-нибудь из машин.

Спецназовцы взяли на прицел. Стрелять без приказа они не могли: очередь прошила бы обоих. Сквозь ужас и растерянность у полковника-инспектора промелькнуло облегчение, что не он здесь принимает решение.

Командор был напряжен и спокоен одновременно. Однако сильно ошибался полковник-инспектор, полагавший, что ситуация вышла из-под контроля. Никто даже не представлял, какая доля секунды нужна Командору, чтобы выхватить из кобуры пистолет и всадить пулю в голову бандита. Такие вещи в его биографии случались. Просто сейчас его интересовало, будет ли Зеленый бороться или сломается.

Звериная интуиция подсказала бандюге, что двигаться надо на инспекторов в новенькой, щеголеватой форме. Эти пропустят. Тело Зеленого было расслабленным и тяжелым, как мешок. Поднять его уже не хватило сил.

«Все, гад, вырубился, мочить его — и делу конец».

Но Зеленый не вырубился. Расслабив мускулы и максимально отключившись от боли, он сторожил каждое движение «куклы». Почувствовав на своем затылке неровное, сильное дыхание врага, он мгновенно и точно ударил головой назад — в сломанную челюсть. Оглушенный болью беспредельщик разжал руки.

Противники упали.

Командор спокойно вытащил нож и бросил Зеленому.

Тот, не колеблясь ни секунды, вогнал клинок в горло «куклы».

Не всякий человек способен выдержать сцену убийства. Полковник-инспектор пошел к «уазику», пошатываясь. Во время инспекторских поездок в различные спецподразделения ему показывали отрепетированные рукопашные бои и прочие аттракционы, но он никогда не сталкивался ни с чем подобным.

— Ты оставил недобитого врага, — жестко сказал Командор Зеленому, который нашел силы и мужество стоять перед полковником, держа спину так же прямо, как он. — Это могло стоить жизни тебе, а в боевых условиях и кому-то еще. Подумай об этом. Мы поговорим позже.

Командор повернулся и пошел к «уазику».

— Вы готовы следовать дальше, полковник? — спросил он.

— Да... да, конечно.

— В таком случае мы едем на контрольный пост тренировочного маршрута. Мои люди уже должны быть там.

Командор сел на свое место рядом с водителем. «Уазики» тронулись.

— Николай Пантелеевич, — с усилием проговорил инспектор, — я не уверен, что ваши методы законны. Я официально ставлю вас в известность как председатель комиссии.

— Давайте не будем морочить друг другу голову, полковник, — ответил Командор. — Когда вас направляли сюда, вас ведь предупредили, какие задачи призвано решать мое подразделение? Мои люди должны быть готовы к необходимости убивать, чтобы не быть убитыми. Такими же методами готовят сотрудников в спецслужбах США, крупнейших европейских держав и Израиля...

— И Ирака, — закончил полковник. — У нас проходили материалы, как спецназ Саддама Хусейна тренируется на собаках и баранах. Живьем разрывают животных на куски голыми руками. Вырывают внутренности, жрут печенку, сердце.

— Да, такие способы усиления агрессивности применяются многими примитивными племенами, — спокойно подтвердил Командор. — Давайте вернемся к тому, что для нас сейчас более актуально. Я объясню, для чего необходимы такие бои. Когда человек тренируется со спарринг-партнером, то все равно знает, что его не убьют. Он боится серьезно травмировать партнера и подсознательно страхует его. Если этот стереотип не сломать, то в первом настоящем бою человек будет или убит, или ранен, или психологически травмирован. В любом случае мы теряем профессионала. Поэтому мои люди должны быть готовы к тому, что им придется убивать и их тоже будут пытаться убить. Я не знаю никакого другого способа научить убивать, кроме реального боя с возможным смертельным исходом.

— И все ваши сотрудники проходят через это?

— Нет. Это зависит от специализации, да и подходящий материал нечасто попадается. Обычно материал — дрянь. Наркоманы, туберкулезники, психопаты. Использовать его — только портить ребят.

«Уазик» въехал на небольшую поляну, где находился контрольный пункт тренировочной трассы.

Грязные, вымотанные как сволочи, на земле сидели Ставр и Шуракен. Рядом валялись рюкзаки. Парни пробежали, продрались, проползли по специально оборудованному маршруту, который еще будет сниться им в кошмарах, напоминая о себе судорогами в болезненно затвердевших, переработавших мускулах. Но оружие они не выпускали из рук, Командор засчитал это в их пользу.

Когда полковник Марченко вылез из машины, Ставр и Шуракен нарочито бодро поднялись и подошли к нему.

— Время? — спросил Командор.

— Контрольное минус тридцать, — с готовностью доложил дежуривший на пункте проверяющий.

Это означало, что Ставр и Шуракен появились на конечной точке дистанции за тридцать секунд до истечения контрольного времени.

— Нашли парашютиста? — спросил их Командор.

— Нашли.

— Давайте, что вы с него добыли.

Ставр передал Командору полиэтиленовый пакет с вещами, которые они нашли в карманах «жмурика».

— Чем недовольны, ребята?

— Тут речка рядом, — сказал Шуракен. — Нам бы помыться перед базой, а то от нас несет, как от падали.

— Понятно, — усмехнулся Командор, изучая содержимое пакета, — лапки испачкали в свинячьих потрохах. А вы думали, вас будут обучать только иностранным языкам и хорошим манерам? Радуйтесь, что я не объявил вашего парашютиста Героем Советского Союза и не приказал вынести тело для торжественного захоронения.

И, возвращая Ставру пакет, добавил:

— Вы обнаружили почти все, кроме одной маленькой штучки в протекторе правого ботинка. Но пока вы материли меня за потроха, вам было, конечно, не до подметок. Жаль, что при составлении аналитического заключения о принадлежности и боевой задаче парашютиста вам придется обойтись без этой штучки. А теперь — внимание. Этот пункт маршрута не конечный. Вот карточка азимутов, ознакомьтесь и начинайте движение.

Командор воспитывал у своих людей умение держать эмоции под контролем. Ставр и Шуракен постарались остаться на высоте положения, их черные от грязи и усталости лица окаменели.

— Желаю успеха.

Командор повернулся и пошел к «уазику». Как только он сел, водитель завел двигатель.

— Не спеши, — остановил его Командор.

Ребята поняли, какую совершили ошибку и на чем их подловил Командор. Считая этот пункт концом маршрута, они выложились до предела. У них не осталось ни физических, ни душевных сил продолжать борьбу. Но надо было собраться, сконцентрироваться и начать сначала. До первого ориентира им предстояло пройти полкилометра на северо-запад.

Ставр и Шуракен продвинулись в лес не больше чем на пятьдесят метров, когда у них за спиной поднялась зеленая, поросшая мхом кочка, мимо которой они только что прошли.

Раздался треск автоматной очереди. Парни мгновенно повалились на землю. Но они понимали, что если бы в автомате были не холостые, а боевые патроны, то с ними все было бы кончено. От бешенства им хотелось рычать и грызть землю. Столько усилий, и все напрасно! Маршрут не пройден. Значит, завтра все сначала.

Фигура в маскхалате из длинных зеленых лоскутков и синтетического мха растворилась в чаще, как лесной дух.

— Убиты, — констатировал Командор, услышав автоматную очередь.

ЧАСТЬ ПЕРВАЯ

1

Старший военный советник полковник Ширяев, Советник, ехал в аэропорт, чтобы встретить ливийского торговца оружием Аль-Хаадата. Ливиец рассчитывал договориться о закупке партии «калашниковых», гранатометов и боеприпасов к ним. Перед Советником стояла задача наиболее выгодным для себя образом устроить сделку между Аль-Хаадатом и генералом Агильерой.

Подъезжая к аэропорту, Советник по мобильному телефону связался с диспетчерской службой, и ему сообщили, что интересующий его самолет должен приземлиться через несколько минут. Чернокожие охранники в тропическом камуфляже открыли створки ворот и формально, без особого рвения, встали по стойке «смирно», пропуская «Мерседес» русского военного советника.

На ближайшей к воротам стоянке разгружался бельгийский «Боинг» с надписью «UN уорлд фуд». Процесс был в самом разгаре: толпа чернокожих подростков набросилась на кучу тюков с «гуманитаркой» и со страшной силой растаскивала банки и коробки, вывалившиеся из распоротых бритвами упаковок. Солдаты, охранявшие «Боинг», прекратили «чесать яйца» и принялись шмалять по ворью из пистолетов. Подростки бросились наутек, утаскивая то, что удалось схватить. Один из них — одноногий — проворно закинул себе на хребет мешок с мукой. Орудуя костылем и одной ногой, он семимильными прыжками понесся едва не впереди всех. Пачки швейцарских гондонов и рваные упаковки с памперсами валялись по всей бетонке. Кому они здесь нужны?

Советник поставил машину в горячую тень, отбрасываемую редкими низкими пальмами и пыльными акациями. Окна были плотно закрыты, кондиционер пахал на полную мощность.

На Советнике были легкий светло-серый костюм и безупречно свежая белая сорочка с галстуком под цвет пиджака. В отлично пригнанной наплечной кобуре висел «макаров», а на пассажирском кресле лежал пистолет-автомат «узи», который он всегда брал с собой, когда ездил без охраны. Советник был человек среднего роста, разменявший пятый десяток. Выглядел он прекрасно: приятное загорелое лицо, непринужденная поза, ухоженные, интеллигентные руки. Глаза сероватые, спокойные, с легкой завесой юмора, которая, однако, хорошо скрывала работу мысли. Советник представлял интересы России в африканской республике Сантильяна, где правил диктаторский режим клана Агильера.

Обдумывая свои дела, Советник увидел, что со стороны военной зоны аэродрома по рулежной дорожке несется «уазик», принадлежащий русским механикам, обслуживающим боевые вертолеты. «Уазик» остановился недалеко от «Мерседеса», из него вылез высокий парень в оливковом тропическом камуфляже и светоотражающих очках. Это был Сашка Ярцев, значившийся в оперативных документах под псевдонимом Шуракен.

Высадив его, «уазик» лихо развернулся и умчался обратно — туда, где в мареве нестерпимого зноя маячили зыбкие, как миражи, акулообразные силуэты вертолетов Ми-24.

Шуракен направился к «Мерседесу». Он был как матерый кабан, мощный и в то же время ловкий: девяносто килограммов мускулов, сухожилий и нервов. Кондицией для Шуракена были сто килограммов, но изнуряющая жара и предельные физические нагрузки подсушили его.

Шуракен мимоходом взглянул на тюки с гуманитарной помощью. Жратва и все более или менее полезное уже через пару часов будет продаваться мелкими торговцами на главном рынке. Женские гигиенические пакеты и стерильные детские пеленки пойдут на протирку стекол автомобилей. Под рифлеными подошвами смялось несколько гильз. Нормально для данной местности. Гильзы и нестреляные патроны, на которых попадалась маркировка чуть ли не десятилетней давности, сплошняком устилали красную сухую землю вдоль взлетных полос.

Советник убрал с сиденья «узи» и щелкнул блокиратором дверных замков. Тонированные стекла смягчали нестерпимый блеск солнца. Шуракен снял светоотражающие очки. У него были спокойные и серьезные серые глаза.

— У меня срочное поручение для вас, — сказал Советник. — Сейчас прибудет представитель одной дружественной страны. Ему надо встретиться с генералом Агильерой. Это неофициальный визит, и у него нет своей охраны, поэтому вам с Олегом придется доставить его на виллу генерала.

— Олега нет в городе.

— Так. Это интересно. Где он?

— В лагере Вигоро.

— Почему вы не доложили мне об этом? Вы обязаны ставить меня в известность о своих передвижениях.

— Мы дали вам план учебных занятий на этот месяц. Там запланированы полевые учения в лагере Вигоро. И я думаю, хорошо, что Олегу подвернулась возможность уехать туда. Это решило одну неприятную проблему, — сказал Шуракен.

Советник понял, что имеет в виду его подчиненный, и решил не оставлять без внимания явное намерение спецов самостоятельно решать некоторые непростые проблемы.

— Здесь нет проблем, которые я не мог бы решить и которые можно было бы решить без меня, — резко сказал Советник. — Что же касается расстрела Герхарда, из-за которого вы так переживаете, то я поступил так, как считал нужным. Ни у вас, ни у Олега нет права обсуждать мои решения. Женевская конвенция не защищает наемников.

— Может, по конвенции вы правы, — ответил Шуракен, — а по жизни вы нас здорово подставили. С точки зрения повстанцев, мы тоже наемники.

— Мы не воюем в этой стране. Мы работаем тут по приглашению правительства Сантильяны, и платят нам не за участие в боевых операциях.

— Если повстанцам удастся сцапать нас с Олегом в джунглях, они не станут выяснять наш статус. Они просто подвесят нас за ноги и намотают кишки на шею. Как раз на такой случай я хотел бы, чтобы рядом оказался американский или английский инструктор, который дал бы мне удрать или всадил пулю в лоб. А теперь они узнают, что русские позволили черным расстрелять их парня.

— Я принял решение, соблюдая интересы дела, ради которого мы тут находимся. Больше я не намерен это обсуждать. Дальше, раз Олега нет, вам придется обойтись без него. Обеспечить безопасность гостя меня просил лично генерал Агильера, поэтому я не хочу беспокоить президента и просить людей из его охраны. Возьмите кого-нибудь из своих курсантов. Надеюсь, пять, в крайнем случае, десять человек могут заменить одного Ставрова?

— Нет.

— Значит, вы их плохо обучаете.

— Как можем, так и обучаем. Их призывают в

армию по принципу — кого поймают, и чего стоят черные в деле, вы тоже знаете.

— Когда вернется Ставров?

Шуракен посмотрел на часы, кожаный ремень которых почти сливался по цвету с его мускулистой бронзовой лапой. Он вытащил индивидуальную рацию, помещавшуюся в специальном кармане оливкового нейлонового жилета, надетого поверх зеленой пятнистой рубахи с короткими рукавами. Шуракен набрал код вызова своего напарника. Послышался обычный фоновый шум, затем приглушенный и искаженный расстоянием голос:

— На связи.

— Ставр, ты где?

— В районе Парамаунта.

— Понял. Въедешь в город — сообщи о себе.

— О'кей.

Шуракен убрал рацию в карман под левым плечом.

— Все нормально, — сказал он. — Олег возвращается. Душ, чашка кофе, и мы будем готовы тащить вашего представителя хоть к черту в задницу.

2

С дороги, прорубленной по правому склону горы, открывался вид на поразительное по красоте обширное ущелье. Над всем возносились вызолоченные солнечным светом вершины, вниз уходили скалистые террасы скудных козьих пастбищ, в каменном русле несся бурный поток, над которым висела мерцающая пелена влаги. Каждый раз, когда Ставр, военспец капитан Ставров, оказывался здесь, его поражали простор ущелья и мощь горных пиков, темно и ярко, как на полотнах Рериха, вписанных в синеву неба. Это место каким-то образом приводило его мысли в порядок и гармонию с чувствами. И сейчас, глядя на холодные острые грани скал, сверкающие на солнце, Ставр уже спокойно думал, что чувство вины за смерть Герхарда навсегда останется в душе. Нужно иметь мужество признать это и смириться. Или, как сказал Герхард, надо иметь мужество рассмеяться.

Два года назад, накануне развала СССР, Ставр и Шуракен были направлены в Сантильяну по поручению правительства республики, обратившегося к «большому русскому другу» с просьбой о предоставлении инструкторов и военных специалистов для «подготовки молодых сантильянцев к защите своей родины на основе чувства патриотизма». Реально спецы занимались обучением личной охраны президента Агильеры и подготовкой универсального подразделения по борьбе с терроризмом. Также они принимали участие в специальных боевых операциях, естественно, без документов и под псевдонимами, и по приказу своего шефа полковника Ширяева выполняли различные поручения.

Герхарда они захватили в составе диверсионной разведгруппы повстанцев, противников режима диктатора Агильеры. Матёрый наемник, в прошлом аристократ, окончивший Оксфорд, он был таким же инструктором, военспецом, как и они сами. Так как его участие в этой грязной заварушке носило сугубо профессиональный характер, Ставр и Шуракен полагали, что если Герхард не попадет в руки национальных гвардейцев, ему не грозит ничего, кроме высылки из страны. Поэтому они не сдали его вместе с повстанцами, чем вызвали приступ бешенства у местных вояк, которые, как всегда, засчитали себе успех операции, проведенной русскими спецами. Местные пожаловались брату президента, генералу Джошуа Агильере, занимавшему пост Верховного главнокомандующего республики. Генерал примчался в бронированном белом «Мерседесе» и устроил старшему военному советнику Ширяеву скандал. Чтобы утихомирить его, Советник приказал расстрелять Герхарда. Генерал Агильера тут же предоставил для этой цели боевиков-головорезов из своей охраны.

Герхард хладнокровно принял смерть.

— Надо иметь мужество засмеяться, — сказал он.

Герхард нравился Ставру. С первого взгляда он признал в нем брата по войне. Не этой конкретной войне, а войне для профессионалов, которая, как Ставр уже знал, останется с ним, пока он жив. Герхард мог бы стать лучшим его врагом, тем врагом, которым гордишься, с которым интересно помериться силой, в поединке с которым можно превзойти себя. И когда этот человек был предан и убит, Ставр взорвался.

Шуракен отнесся ко всему спокойнее. Во-первых, он видел в Герхарде всего лишь наемника. Себя же Шуракен считал солдатом империи, защищающим интересы державы там, где прикажут. Сейчас он воевал в Африке не потому, что хотел или искал приключений на свою задницу, как Герхард, а потому, что такова служба. Герхард же был солдат удачи, и тех, кто мотается с войны на войну, ища наживы и приключений, в конце концов находит смерть. Умер мужественно — этого Шуракен не мог не признать.

Бешенство Ставра он решил остудить желательно где-нибудь подальше от Советника. Запихнул друга в машину и заставил ехать на полевые занятия в лагерь Вигоро.

Отъезд получился красивый. Следом за «уазиком» Ставра двинулся автобус, до отказа набитый черными парнями. Те, кто не поместился в салоне, устроились на крыше, над ними по ветру развевалось знамя, из динамиков неслась боевая песня. Ставр почувствовал, как сердце снова становится легким и веселым.

Теперь, оставив курсантов в лагере на попечение сержанта Шелумбы, Ставр возвращался в город. Проем лобового стекла «уазика» был заварен железной решеткой. Стекло они с Шуракеном вынули, потому что стекла бликуют, по ним стреляют, и они покрываются трещинами, мешающими правильно воспринимать окружающую действительность. Чтобы ветер и пыль не слепили глаза, верхнюю часть лица Ставра закрывали тонированные мотоциклетные очки, сверху грибом нависали поля панамы, низко надвинутой на лоб, чтобы не бликовали очки. На впалых щеках и подбородке топорщилась двухдневная щетина. Под ворот оливковой майки уходила стальная цепочка, на которой висела пластина с его псевдонимом и группой крови, а также местный охотничий амулет — клык леопарда. Ставр был поджарый, очень ловко сложенный парень в абсолютном весе семьдесят пять килограммов. Такая масса тела при росте в пределах метр восемьдесят считается идеальной для мастеров рукопашного боя: она достаточна для нанесения сильных проникающих ударов, и в то же время боец достаточно легок и подвижен для сложных скоростных движений.

Дорога круто пошла вниз. Ставр снял ногу с акселератора и перенес на тормоз. Играя сцеплением и тормозами, он мягко скатился на узкий козырек над озером, в которое с каменного уступа обрушивался бешеный поток. Над водопадом, переливаясь, висела алмазная радуга. Озеро было синезеленое, цвета павлиньего глаза, и с такой чистой водой, что, бросив в него монету, можно было, пока не надоест, следить, как она, отблескивая серебром, опускается в бездонную глубину. От озера открывался вид на вершину, которую Ставр с Шуракеном называли «Парамаунт», потому что она поразительно была похожа на эмблему этой кинокомпании, не хватало только круга из звездочек вокруг скованного ледником острого пика.

Миновав озеро, Ставр до предела снизил скорость и стал пристально рассматривать дорогу перед капотом. Здесь кончалась контролируемая гарнизоном Вигоро часть дороги. Дальше можно было ждать чего угодно, и прежде всего мин.

Ставр уже не ехал, он полз на брюхе, всматриваясь в каждый бугорок на колее. Он боялся мин. А как же? Надо быть клиническим идиотом, чтобы их не бояться. С каждым мгновением Ставру становилось все больше и больше не по себе. Он был один, а одиночество обостряет интуицию и инстинкт самосохранения. Страх перерастал в панический ужас. Ставр чувствовал холодный ком в желудке, мороз продрал по хребту, а волосы под панамой взмокли. В таком состоянии он уже не мог двигаться вперед.

Он ударил по тормозам.

Дверей у машины не было, они с Шуракеном их ликвидировали, чтобы не мешали быстро сматываться. Ставр просто перекинул ноги с педалей на землю. На осторожных, неестественно легких лапах сделал несколько шагов вперед.

«Вот она!» — подумал Ставр, увидев едва заметное разрыхление на колее. Все, мозги сразу встали на место. Он выследил смерть. Теперь он знал, где она, дальше надо действовать спокойно и точно.

Ставр опустился на корточки и осторожно разгреб тонкий слой земли, перемешанной с мелкими камешками.

«Привет». — Перед ним в каменистом грунте сидела противотанковая мина советского производства.

Ставр усмехнулся: судя по всему, повстанцы регулярно добывают боеприпасы со складов национальной гвардии. Противотанковая мина была, в принципе, бесполезной вещью на этой дороге, где не ходило, не каталось и не ползало ничего с таким весом, на который она могла среагировать. Но народ в Сантильяне воевал так давно, что уже научился некоторым хитростям. Поэтому, выкрутив из мины взрыватель, Ставр не спешил вытаскивать чертову кастрюлю. Он расстегнул клапан нагрудного кармана на куртке и отколол с его внутренней стороны здоровенную английскую булавку.

«Кружок "Умелые руки" доведет до цугундера», — выплыла в голове фраза, когда-то сказанная Командором на занятиях по подрывному делу.

Зажав булавку в обветренных, запекшихся от жары губах, Ставр начал нежно подкапываться под мину.

На этот раз ни инстинкт самосохранения, ни ангел-хранитель были ни при чем. Просто Ставр знал, как бы действовал он сам, если бы ему пришлось ставить противотанковую мину так, чтобы она сработала на небольшой вес, или организовать сюрприз для того, кто попытается ее снять. Поэтому он даже почувствовал определенное удовлетворение, когда его пальцы нащупали под миной холодный бок гранаты.

Скоба была придавлена днищем мины. Ставр сжал ее в руке и вытащил гранату. Предохранительного кольца, естественно, не имелось. Ставр вынул изо рта булавку и вставил ее в отверстие запальника. Все, теперь эта дура абсолютно фригидна.

Ставр не доверял взрывающимся штуковинам, в которых кто-то уже поковырялся, поэтому не положил свои трофеи в машину. Но уничтожать их тоже было жалко: кто знает, как сложится жизнь. Он решил оставить добычу в заначке. Засунув мину и гранату в щели скалы, Ставр заложил их камнями.

Нервное напряжение резко отпустило, и Ставр с удовольствием, даже торжественно помочился на место заначки.

«Теперь перекурим это дело», — подумал он, садясь за руль.

В Сантильяне два климата — или жарко и сухо, или жарко и влажно. Высоко в горах было сухо и даже прохладно, особенно пока ледниковый поток не ушел под скалы. Ниже возникли низкие бородатые пальмы и лианы, потом высокие стройные пальмы и манговые деревья, а когда Ставр скатился в долину, по обеим сторонам дороги поднялись темно-зеленые стены непроходимых джунглей. Дорога была проложена по руслу пересохшей реки. В период дождей она превращалась в поток жидкой грязи, но сейчас по ней можно было ехать с вполне приличной скоростью. Ставр жал на газ, стараясь побыстрей проскочить этот отрезок пути. Дорога была одна на всех, поэтому мины тут редко ставили, зато регулярно устраивали засады. Въехав в джунгли, Ставр дослал патрон в патронник автомата и снял оружие с предохранителя.

Со стороны его машина, ломом идущая через джунгли, смахивала на известную рекламу сигарет «Кэмел». Только это был не роскошный «Лендровер» или джип, а обычный армейский «уазик», но со снятыми передними дверьми, без задних сидений, с заваренным решеткой лобовым стеклом и платформой под крупнокалиберный пулемет вместо крыши. Он назывался «крокодил», а под хорошее настроение — «кокодрило».

На спрессованной глине, смешанной с илом, «крокодил» легко уплывал в юз. По краям колеи и на поворотах машины растолкли этот грунт в тонкую пудру, но, прижатая тяжелым влажным воздухом, она не пылила. Она выплескивалась из-под колес, как горячий шоколад.

Ставр сдвинул мотоциклетные очки на шею. Лицо и руки, открытые закатанными выше локтей рукавами, покрылись каплями пота, как в бане. Майка прилипла.

Он сбросил скорость, пробираясь мимо сожженной автомобильной колонны. Одиннадцать обгорелых скелетов грузовиков представляли крайне неприятное зрелище. Конвой напоролся на засаду, был разграблен и сожжен то ли бандитами, то ли повстанцами. Грузовики так и остались стоять на дороге, и их приходилось объезжать, прижимаясь вплотную к джунглям. Отличное место для еще одной засады.

Ставр вел машину одной рукой, в другой он держал автомат на боевом взводе — палец на спусковом крючке, ствол поднят вверх, приклад уперт в бедро, чтобы не утомлять руку весом оружия. Он миновал колонну и, вдавив педаль газа, рванул от этого проклятого места на предельной скорости.

Джунгли кончились. Из темно-зеленого сумрака, парниковой влажности и одуряющих запахов цветущих и гниющих растений «крокодил» выкатился прямо в жгучий блеск нестерпимого зноя. Словно кто-то провел черту и сказал: «Здесь будут джунгли, а здесь — пустыня, и чтоб ничего такого неопределенного». Майка на Ставре мгновенно высохла.

Русло реки вывело машину на узкое шоссе с растрескавшимся, выбеленным, как кость, асфальтом. На безжизненной равнине ползали бесформенные столбы пылевых вихрей.

И справа, и слева, и впереди, и в зеркале заднего вида Ставр видел одно и то же — жесткую линию там, где пустыня смыкалась с плоскостью неба. Ему казалось, что он, как комета, несется в бесконечном пространстве от горизонта к горизонту. Ослепительная звезда солнца висела прямо над головой.

Из-под панамы и очков, снова надетых на лицо, поползли ручейки пота. Они проедали бороздки в слое пыли, покрывавшем туго обтянутые бронзовой кожей скулы, и исчезали в темной щетине.

Наконец в дрожащем мареве на горизонте возник бесформенный мираж города. Не доезжая до него, Ставр свернул к фургону, стоящему недалеко от дороги.

сюда. Но я хочу иметь некоторые гарантии прежде всего своей безопасности и того, что сделка вообще состоится. Такой гарантией может быть ваше участие в первой встрече. Естественно, ваши посреднические услуги будут соответствующим образом вознаграждены.

— Я не оказываю услуг в частных сделках, господин Аль-Хаадат. И кроме того, мое участие в вашем визите к генералу Агильере может вызвать ненужные вопросы у службы госбезопасности президента. Через час я должен быть на приеме у президента. Как видите, в любом случае я не смог бы с вами поехать.

Когда Аль-Хаадат смотрел в глаза Советника, у него возникало странное впечатление: он словно глядел в зеркало и видел только свое отражение, но при этом появлялось чувство, что за ним самим пристально наблюдают из темной комнаты. Опытный делец подозревал, что роль русского в сделке гораздо важней, чем он хотел это представить, демонстрируя свою слабую заинтересованность. И действительно, чутье его не обманывало. С предложением купить в Сантильяне партию «калашниковых» и РПГ-7 на ливийца вышел агент Советника, человек, имеющий официальную лицензию на торговлю оружием. Ширяев устроил эту «свадьбу», но он не собирался держать свечу над брачным ложем. Без его согласия тут все равно ничего бы не сложилось.

— Генерал просил меня позаботься о вашей безопасности, — сказал Советник. — Кроме взвода национальных гвардейцев, вас будут сопровождать мои сотрудники. За местных я не поручусь, но мои парни вытащат вас из любой заварушки.

— Кто эти люди?

— Сейчас увидите, — ответил Советник, услышав, как к вилле подъехала машина.

Аль-Хаадат подошел к перилам. Внизу он увидел светло-коричневую «Тойоту» с низким, плос-

Это был прицеп без тягача, когда-то разрисованный яркой рекламой. Но солнце выжгло краски, а ветер пополам с песком стесал их не хуже наждака.

Ставр поставил машину вплотную к фургону таким образом, чтобы, войдя внутрь, постоянно видеть ее через открытую дверь. Он остановился здесь только потому, что местность вокруг фургона просматривалась на несколько километров во все стороны. Если бы Ставр, белый человек, путешествующий в одиночестве, позволил себе остановиться и войти в подобный шалман в городе, он бы уже никуда не приехал и его молодой труп вряд ли бы нашли.

Ставр сдернул с лица очки и так же, как на горной дороге, одним движением перекинул ноги с педалей «крокодила» на твердую, как асфальт, глину, утыканную редкими клочьями сожженной колючки.

Открытую дверь завешивала ветхая грязная тряпка. Не выпуская из рук автомат, Ставр поднялся туда по железной приставной лестнице. Внутри фургон был перегорожен стойкой. За ней на табурете неподвижно, как мумия, сидел африканец. На полках у него за спиной вперемешку находилось то самое барахло, которое со всего мира валили в Сантильяну в качестве гуманитарной помощи, плюс дешевая электроника да пыльные бутылки с дрянной выпивкой.

Ставр купил большую пластиковую флягу минеральной воды и, подумав, добавил к ней еще бутылку тростникового рома, который решил подарить сержанту Шелумбе. Для местного этот ром все равно что райский нектар, а белому человеку следовало быть осторожным и не вливать в себя что попало. Как и все европейцы здесь, Ставр и Шуракен обычно пили пиво и джин, который особенно ценился, так как был в некоторой степени профилактикой против малярии. Покупка бутылки мерзкого пойла была жестом дружелюбия по отношению к авторитетному на окраине города торговцу. Брошенные на грязную стойку пять долларов представляли для чернокожего значительную сумму. При случае африканец не захочет лишиться возможности получить еще пять долларов и, может быть, не позволит какому-нибудь бандиту пальнуть из базуки по проезжающей мимо машине.

Фляга откупорилась с угрожающим шипением. Из горлышка вырвался гейзер вспененной минералки. Пить ее Ставр поостерегся, несмотря на то что фирменная пробка была в порядке. Он несколько раз прополоскал рот водой, тепловатой, но все же приятно пощипывающей язык и пересохшие губы. Остатки вылил на лицо и грудь.

Ставр вывел «крокодила» на шоссе и вдавил педаль акселератора в пол. Встречный поток горячего воздуха быстро высушил его кожу.

3

— Один наш общий знакомый рассказал мне о вашем увлечении, — с тонкой улыбкой сказал Аль-Хаадат Советнику. — В прошлом году в Париже на аукционе я случайно приобрел вещицу, достойную, как мне кажется, вашей коллекции.

С этими словами Аль-Хаадат поставил на круглую столешницу из оникса изящную хромированную статуэтку, предназначенную для установки на радиаторе автомобиля. Статуэтка олицетворяла богиню скорости. Изящная женщина с развевающимися волосами сжимала в руках шуракен — смертоносное оружие ниндзя, представляющее собой летающий с огромной скоростью диск с заточенными краями.

— Это богиня скорости с радиатора «Кадиллака» тридцать второго года, — важно пояснил Аль-Хаадат.

— Прекрасный экземпляр. — Советник взял статуэтку и принялся рассматривать с манерами истинного ценителя. — Однажды другой коллекционер перехватил у меня такую, но она была в значительно худшем состоянии. Я ваш должник. Но, как специалист, я вам скажу: эта богиня не с «Кадиллака». Это фигурка английского производства.

— Как вы это определили?

— Очень просто. Американская богиня скорости держит руль или развевающуюся шаль, а у английской — в руках шуракен, как у этой.

Коллекционирование носовых фигурок было давним хобби Советника. Как правило, эти талисманы дорогих автомобилей изображали богов и животных, реже — абстрактные образы агрессивной целеустремленности вроде стрел. Советника привлекали символы лидерства и победы.

Молодой слуга в белой полотняной куртке и таких же белых нитяных перчатках, скрывающих его черные руки, выкатил на лоджию бар-тележку и остановился, ожидая дальнейших указаний. Советник сделал едва заметный знак, и он исчез.

Вилла, предоставленная президентом Агильерой под штаб-квартиру русской военной миссии, была красивым зданием, выстроенным в английском колониальном стиле. По распоряжению Советника кофе и напитки подали на парадную лоджию, расположенную над главным входом. Полосатый тент защищал ее от палящих лучей солнца.

Аль-Хаадат подошел к бару-тележке.

Он открыл серебряный термос со льдом, бросил в бокал несколько прозрачных кубиков и плеснул изрядную порцию неразбавленного виски.

— Я рассчитывал, что вы поедете вместе со мной, господин Ширяеф. — Гость отпил небольшой глоток виски. — Меня предупреждали, что генерал очень вспыльчивый и плохо прогнозируемый человек. Как видите, я рискнул прилететь

ким кузовом, очень смахивающую на инкассаторский автомобиль. На ее борту красовалась эмблема с надписью «Antiterrorism security team». Из «Тойоты» вылезли двое белых парней.

Это были Ставр и Шуракен. Тропический камуфляж и экипировка делали их до предела похожими друг на друга, только Шуракен был на пять сантиметров выше и на пятнадцать килограммов тяжелей.

— Такие «машины», как эти парни, производятся по индивидуальным проектам, и любой из них стоит не меньше танка, — заметил Советник, подойдя к ливийцу.

— Вот как? — Аль-Хаадат просканировал спецов цепким и опытным взглядом торгаша, оценивающего любой объект с точки зрения его стоимости. — Кстати, мои клиенты интересуются такими коммандос. Им нужны инструкторы и военные советники в тренировочных лагерях.

— Я понимаю проблемы ваших клиентов, но я уже сказал, что не оказываю посреднических услуг, и связей с торговцами-наемниками у меня нет. — Ледяной тон Советника демонстрировал гостю, как неуместно и даже оскорбительно предполагать, что у него имеются контакты с вербовщиками. — Что же касается моих людей, то они российские военнослужащие, а не солдаты удачи.

— О конечно, конечно! Я не имел в виду ничего подобного, — горячо заверил его Аль-Хаадат. — Но поймите меня правильно, в последнее время русские специалисты охотно остаются работать за границей, если им предлагают выгодные контракты.

— К сожалению, это так. Опытные профессионалы становятся жертвами сокращения армии, разочаровываются в будущем и соглашаются на любые предложения. Я надеюсь, что, когда политическая обстановка стабилизируется, правительство примет правильное решение. А пока я все же прошу вас не пытаться соблазнять моих людей нефте-долларами ваших клиентов, — усмехнулся Советник.

Он смотрел на стоящих возле бронированной «Тойоты» спецов. Его отношение к ним было крайне неоднозначным. У полковника имелась масса возможностей использовать их в своих интересах. Но парни с самого начала повели себя крайне жестко и несговорчиво. Если б они немного сбавили гонор, стали чуть покладистее, у Советника нашлось бы для них немало интересных поручений и сотрудничество сложилось бы самым обоюдовыгодным образом. Но Ставр и Шуракен проигнорировали осторожные намеки своего шефа на то, что все услуги, выходящие за рамки их служебных обязанностей, будут хорошо оплачены. Независимость спецов, конечно, сильно действовала Ширяеву на нервы, но у него имелась и другая, гораздо более важная причина для особого отношения к ним. Он знал, что эти парни — сотрудники секретного подразделения с весьма широким спектром действия. Он подозревал, что их прислали в Сантильяну не столько обучать антитеррористическую команду, сколько контролировать его самого. Он долго проверял Ставра и Шуракена — для таких дел у Советника была своя, местная, агентура, — однако не обнаружил никаких признаков того, что спецы «сели ему на хвост». Но то, что его сотрудники, похоже, не интересовались ничем, кроме своих основных обязанностей, не успокоило Советника на их счет. В любой момент они могли получить закодированный приказ из Москвы и тут же вцепились бы ему в горло, как овчарки. При таком обороте дела Советник без особых усилий устроил бы мерзавцам по пуле в затылок во время очередной боевой операции. Но пока до этого не дошло, он предпочитал найти способ использовать их в своих интересах, а не отчитываться за два трупа.

Аль-Хаадат налил себе еще порцию виски. На трезвую голову у него, пожалуй, не хватило бы духу пуститься в опасное путешествие по кипящему, как адский котел, городу, население которого постоянно сражалось против правительства и устраивало кровавые разборки между собой. Захват заложников и сжигание посредством огнеметов жилищ вместе с их обитателями были обычной тактикой недовольных правительством групп, возглавляемых бывшими военными и уволенными чиновниками. Но особенно свирепые схватки происходили между представителями различных кланов, а проще говоря, бандитами.

Вернувшись из поездки в лагерь Вигоро, Ставр узнал, что Советник приказал им с Шуракеном сопровождать какого-то типа в резиденцию Верховного главнокомандующего республики генерала Агильеры. Все, что было связано с шефом, вызывало сейчас у Ставра приступы бешенства. Вначале он собрался ехать в том виде, в котором вернулся с полевых учений, выражая таким образом свое неуважение к Советнику и его приказам. Но потом решил, что офицер, представляющий великую державу, не имеет права выглядеть как бандит.

Поэтому он принял душ и побрился.

Спецы, стоявшие у машины перед виллой российской военной миссии, были одеты в безупречно отглаженный камуфляж без знаков различия. Под куртками на них имелись гибкие бронежилеты, но внешне это в глаза не бросалось. Дураков нет стрелять по корпусу, если на человеке бронежилет. В таких случаях стреляют в голову — попасть трудней, зато наверняка.

Советник вышел из дверей вместе с невысоким лощеным господином явно арабского происхождения. Ставр и Шуракен повернулись в их сторону.

— Господин Аль-Хаадат, познакомьтесь, это мои сотрудники, — сказал Советник. — Ребята, это господин Аль-Хаадат. Я передаю его на ваше попечение.

Аль-Хаадат внимательно посмотрел в лица спецам и протянул руку этим людям, от которых сейчас зависела его жизнь.

И Ставр, и Шуракен отметили решительное и крепкое пожатие его маленькой, женственной руки. Но от «клиента» здорово несло алкоголем. На безымянном пальце ливийца сиял золотой перстень. Короткое пухлое запястье охватывал массивный браслет часов с утыканным крупными бриллиантами циферблатом. Аль-Хаадат был одет в дорогой летний костюм, измявшийся в дороге. В руках держал небольшой саквояж с цифровыми замками, других вещей у него не было.

Спецы автоматически зафиксировали все эти детали, по которым не составляло труда определить, кто такой Аль-Хаадат и за каким чертом его принесло к генералу Агильере.

— Следуйте нашим инструкциям, господин Аль-Хаадат, и ничего плохого с вами не случится, — на беглом английском сказал Шуракен.

— Когда мы будем двигаться через город, можете или молиться, или лечь на пол, — продолжил Ставр, открывая дверь пассажирского отсека «Тойоты».

— Я сделаю и то и другое.

Пригнувшись, Аль-Хаадат влез в «Тойоту». Окон в пассажирском отсеке не было. Свет проникал через тонированные стекла водительской кабины и открытый люк в крыше.

— Одну минуту, ребята, — по-русски сказал Советник. — Принимая во внимание, что ваш основной инстинкт — стрельба навскидку, я напоминаю, что вы не имеете права открывать огонь на поражение до тех пор, пока не убедитесь, что вас действительно атакуют. Мы не воюем в этой стране. Я здесь — старший военный советник, вы — военспецы и не более.

— Да мы вообще тут туристы по безвалютному обмену, — заметил Шуракен.

Ставр смотрел сквозь Советника и молчал. Обычно у него не было никаких проблем с выражением собственного мнения, и в данном случае его молчание означало, что он разговаривать не хочет.

— Я обязан напомнить, что ваши подписи стоят под директивой о действиях в городе в условиях ограниченных правил открытия огня. Но вы, конечно, имеете право самостоятельно принять решение, стрелять или не стрелять.

— Это точно, — сказал Шуракен. — Советоваться там будет не с кем.

— Только помните, что вам придется отчитаться за каждый выстрел.

На плац перед офисом выкатился расхлябанный армейский «Форд» с оравой национальных гвардейцев в мятой и грязной форме, обвешанных оружием и с золотыми кокардами на темно-зеленых беретах.

— Е-мое! Это еще что такое? — опешил Шуракен, когда «Форд» встал вплотную за задним бампером «Тойоты».

— Ваше прикрытие.

За линзами темных очков в глазах Ставра сверкнула молния бешенства. Но он молча обошел автомобиль и залез в кабину.

— На черта нам такое прикрытие? — по-русски, чтобы не понял «клиент» в пассажирском отсеке, сказал он, когда Шуракен уселся за руль. — Одни мы еще, может быть, проскочили бы влегкую. Засвидетельствовали бы нам почтение десятком выстрелов, и все дела. А с золотыми бляхами на хвосте мы огребем по полной программе. Все бандиты будут палить в нас из всего, что стреляет.

Шуракен вдавил клавишу миниатюрного монитора на приборной панели. На экране появилось изображение газующего за ними «Форда» и закрывающихся внушительных ворот резиденции.

4

Через час у Советника была назначена встреча с президентом Сантильяны. Он принял душ и переменил сорочку. В здешнем климате даже при кондиционерах одной белой сорочки на весь день не хватало.

Роскошный белый дворец президента окружали небольшие виллы офисов, коттеджи жилого городка и казармы. Все утопало в вечноцветущей тропической зелени, только плац, где довольно часто проводились пышные парады и показательные выступления национальной гвардии, был целиком во власти убийственного солнца.

Секретарь открыл перед Советником дверь кабинета президента. Давид Агильера был невысокий, толстый, пахнущий духами негр в костюме от Хьюго Босс. Он происходил из высшего клана местного племени воинов и охотников. За двести лет британского владычества вожди клана совершенно цивилизовались, их потомки стали получать в Европе военное и юридическое образование. Из поколения в поколение они занимали высокие посты в колониальном правительстве. Обретя независимость, Сантильяна превратилась в очередную незаживающую язву на многострадальной шкуре Африки. Придя к власти, Агильера попытался дать стране новую конституцию и вернуть к жизни алмазные месторождения, которые повстанцы и бандиты привели в полную негодность, разграбив их и уничтожив оборудование. Но он никак не мог решить, строить ли ему национальную армию для борьбы с повстанцами или сконцентрировать усилия на создании президентской охраны, чтобы защитить себя от личных врагов и скрытой внутренней оппозиции. Из всей дикой, плохо обученной армии президент мог рассчитывать только на тысячу национальных гвардейцев, состоявших под командованием его брата Джошуа Агильерн. Командиры остальных частей давно превратились в удельных князей, преданность их была весьма сомнительна. Агильера держался у власти только потому, что главари повстанческих отрядов постоянно грызлись между собой и были абсолютно неспособны договориться о совместных действиях. Но в конце концов появился сильный лидер, страшный человек, из тех, кто становятся героями, — Фодей Мабуто, за свою исключительную даже для Африки жестокость получивший прозвище Мясник. Он организовал Объединенный революционный фронт, который пока не имел реальной мощи, но уже существовал. Если бы Мабуто удалось сконцентрировать силы хоть на один удар, армия Агильеры не выдержала бы.

— Обстоятельства требуют от нас решительных действий, — сказал президент Агильера Советнику. — С Мабуто необходимо покончить немедленно.

— У Мабуто хорошая охрана, и он умеет путать следы. Но у нас есть агентура среди местного населения. Как только мы установим, где он сейчас находится, мои люди с ним покончат.

— Нет, участие ваших сотрудников абсолютно исключено. Белые не смогут проникнуть в лагерь Мабуто незамеченными и остаться в живых. Если они будут убиты или захвачены, их легко опознают. Мои враги поднимут вой, что я пользуюсь услугами наемных террористов. Сейчас я не могу так рисковать своей репутацией. Подготовьте эту операцию сами, используйте моих курсантов из антитеррористического подразделения.

Советник вернулся в свой офис. У него возникла проблема, и надо было найти единственно верное ее решение. С Мабуто его связывали тайные аферы по продаже оружия. Сделки проворачивались через подставные фирмы, поэтому Мабуто не подозревал, что его партнером в этих делах является человек, которого он считал одним из своих главных врагов. Ведь организация борьбы с повстанческими группировками являлась основной обязанностью Советника.

Ликвидация Мабуто нанесла бы невосполнимые убытки: вожак повстанцев не только был постоянным клиентом, но благодаря его посредничеству в российской оружейной лавке в Сантильяне отоваривались и другие подобные ему деятели. Суть проблемы заключалась еще и в том, что убытки в данном случае понесла бы не российская казна, а непосредственно сам Советник.

После того как в результате перестройки несколько могущественных функционеров покинули свои кабинеты на Старой площади, над Советником остались только генералы Генштаба. Контролировать его так жестко, как при хозяевах со Старой площади, они не имели возможности, потому что, с одной стороны, были заняты своей внутриведомственной борьбой, а с другой — вели беспощадную и изнурительную войну против Комитета госбезопасности, пытавшегося выполнять свои функции и бороться с хищениями, должностными преступлениями и коррупцией. Но в 1992 году монолитный щит тоталитарного государства рассыпался, что было вполне закономерно. Созданный для общества всеобщего подчинения, он не годился для демократической России. Негативными последствиями этого радостно встреченного всей страной события было то, что организации, созданные из обломков Комитета, вели ожесточенную борьбу за выживание и сохранение кадрового состава и не могли выполнять свои функции. К тому же им сильно мешали сверху.

Советник давно ждал подобной ситуации и хорошо подготовился к ней. Под его началом находился отлично налаженный бизнес, причем один из самых прибыльных. Наконец представился благоприятный момент присвоить его. Для того чтобы торговать оружием в обход международных квот, требовалась недюжинная изворотливость, осторожность и деловая хватка, но настоящий высший пилотаж начинался на этапе легализации денег, полученных от незаконных сделок. Советник выстроил безотказно функционирующую систему подставных фирм и банковских счетов, пройдя через которые деньги прибывали в респектабельные банки Европы, приобретя безупречно законный вид. Дальнейшая судьба этих денег Советника не касалась: счетами распоряжались хозяева со Старой площади. Теперь счета пытались присвоить генералы Генштаба. Но Советник заранее позаботился о том, чтобы банковский насос, качавший деньги на эти счета, мог работать и в обратную сторону. Теперь наконец наступило время нажать соответствующую кнопку. Впрочем, один раз Советник это уже сделал. Полгода назад пал поддерживаемый ранее Советским Союзом диктаторский режим в сопредельной с Сантильяной республике. Советские специалисты построили там секретную морскую базу, которая в случае войны могла стать резиденцией диктатора или лазейкой, через нее он получал возможность удрать, что и произошло в конце концов. При новом правительстве, взявшем курс на капиталистический образ жизни, базу выставили на продажу. Советник купил ее на подставное лицо, расплатившись деньгами, полученными за одну из последних сделок. Теперь у него был отлично налаженный бизнес: связи, банки, источники товара, благодаря которым он в любой момент мог обеспечить армию частного заказчика любым стрелковым вооружением, бронетехникой, боевыми вертолетами и даже самолетами. Именно через агентов Советника вождь повстанцев Мабуто недавно приобрел самолет с экипажем, готовым на любые авантюры. А теперь у Ширяева появилась и оснащенная всем необходимым, удобно расположенная база, где он мог начать новую жизнь, изменив имя, а при необходимости внешность.

При таких обстоятельствах ликвидация Мабуто не соответствовала интересам Советника. Как только накрылся бы бизнес по продаже оружия в Сантильяне, Россия прекратила бы последние, уже и так весьма слабые, усилия по поддержанию режима Агильеры. Так что у вождя Мабуто имелись весьма реальные шансы в ближайшее время захватить власть.

Советник решил, что приказ президента о подготовке покушения на Мабуто он, конечно, выполнит, но при этом позаботится о том, чтобы вождь счастливо избежал смерти.

5

Пуля щелкнула в лобовое стекло, и на нем вспыхнул звездообразный скол.

— Твою мать! Ну ты посмотри, не успели выехать, как кто-то уже нагадил на стекло. — Ставр надел обтянутую камуфлированной тканью каску. — Раз, два, три — ну, я пошел. Кто не спрятался, я не отвечаю, а кто спрятался, я не отвечаю вдвойне.

— Давай, Ставридас.

Ставр пролез между передними креслами и выпрямился во весь рост, по грудь высунувшись в люк. На случай ближнего боя под рукой находился автомат, но экипаж имел устрашающую огневую мощь благодаря установленному в люке крупнокалиберному пулемету, поворачивавшемуся на турели в любую сторону. Ставр перевел предохранитель пулемета в положение «огонь». Мягкие кожаные перчатки с обрезанными пальцами служили ему отнюдь не в качестве живописной детали: под лучами солнца металлические корпуса оружия так

44

раскалялись, что, только дотронься незащищенной рукой — шкуру приварит.

«Тойота» миновала гигантскую этажерку из железобетонных свай. Высотное здание начали строить в короткий период перемирия. Потом сантильянцы сообразили, что как только кончается война, кончается и гуманитарная помощь. Война кормила городскую часть населения, а главное, обогащала небольшую группу вояк и чиновников, которые имели отношение к поставкам оружия и гуманитарной помощи и поэтому быстро возобновили боевые действия.

Здание осталось недостроенным, успели возвести только скелет из железобетонных свай и перекрытий. Очень скоро в эту гигантскую этажерку поползли навьюченные узлами бездомные люди, заселяя ее с упорством муравьев. Они протянули между этажами веревочные лестницы, вместо стен повесили бамбуковые или травяные циновки и тряпки, натащили жаровни и керосиновые лампы, сложили очаги на полу. Когда садилось солнце, циновки и тряпки поднимались. Людской термитник раскрывался. Темнота скрадывала очертания железобетонных свай, и казалось, что мерцающие огни ламп и костров висят в черной бездне звездного неба.

За этим гигантским термитником начинался проспект Независимости. Справа и слева, налезая друг на друга, беспорядочно теснились грязные бараки, хижины, слепленные из глины, крытые гофрированным железом, пучками слоновьей травы и просто картонными упаковками. На обочинах торговали фруктами, курами и краденой гуманитарной помощью. Тут можно было купить любые продукты, лекарства, наркотики, а также оружие и боеприпасы к нему. На железных решетках жарили недозрелую белую кукурузу и рыбу. Тощие, жилистые черные люди толклись на дороге. Почти каждая женщина несла за спиной ребенка, еще один-два, а то и больше цеплялись за ее цветастую юбку, при этом все африканки были беременны. Помятые ржавые автомобили непредсказуемо двигались в любых направлениях, не признавая никаких правил дорожного движения. Сантильяна — это война, битые машины и поголовно беременные женщины.

Шуракен осторожно пробирался через толчею на дороге, стараясь по возможности не возбуждать местное население. Следом за низкой и плоской, как черепаха, «Тойотой» катился раздолбанный «Форд» с национальными гвардейцами, находившимися, как обычно, под парами рома и местным наркотиком кхата.

Поперек дороги трое мужчин толкали заглохший автомобиль. Шуракен сбросил скорость, чтобы объехать их и не задеть при этом другую машину, у которой на капоте находилась плетеная клетка с куриным выводком. И услышал глухую дробь, словно кто-то застучал по борту костяшками пальцев.

«Поехало», — подумал Шуракен.

При первых выстрелах население мгновенно исчезло в узких щелях между бараками и хижинами. Брошенная тачка перекрыла дорогу.

Грохот установленного на крыше пулемета, вибрация руля и корпуса «Тойоты» вошли в голову и грудь Шуракена. Он увидел, как машину, загородившую дорогу, буквально режут на куски пулеметные очереди, и утопил в пол педаль газа. Его рванувшаяся вперед «Тойота» протаранила обломки и раскидала их.

Случайные выстрелы вызвали обычную реакцию. Женщины и дети исчезли. А мужчины забрались в свои насиженные гнезда, обложенные мешками с песком и вонючими тюфяками, похватали оружие и начали палить по транспорту на дороге.

Под действием кхата и паров рома, бутылка с которым передавалась из рук в руки, национальные гвардейцы были готовы завоевать Америку. Но как только над их головами засвистели пули, они попадали на дно кузова. «Форд», едва не опрокинувшись, развернулся поперек проспекта и исчез в облаке выхлопных газов.

Боковым зрением Ставр наблюдал этот «оперативный отрыв». Шуракен тоже засек его на мониторе, служившем зеркалом заднего вида. На их со Ставром жаргоне такой маневр назывался «колеса отлетают». Но они здесь и не такое видели. При штурме повстанческого лагеря они в считанные секунды оказались в одиночестве против тридцати бандитов, а от взвода гвардейцев остались только пустые камуфляжи. Это моментальное испарение не было сверхъестественным, просто солдаты имели обыкновение носить под военным обмундированием гражданское тряпье. «Колеса отлетают» быстрей всего именно в таких ситуациях, поэтому спецы отнеслись к отвалу прикрытия без эмоций.

— На пол! Мордой вниз и молитесь Аллаху! — не оборачиваясь к Аль-Хаадату, заорал Шуракен.

Скорость — это шанс остаться в живых. Педаль газа влипла в пол.

Когда смотришь через прицельную планку пулемета, все, что ты видишь, становится «картинкой прицела». Так Ставр и воспринимал сейчас окружающую действительность.

Заметив характерную вспышку, сизый дым и облако пыли, взметнувшееся от реактивного снаряда, Ставр всаживал очередь туда, где их засекал. Пляшущие огни автоматов его мало волновали: обычные пули не пробивали корпус «Тойоты». Но снаряд, пущенный из ручного противотанкового гранатомета, прожег бы ее броню огненным стержнем и разорвался внутри, как шаровая молния.

В задачу Ставра не входило поливать огнем все живое, но человеку с базукой или гранатометом не стоило рассчитывать на его гуманность. Увидев, как прямо по курсу из-за угла выскочил человек с трубой гранатомета на плече, Ставр поймал его в перекрестие прицела и нажал на спуск.

Очередь разорвала бандита пополам, но за мгновение до этого он все же успел выстрелить. Снаряд пронесся над головой Ставра и отправился дальше искать свою жертву.

Шуракен проскочил зону обстрела и вывел машину из пригорода. Ставр подтянулся на руках и сел на край люка.

— Ты в порядке? — крикнул ему Шуракен.

— Кажется, да.

— Есть убитые?

— Могу подтвердить только одного. Черт! Это еще что такое?

— Похоже, разборка между бандитами.

На бешеной скорости «Тойота» приближалась к кольцевой развязке. Вправо дорога вела на аэродром, влево — к резиденции генерала Агильеры. На развязке нос к носу стояли две банды. При появлении «Тойоты» они отвлеклись от своих дел и сейчас смотрели, как машина приближается. Вдруг, словно им кто-то свистнул, черные головорезы бросились под прикрытие машин и полуразрушенной каменной будки. Они обладали исключительной, на уровне рефлекса, способностью объединяться при виде добычи.

Ставр услышал сухой треск — так трещит брошенный в костер валежник — и увидел желтые вспышки. Он обрушился в люк и схватился за пулемет.

Две машины, стоявшие в центре развязки, начали разлетаться на куски. У одной из них рванул бензобак. Укрывшиеся за автомобилями бандиты попрыгали в придорожную канаву.

На огромной скорости «Тойота» влетела в левый поворот. Ставра отбросило на край люка, и если бы не бронежилет, он бы сломал пару ребер. В пассажирском отсеке Аль-Хаадат закатился под сиденья на манер кегли.

Бандиты вылезли из канавы и начали стрелять по колесам. Обе передние шины были пробиты. Но «Тойота» неслась вперед, яростно шлепая по асфальту лохмотьями разорванных покрышек.

Из багрового пламени и черного дыма, клубившегося над развязкой, выскочил пикап. Над крышей кабины у него торчала какая-то здоровенная пушка. Ставр не мог определить ее марку, но, судя по виду, она вполне была способна наделать дыр в их бронированном панцире.

Ставр полез к задней двери машины и крепко выматерился, споткнувшись о жирную задницу Аль-Хаадата.

Гонясь за «Тойотой», как за буйволом, бандиты с азартом диких охотников лупили по ней из автоматического гранатомета. В конце концов они, наверное, подбили бы ее, если бы могли заниматься этим увлекательным делом достаточно долго и безнаказанно.

Но Ставр открыл амбразуру в задней двери и выдвинул в нее ствол тяжелого пулемета, снятого со штурмового вертолета Ми-24. Он дал первую пристрелочную очередь, и бандиты моментально сообразили, что за этим последует. Они резко сбавили скорость и постарались набрать безопасную, с их точки зрения, дистанцию. Получив отпор, эти ребята сразу теряли интерес к опасному противнику.

Не снижая скорости, машина на одних ободах влетела в открытые ворота резиденции.

У Аль-Хаадата тряслись колени. Он едва держался на ногах, распространяя едкий, как от саранчи, запах перегоревшего виски и гормонов страха.

— Я знал, что здесь ад, но не представлял, что такой, — пробормотал он.

Ставр и Шуракен одинаковым движением повернулись к нему, и Аль-Хаадат увидел, что русские спецы улыбаются. Их коричневые от загара лица вызывающе скалились белыми молодыми зубами. Они вообще часто улыбались, только надо было правильно понимать их улыбки.

— Поигрались, а теперь придется немного поработать, — сказал Шуракен.

Не обращая внимания на Аль-Хаадата, он открыл заднюю дверь «Тойоты» и выкатил два запасных колеса.

6

Сначала генерал Агильера не проявил особого интереса к Аль-Хаадату. Ничего о нем не зная, он думал, что ливиец просто мелкий торговец оружием, и не собирался особо утруждать себя из-за сделки в двести-триста тысяч долларов. Но когда Аль-Хаадат заявил о полномочиях вести переговоры о партии оружия, которой можно вооружить небольшую армию, генерал заволновался, как хозяйка борделя, почуявшая шанс пристроить всех своих девочек. И действительно, для того чтобы удовлетворить аппетит Аль-Хаадата, генералу пришлось бы подчистую вымести армейский склад на основной базе Стюарт. Сделка тянула на семьдесят миллионов американских долларов, в которых собственная доля генерала Агильеры составляла четвертую часть.

Генерал пригласил ливийца на ужин и предложил ему остаться в резиденции на ночь. Назавтра он пообещал включить его автомобиль в состав сильного конвоя, который отклонится от своего маршрута, чтобы проводить торговца на аэродром. Аль-Хаадат весьма церемонно поблагодарил хозяина.

Вызвав начальника охраны, генерал Агильера приказал ему позаботиться о русских спецах, сопровождавших Аль-Хаадата:

— Устрой русских и следи, чтобы они не шлялись по дому и не совали носы куда не следует.

Спецам отвели комнату на первом этаже в правом крыле виллы. Она была обставлена как номер в гостинице среднего класса. В окно нельзя было увидеть ничего, кроме зарослей одичалого парка и фантастической красоты дерева, — с его тонких, гибких ветвей до самой земли свисали гирлянды ярко-желтых цветов. Снаружи окно было забрано красивой кованой решеткой. Кондиционер продувал комнату ледяным сквозняком.

После жаркого дельца, в котором они сегодня побывали, Ставр и Шуракен не могли пожелать себе ничего лучше. Спецы содрали пропотевшую амуницию, оставшись в одних трусах. Шуракен растянулся на диване, ноги положил на подлокотник и подсунул под них подушку, чтобы было повыше. Ставр устроился в одном кресле, а на второе вытянул свои сухие и стройные, как у теннисиста, ноги. Пощелкав пультом телевизора, спецы нашли подходящую англоязычную программу. Через полчаса слуга принес жареную свинину с овощами, бутылку приличного рома и несколько запотевших бутылок минеральной воды.

На ром спецы не налегали, выпили понемногу, чтобы только почувствовать, как огонь разливается по жилам. Здесь было не то место, чтобы рисковать ясностью головы. В этой бешеной стране чувствовать себя в безопасности нельзя нигде, но меньше всего — в логове Джошуа Агильеры, которого спецы между собой называли генерал Джо.

Устроив всех гостей так, чтобы они находились под постоянным контролем, и предоставив им соответствующий их статусу комфорт, генерал Агильера отбыл в секретную ночную экспедицию. Его сопровождали «черные ягуары» — личная охрана, состоявшая из самых бесстрашных и преданных боевиков, обученных русскими специалистами — предшественниками Ставра и Шуракена. Как водится, генерал щедро осыпáл их милостями и карал с особой жестокостью. Желая выразить Аль-Хаадату, как выгодному деловому партнеру, свое особое расположение, покидая резиденцию, хозяин отдал слугам распоряжение, которое, по его мнению, ливиец должен был особенно высоко оценить.

Аль-Хаадат переоделся в шелковую пижаму и улегся в помпезную, как в шикарном борделе, постель, занимавшую полкомнаты. На пороге спальни бесшумно появился слуга. Он поклонился и, подождав, пока ливиец соизволил обратить на него внимание, сказал, что, исполняя волю своего господина, привел гостю женщину.

Другой слуга втолкнул в спальню белую девушку. Как отпрыск правящего клана, генерал Джо учился в Европе, и, глядя на наряд девицы, нетрудно было догадаться, в каких заведениях сформировалось его представление о прекрасном. Узкий лоскуток трусиков, пояс, чулки с широкими манжетами, бюстгальтер с алмазной застежкой между грудями — вся эта амуниция из белого кружева откровенно просматривалась сквозь полупрозрачную тунику, отделанную пухом. Проститутка оказалась юной, стройной, со свежей, ослепительно белой кожей. Блондинка с голубыми глазами, она смотрелась бы настоящей красоткой, если бы не бледное, насмерть перепуганное лицо. Она смотрела так, что казалось: только дотронься — заорет, а то и исцарапает, как дикая кошка. Во всем, что не касалось бизнеса, Аль-Хаадат был человеком изысканным, дома его ждал нежный, искусно обученный мальчик, и возня с затравленной черномазым мерзавцем проституткой не сулила ему никакого удовольствия.

— Уведите ее, — сказал он, — я не люблю европейских женщин.

Слуга схватил девушку за руку и потащил к двери. Но тут Аль-Хаадату пришла в голову замечательная мысль.

— Подожди, — остановил он слугу. — Господин генерал прислал мне эту женщину, значит, я могу распоряжаться ей по своему желанию?

— Да, господин.

— В таком случае отведите ее к коммандос, которые сопровождали меня сюда. Они молодые свирепые самцы. Женщина — это как раз то, что им сейчас больше всего нужно. Скажите им, что это я прислал ее.

Слуги увели девушку. Очень довольный своим великодушием, Аль-Хаадат погрузился в обдумывание сомнительных моментов сделки с генералом Агильерой.

Оружие спецам пришлось сдать охране, но индивидуальные рации у них остались. Они связались со штаб-квартирой русской военной миссии. Советника на месте не оказалось, ответил его секретарь и переводчик Димка. Ставр и Шуракен сообщили, что сидят под замком на вилле генерала Джо и домой вернутся только завтра, после отбытия купца. Догадаться о цели визита Аль-Хаадата не составляло труда. Спецы уже давно поняли, что через Сантильяну валом идет на продажу оружие, но считали, что это их не касается и чем меньше они будут знать о таких делах, тем дольше проживут.

Спецам принесли ужин и очередную бутылку рома, хотя за обедом к спиртному они почти не притронулись. (Слуги, допившие ром, были им за это весьма признательны.) Ставр и Шуракен с профессиональным интересом смотрели американский боевик о работе спецслужб, когда в дверь вежливо постучали, затем щелкнул замок и... у парней отвалились челюсти. На пороге стояла стройная блондинка в какой-то туманной накидушке и кружевных лоскутках, скорей обозначающих, чем прикрывающих самые интересные места. Одна из черных физиономий, маячивших за ее спиной, кажется, открывала рот и издавала какие-то звуки, но Ставр и Шуракен временно утратили способность понимать человеческую речь. Черт знает, как давно они не видели ни одной белой женщины, за исключением семи католических монашек. Повстанцы захватили их в заложницы и пытались обменять на дизель-генератор. Как специалистам по антитеррористическим операциям, Ставру и Шуракену приказали освободить пленниц. Спецы отбили монашек и вручили их представителю Красного Креста не оскверненными даже в мечтах.

Черные исчезли. Дверь за спиной девушки закрылась. В комнате повисла тишина штиля, предшествующего первому шквалу бури. Слышно было только, как шелестит кондиционер.

В первый момент при виде белых мужчин на лице девушки промелькнуло выражение похожее на радость. Но почти сразу она поняла, что попала из огня да в полымя, и теперь с ужасом смотрела на двух полуголых мужиков, здоровых как жеребцы. При ее появлении они остолбенели, но уже начали приходить в себя и осознавать, как им повезло.

— Черт возьми, какие гости в нашем доме! Откуда ты здесь взялась, детка? — по-английски спросил Шуракен, садясь на диване.

— Не бойся, — улыбнулся девушке Ставр, — мы кусаемся, но очень нежно. Давай смелей заруливай к нам. Как тебя зовут, куколка?

Девушка переводила напряженный взгляд с одного на другого, словно пытаясь понять, что они говорят. Сквозь страх в бледном лице читалась безнадежная решимость защищаться. Как только Ставр сделал движение вылезти из кресла, она закричала:

— Не трогайте меня! Ну пожалуйста, не трогайте меня!

Кричала она по-русски.

В комнате повисла странная тишина, которая наступает после внезапного раската грома или выстрела. Потом Шуракен, теперь тоже по-русски, очень спокойно и неожиданно мягко спросил:

— Как тебя зовут?

— Наташа.

— Ты наша, русская?

— Да. А вы... вы?

— Мы тоже.

Наташа бросилась на шею Шуракену, который сидел ближе Ставра, и разрыдалась.

— Похоже, наступил сезон дождей, — сказал Ставр.

7

«*Приглашаются девушки до 26 лет в Швейцарию для работы в кабаре и ночных клубах в качестве топлес-танцовщиц (без интима), з/плата от 3000$ в месяц. Представитель в Москве...*», далее следовал телефон. Такое объявление прочитали в рекламной газете «Из рук в руки» пять девушек. Они были выпускницами хореографического отделения Института культуры, в новые, особенно трудные для артистов времена зарабатывали на жизнь, танцуя в московских клубах и ресторанах. Возможность поехать за границу и заработать наконец приличные деньги показалась им весьма заманчивой. Жанна, исполнявшая в маленьком ансамбле роль главного администратора, позвонила по указанному в объявлении телефону. Приятный женский голос ответил, что отбор производится на конкурсной основе. Изложив основные требования, дама на другом конце телефонного провода записала группу на просмотр. Девочки приложили максимум усилий, чтобы продемонстрировать себя в лучшем виде, и их надежда сбылась — с ними подписали контракт. Бывалая дама, менеджер фирмы-посредника, заверила девушек, что взаимоотношения с мужчинами останутся их личным делом. После этого она забрала паспорта для оформления выездных документов. К их удивлению, день вылета был объявлен очень быстро, очевидно, в отделе виз швейцарского посольства у фирмы все было схвачено. Девушек пригласили в офис, где не без элегантности, но по-деловому коротко отметили их отбытие парой бутылок шампанского и тарелочкой сандвичей, после чего топлес-танцовщиц усадили в микроавтобус. Девушки немного забеспокоились, когда обнаружили, что везут их не в «Шереметьево». Но сопровождавшая их дама-менеджер объяснила, что поскольку фирма берет на себя транспортные расходы, то за ней остается право эти расходы по возможности сократить. Через некоторое время она предупредила, что сейчас будут проезжать через КПП военного аэродрома, и попросила девушек задернуть шторки на окнах и не разговаривать. Танцовщицы улетели на армейском транспортном самолете, тяжело груженном каким-то оборудованием в зеленых ящиках. Девушкам это даже понравилось, потому что выглядело как начало увлекательных приключений. Летчики устроили их в жилом отсеке за кабиной управления и развлекали, как могли, даже сажали за штурвал самолета, предварительно поставив его на автопилот. Единственной неприятной деталью было ведро, предназначенное для отправления естественных нужд и стоявшее за герметично закупоренной дверью в грузовой отсек. Девушки решили, что ни за что не воспользуются этим противным ведром. Но когда подружки, одна за другой, были вынуждены выскользнуть из кабины в транспортный отсек, где на переборках наросла белая плесень инея, они вдруг притихли: Танцовщицы поняли, что летят слишком долго.

Наконец самолет приземлился. Девушки спустились по трапу, опущенному из кабины низко сидящего над бетонкой тяжелого транспортника, и поняли, что они не в Швейцарии. Над бетонкой дрожал и струился раскаленный воздух. С одной стороны в знойном мареве виднелись хищные силуэты военных вертолетов. С другой — за рядами колючей проволоки поднимались на горизонте фиолетово-зеленые силуэты гор.

По взлетно-посадочной полосе к самолету подкатили два белых «Мерседеса», никелированные решетки радиаторов и трехлучевые звезды на капотах автомобилей ослепляли, сверкая под лучами солнца. Из «Мерседесов» вылезли увешанные оружием негры в камуфляжной форме, их головы были обмотаны черными шелковыми платками, полотнищами спускавшимися сзади на шею. При виде этих людей девушек парализовал ужас.

Танцовщиц доставили в резиденцию генерала Агильеры. Несколько дней они не видели никого, кроме высохших некрасивых негритянок, их обслуживающих. Хозяин был занят делами. Он воевал с повстанцами. При этом национальная гвардия несла ощутимые потери боевой техники, потому что открывалась возможность списывать оружие, которое генерал получал из России и продавал всем, кто готов был за него платить.

Но однажды дверь помещения, где держали русских танцовщиц, распахнулась, и на пороге девушки увидели крупного иссиня-черного мужчину в военной форме. Генерал вернулся из джунглей, где разорил и сжег деревню, в которой засели повстанцы. Его широкие ноздри еще раздувались от запаха пороха и горящих травяных хижин. Он был особенно не в духе, потому что повстанцы на этот раз успели удрать, оставив на растерзание национальным гвардейцам несколько трупов, одетых в смесь гражданского тряпья и тропического камуфляжа. Трупы оказались заминированными, и пятеро людей генерала Агильеры подорвались, когда попытались раздеть мертвеца и, по своему обычаю, изуродовать его.

Если б, вернувшись из джунглей, Верховный

главнокомандующий не был так взбешен и пороховой дым, смешанный с вонью горящего человеческого жилья и запахом крови, не разъедал ему ноздри, все, может быть, обернулось не так ужасно.

Генерал посмотрел на девушек глазами, подернутыми кровавой пленкой, как у плотоядного животного. Их страх, беззащитность и белая, светящаяся кожа привели его в ярость. Он схватил первую попавшуюся, разодрал на ней платье и изнасиловал под дикие вопли «черных ягуаров», везде следовавших за ним по пятам. Он с такой силой всаживал в нее свой таран, словно хотел, чтобы девушка раскололась пополам — как в африканских сказках раскалываются от ярости мужчин женщины, вырезанные из черного дерева. Но она потеряла сознание, и генерал с отвращением бросил ее.

Ошалев при виде крови и раскинутых белых ног, один из «черных ягуаров» метнулся к девушке, по-звериному припадая к полу.

— Назад! — заревел генерал.

«Черный ягуар» откатился за порог. Гвардейцы боялись своего хозяина как дьявола.

— Хочешь получить ее, притащи мне живого Мабуто, — сказал ему шеф.

Боевики с диким восторгом смотрели, как их командир гоняется за девушками, и его член, похожий на детородный орган осла, торчит из прорехи расстегнутых, сползающих брюк.

Ему удалось схватить за волосы Жанну. Эта девушка всегда умела постоять за себя и подруг, поэтому и была в ансамбле лидером. Она защищалась как бешеная кошка и, когда Агильера засунул вздрагивающий от возбуждения член ей в рот, сжала зубы. Острые ногти вонзились насильнику в пах.

От рева генерала даже у «черных ягуаров» застыла кровь в жилах.

Взбесившаяся от ужаса и отвращения девушка могла его оскопить. Но она не успела это сделать. Ее шейные позвонки с треском переломились от удара.

После гибели Жанны танцовщицы ждали жестокой расправы. Но генерал не считал их за людей и, следовательно, не мог испытывать к ним чувства мести. Он убил бешеную суку, причинившую боль и едва не изувечившую его, но не собирался уничтожать дорогостоящих светловолосых и белокожих самок. Агильера намеревался досыта нажраться их нежной сладостной плотью, а затем с наибольшей выгодой продать или раздарить друзьям.

К счастью, в следующие несколько дней он не мог воспользоваться девушками, потому что, несмотря на усилия врача и нежные заботы жены, его распухший член ни на что не годился. Генерал отвел душу, расправившись с главарем одного из повстанческих отрядов. Агильера приказал оскопить его и заткнуть рот его собственной плотью. Затем на пленника, как на бревно, нанизали старые автомобильные покрышки, облили бензином и подожгли. Столб черного дыма поднялся над джунглями. Но Сантильяна не ужаснулась. Кровавые расправы были здесь в обычае.

Когда Наташа рассказала Ставру и Шуракену о том, что случилось с ней и ее подругами, парни пришли в ярость. Теперь они хотели одного — отомстить за русских девчонок и попытаться переправить их домой. А вся эта профессиональная амуниция проститутки, надетая на Наташу, стала для них целомудренной, как девичье платье сестры.

8

— Подставили вас, самым подлым образом. Что называется, прикупили на ложном аэродроме, — сказал Шуракен. — Ну ничего, лапуля, что было, то прошло и быльем поросло. Девочку, которую он убил, жалко, но сейчас надо думать, как вас отсюда вытаскивать.

— А генералу Джо мы оторвем его поганые черные яйца, посыплем солью и перцем и заставим сожрать с ножом и вилкой, — пообещал Ставр.

— Ребята, милые, да нам вообще наплевать, есть у этого Джо яйца или нет! Нам бы только домой вернуться.

— Это правильно, — согласился Шуракен. — С Джо мы потом разберемся, когда случай представится. Где вас держат?

— Комната такая небольшая.

— В доме?

— Да. Второй этаж, на окнах такие же решетки, как здесь.

— Когда ты выходишь из комнаты, что ты видишь? — спросил Ставр.

— Что-то вроде деревянной веранды или лоджии.

— Галерея, — уточнил Ставр. — Значит, это одна из боковых пристроек. Из окна виден внутренний дворик и бассейн?

— Да.

— С какой стороны ты видела бассейн, когда шла по галерее?

— Я не помню, я была совершенно дурная от страха. Я думала, меня тащат к этому черному орангутангу.

— Наташа, соберись и вспомни, ты вышла из комнаты, с какого плеча ты видела бассейн? — настойчиво попросил Шуракен.

— С этого... Да, да, точно с этого.

— С правого. Значит, другое крыло дома. Ну а дверь? Как расположена дверь?

— В самом конце. Мы через всю галерею прошли, а вот дальше я вряд ли смогу что-нибудь объяснить.

— А дальше и не надо, — улыбнулся Ставр.

Наташа смотрела на Ставра и Шуракена и верила, что они не только хотят, но, главное, могут защитить её и подруг. Ей казалось, что они самые надежные, бесстрашные и красивые парни в мире. Она переводила взгляд с одного на другого и заметила, как они быстро переглянулись, а в глазах вспыхнул злой и веселый блеск. Углы губ вздернулись, и появились те самые жесткие волчьи улыбки, которые уже имел удовольствие видеть Аль-Хаадат.

— Отвали от нее, или я тебе башку проломлю! Сучка моя, мать твою! — вдруг заорал Шуракен таким голосом, что у Наташи мороз пробежал вдоль спины и тонкие волоски на руках встали дыбом от ужаса.

— Ни хрена подобного! Я первый. После той грязной бляди я ни одной девки после тебя трахать не стану!

Наташа вскочила с дивана. При этом Шуракен успел ухватить и сорвать с нее куртку, которую до этого спецы заботливо накинули на девушку. Наташа вцепилась в куртку и потащила ее к себе.

— Козлы! — визжала она. — Кобели чертовы! Ненадолго же вас хватило! Сами не лучше черномазых! Да дам я вам, дам, жалко, что ли? Хоть обоим сразу дам, только заткнитесь и вытащите нас отсюда!

Но парни словно взбесились, и ее истерические вопли, похоже, только подлили масла в огонь. Ставр прыжком вскочил на ноги, бросился на Шуракена и напоролся на такой удар, какой Наташка только в кино видела. Ставр пролетел полкомнаты, снеся и кресло, и стол с остатками ужина, с невероятным грохотом обрушился на пол у самого порога, и тут ему окончательно не повезло. Дверь распахнулась, словно была не заперта или замок сорвало, и ударила его в бедро.

Поджарые «ягуары» с обвязанными черными

шелковыми платками головами, пригнувшись, прыгнули в комнату и взяли на прицел «калашниковых» разъяренных белых парней.

Начальник охраны шагнул прямо к Наташе, схватил за руку и потащил к двери. Ставр сидел на полу, не рискуя вставать, потому что державший его на прицеле «ягуар» мог неправильно понять какое-нибудь движение. Проходя мимо, Наташа готова была плюнуть в соотечественника от презрения и ненависти. Но встретилась с его глазами, в которых неожиданно для нее запрыгали искры смеха. Кажется, он подмигнул ей, а может, просто сощурился, потрогав ушибленное место. И девушка поняла, что здесь сейчас произошло.

Русскую женщину могли кинуть русским же спецам только из-за привычки домашних слуг тупо подчиняться приказам господ. Когда эта оплошность дошла до начальника охраны, он бросился ее ликвидировать. Спецы постоянно были настороже, их внимательный слух уловил движение в коридоре и угрожающий топот бутс начальника охраны, который специально выработал такую походку, чтобы его шаги заранее вызывали нервную дрожь у подчиненных.

Нетрудно было догадаться, что означает шухер в коридоре, поэтому Ставр и Шуракен постарались убедить охрану, что беспокоиться не о чем: они отнеслись к девчонке как к проститутке и передрались из-за нее.

— Ты в порядке? — спросил Шуракен, когда «ягуары» выволокли Наташу из комнаты и сами выкатились следом.

— Как же, в порядке... Хорошо не по ребрам.

Разминая ушиб, Ставр поднял опрокинутое кресло и сел.

— Какое свинство, — сказал он, глядя на раскиданные по полу осколки тарелок, растекшуюся из упавшей бутылки лужу и прочие последствия его акробатического трюка. — А все, чтобы произвести впечатление на этих сраных «ягуаров». По-моему, у меня получилось. Они убрались, не задавая лишних вопросов.

— Ни разу не слышал, чтобы какой-нибудь «ягуар» задал кому-нибудь какой-нибудь вопрос, — заметил Шуракен. — Ладно, пошли они на хер. Времени у нас всего ничего. Ребята утром улетают в Москву, а до следующего борта, боюсь, девчонкам не продержаться. С другой стороны, и если сейчас устроим шухер, то считай — мы покойники. Наша жизнь тут ни хрена не стоит.

— Но и его не дороже, — уточнил Ставр.

— Речь не о том. Подставиться надо по минимуму. Например, если отвалим завтра в составе конвоя, а ночью вернемся, то надо будет еще доказать, что это мы увели девчонок.

— Никогда не видел ни одного генерала Джо, который побеспокоился бы кому-нибудь что-нибудь доказывать, — в свою очередь съязвил Ставр. — Ты всерьез рассчитываешь спереть у Джо баб, а потом отбрехаться? Не надейся. Пороть нас будут сурово, и ты даже российским паспортом не прикроешь свою жопу.

— А тогда что?

— А тогда то, что будем рассчитывать на Советника. Внутренний голос шепчет мне, что он нас прикроет.

— И давно он тебе шепчет? А мышек, пауков ты у себя в голове еще не находил? Ты рехнулся, Ставридас? Будет здорово, если он хотя бы позаботится, чтобы нас просто поставили к стенке, как Герхарда.

— Ставлю «калаш» против пары рваных кроссовок, что Советник постарается замять эту историю, потому что наверняка он в ней сам замазан.

Шуракен уставился на Ставра, будто в первый раз увидел.

— А то? — продолжил Ставр. — Через кого, по-твоему, Джо добыл московских девчонок?

— Вот дерьмо! Похоже, ты прав. И если это действительно так, то Советник, конечно, все замнет, Джо у него на коротком поводке. Но мы с тобой будем «крокодила» до винтика разбирать, прежде чем в него сесть.

— На войне как на войне, — усмехнулся Ставр. — А война кончается только для мертвых.

— Раз мы все решили, — сказал Шуракен, считая предмет дискуссии исчерпанным, — давай разделим две капли рома, которые остались на дне бутылки, и пойдем выполним свой долг. Но прежде давай договоримся, что драть девчонок не будем.

— Это почему? Шур, они же не монашки! Те были, во-первых, чужие, во-вторых, старые, а эти — свои и к тому же эротический балет. Я думаю, они нас просто не поймут, решат, что мы педики.

— Кончай придуриваться, Ставридас, ты отлично понимаешь, что я имею в виду. Я не хочу, чтобы они думали, что мы вытаскиваем их, чтобы самим трахнуть. В Москву вернемся — все твои будут, кого поймаешь, а здесь перебьешься. Это вопрос чести.

— Ну если для тебя это так важно... Хорошо.

— Договорились?

— Договорились.

9

Охранник принюхался к вожделенному духу рома, распространявшемуся от белых коммандос, которые вывалились из комнаты. Имитация опьянения, пожалуй, единственное, в чем не переиграет даже очень плохой актер. Любой мужчина может изобразить это блаженное состояние души и тела и собрать гарантированную дань сопереживания.

«Вот набрались», — с завистью подумал охранник.

Он лениво поднялся с брошенного на пол полосатого тюфяка и заявил:

— Ходить нельзя.

— О'кей, — ответил Шуракен, — а чего можно? Летать? Я не могу. Ставридас, ты можешь?

— Я?.. Нет. Сейчас не могу, от качки я блевать начну. Слушай... приятель, где сортир?

— Там.

Охранник шагнул к спецам, чтобы показать им дверь, но в глазах у него вдруг вспыхнул ослепительный свет и все провалилось в черноту.

Ставр перехватил автомат охранника прежде, чем он упал на пол. Шуракен без всякого видимого усилия взвалил тощего африканца на плечо, и тот повис на нем, как львиная шкура на плече древнегреческого героя, с той лишь разницей, что она была не золотисто-рыжей, а пятнисто-зеленой.

Вернувшись в комнату, Ставр и Шуракен плотно закрыли дверь и занялись потрошением добычи. Как все местные вояки, охранник был неплохо вооружен: автомат, пистолет, нож, пара запасных магазинов и ручная граната. Все это было весьма кстати, потому что собственные аналогичные вещицы у спецов забрали, заявив, что в резиденции Верховного главнокомандующего республики никто, кроме охраны, не может иметь при себе оружия.

Из валявшейся в комнате газеты Ставр сложил узкую полоску и, обернув ею гранату так, чтобы она плотно прижала скобу, осторожно выдернул кольцо. А выйдя в коридор, они повесили гранату, зажав концы газетной полоски между дверью и косяком. Теперь, если бы охранник очухался, у него не возникло бы ни малейшего желания приближаться к двери, тем более ее открывать. Чтобы ликвидировать маленькую противную штучку, оставленную Ставром, надо было обладать определенной квалификацией, хладнокровием и желательно английской булавкой. Для тех, кто, подойдя к двери снаружи, мог не понять, для чего в дверную щель засунута газета, Ставр тубой камуфляжного грима нарисовал стрелку и написал: «Не трогай ее. Заминировано».

Спецы двигались легко и бесшумно, как пара волков. Уклоняясь от неожиданных встреч, короткими бросками от укрытия к укрытию преодолевали лестницы, коридоры и залы. Чтобы избежать столкновения с охраной в центральной части виллы, где помещались апартаменты генерала Агильеры, Ставр и Шуракен поднялись на чердак и вылезли на крышу. Прошли по темной, не освещенной луной половине кровли, и единственными живыми существами, видевшими их, были летучие мыши, охотившиеся за ночными бабочками.

Добравшись до противоположного крыла здания, спецы залегли на краю крыши и начали прислушиваться и принюхиваться, как коты, терпеливо выслеживающие добычу.

Люди, если они еще не умерли, всегда издают какой-нибудь шум, а если они не спят, то им всегда есть что сказать друг другу или чем заняться. Двое охранников лежали на своих полосатых тюфяках под дверью девушек, пили ром и закусывали финиками. Вся эта компания издавала соответствующие запахи и звуки, по которым Ставр и Шуракен быстро определили, сколько на галерее людей и где они устроились.

Охранники не успели даже вскочить с тюфяков, когда две черные тени молниеносно соскользнули по резному столбу галереи и подмяли их, как леопарды. Никто не издал ни звука, только бутылка, булькая, откатилась в сторону.

Отбросив бесчувственные тела от двери, Ставр и Шуракен просто отодвинули засов и вошли.

— Есть в этом доме живые души? — по-русски спросил Шуракен.

— Девочки, это наши!

Наташка кинулась Шуракену на шею. Она уже избавилась от своего отвратительного наряда и была одета просто в джинсы и кофточку.

— Потише и без эмоций, — попросил Шуракен. — Потом будете всю жизнь посылать нам открытки на Новый год.

— Это Олег, а это Сашка. — Наташа представила спецов своим подругам.

— Рита, — назвала себя одна из девушек.

— Лиля, — сказала другая.

— А где еще одна? — спросил Шуракен. — Ты говорила, вас вроде четверо?

— Светка лежит, — ответила Наташа, показав на постель в дальнем конце комнаты. — Она болеет после того, что этот гад с ней сделал.

На застеленном коврами полу валялись все те же неизменные тюфяки и подушки. Светка забилась в угол, как умирающий зверек. Нагнувшись над ней, Шуракен понял, что дело плохо: девушка не просто ослабела, было похоже, что она сдвинулась. У нее был странный, потусторонний взгляд.

Ставр располосовал ножом несколько шелковых покрывал и связывал из них веревку. Занимаясь этим, он думал, что Рита — обыкновенная русоволосая красавица, а Лиля — смешная девчонка, и по ней еще заметно, что совсем недавно она была долговязой, белобрысой дурнушкой.

Из части сделанной Ставром веревки Шуракен ловко соорудил для Светки что-то вроде альпинистской обвязки и вынес девушку на галерею. Затем спецы затащили в комнату охранников и связали их, приняв все меры, чтобы эти черные парни не подняли шум до утра, когда их найдут слуги.

Ставр привязал веревку к резному столбу галереи. Первым вниз спустился Шуракен, собственным весом испытав ее прочность.

— Ну, давайте, кто первая? — спросил Ставр.

— Сначала Светка, — сказала Наташа.

Рита и Лиля кивнули в знак согласия.

— Нет, — ответил Ставр, — я опущу ее последней. Давай ты, Наташка.

Наташа решительно перелезла через перила и начала спускаться. Шуракен внизу придерживал веревку, не давая ей раскачиваться. Он был готов поймать девушку, если она вдруг сорвется. Отталкиваясь ногами от стены, Наташа так бесстрашно перехватывала руками узлы веревки, что Шуракена даже восхитила ее сноровка. Вот где пригодились отличная координация движений и крепкие мускулы танцовщицы. Следом за Наташей Ставр спустил Риту. Ему хотелось, чтобы Лиля подольше постояла рядом с ним.

Когда три подруги оказались внизу, Ставр вытянул веревку наверх и крепко привязал ее конец к Светкиной обвязке.

Девушка ни на что не реагировала. Как кукла, она странно застывала в той позе, которую придавали ее телу. Ставр поднял ее, бережно перенес через перила галереи и стал осторожно опускать вниз, прямо в руки Шуракену. Ставр отвязал веревку от столба и сбросил вниз.

— А Олег? Как он спустится? — с беспокойством спросила Лиля.

— Просто спрыгнет, — ответил Шуракен.

Он аккуратно опустил Светлану на землю, подошел к стене и встал, приготовившись подстраховать напарника. Ставр спрыгнул вниз. Отработанным движением Шуракен поймал его за поясницу и самортизировал удар о землю.

Ставр смотал веревку, повесил на плечо и, поставив автомат на боевой взвод, чуть пригнувшись, двинулся вперед. Девушки пошли за ним. Шествие замыкал Шуракен со Светкой на руках. Пройдя мимо бассейна с неподвижной, как черное стекло, водой, они стали спускаться по террасам, выложенным шлифованными плитами розового песчаника. При англичанах здесь устраивались блестящие, по меркам такого забытого Богом угла, светские приемы, на которые съезжались владельцы и управляющие промышленных компаний, занимавшихся разработкой алмазных копей, экспортом розового туфа и черного дерева. На террасах сияли гирлянды огней, оркестры играли фокстроты и танго, пары скользили по паркетным площадкам, уложенным прямо под открытым небом. Сейчас террасы яростно штурмовала непобедимая тропическая растительность, она лезла отовсюду, где удавалось пустить корни.

Резиденция Верховного главнокомандующего была обнесена каменной стеной высотой в два человеческих роста. По углам периметра стояли сторожевые вышки. В районе хорошо укрепленных ворот постоянно обреталось человек десять-пятнадцать национальных гвардейцев. Естественно, Ставр и Шуракен не собирались лезть в это осиное гнездо. Они подобрались к глухой стене и, прежде чем приступить к делу, понаблюдали за жизнью на ближайшей сторожевой вышке. Жизнь там никак себя не обнаруживала.

— А теперь, девочки, приступим к практическому занятию по преодолению вертикальной преграды в виде стены, — сказал Шуракен.

Он опустил Светку на землю и, повернувшись лицом к стене, уперся в нее руками. Ставр прыгнул Шуракену на спину, ухватился за гребень стены, одним движением вышел на прямые руки и оседлал препятствие. Шуракен одну за другой подбросил ему наверх девчонок. Сбросив вниз веревку, Ставр переправлял их на другую сторону. Последней спецы осторожно перетащили через стену Светку.

Ставр посмотрел на часы.

— До рассвета полтора часа, до аэродрома семь километров, — констатировал он.

— С нашими подружками, я уверен, это возможно, — ответил Шуракен.

И они в темпе потащили свой выводок через каменистое плато, поросшее клочьями жесткой травы и редким колючим кустарником. Как и раньше, один шел впереди, другой сзади, меняясь на ходу и передавая друг другу Светлану.

10

Под конец этого марш-броска девочки уже очень устали, но когда они пролезли под колючей проволокой и ступили на бетонные плиты взлетно-посадочной полосы аэродрома, все сразу ожили и повеселели.

Белеющая в предрассветной темноте взлетная полоса уходила, казалось, в беспредельную даль. Над ней висели сверкающие, как алмазы, чужие звезды. Над изломанной линией далеких гор тихо разгоралось зарево.

— Как ты думаешь, у нее это пройдет? — спросила Наташа у Шуракена, который нес безучастную ко всему Светку.

— Не знаю. От шока у нее какие-то предохранители в мозгах полетели. Она вроде как выключена. Наверное, ее смогут восстановить, но боюсь, это будет непросто.

— Книжки умные надо было в детстве читать, — сказал Ставр. — Написано: не ходите в Африку гулять.

— Где же это написано? — спросила Рита.

— В «Айболите».

— Ой, кто это? — Лиля схватила Ставра за руку и показала на маленький пушистый шарик.

Он несся через взлетную полосу, прыгая на двух длинных лапках, работающих как рычаги. За ним по воздуху плыл длинный, тонкий, как шнур, хвост с кисточкой на конце.

— Тушканчик. Хочешь, я его тебе поймаю, — предложил Ставр Лиле.

— Как ты его поймаешь?

— Шляпой. Их сбивают шляпой.

— Он уже убежал.

— Да их полно здесь. Этой помесью мыши с кенгуру вся здешняя армия питается.

Лиля засмеялась.

— Нет, серьезно, — сказал Ставр, — им выдают паек раз в месяц, они все за неделю сжирают, а потом начинают охотиться на жуков, тушканчиков и крыс.

— И вы тоже?

— Мы не армия, мы комитет.

— Какой комитет?

— Ну не комсомола же?

Некоторое время они шли молча, потом Лиля спросила:

— Тебя кто-нибудь ждет дома?

— Ждут.

— Вот как? Может, у тебя и дети есть?

— Нет, во всяком случае, таких, о которых я бы знал, нет. Меня ждут мои бабки.

— Бабки? Какие бабки?

— Обыкновенные, родная и двоюродная.

— А родители?

— Они погибли несколько лет назад.

— Какой ужас! Сразу оба? Наверно, разбились на машине?

— Да, по официальной версии, отец заснул за рулем.

— Что значит, по официальной версии? Если это не так, ты же мог разобраться?

— Они разбились в другой стране. Отец был сотрудником посольства.

— Ставридас, ты не устал? — поинтересовался Шуракен.

— Понял.

Ставр взял у напарника Светку.

Спецы не стали сворачивать к ангарам, они прошли почти до конца взлетной полосы, до того места, где к ней подходила рулежная дорожка. Здесь стояла бетонная будка блокпоста.

— Когда самолет выруливает сюда, его уже никто не может остановить, — сказал Шуракен. — Здесь вы и будете ждать, а я схожу к летчикам и договорюсь с ними. Олег, останься с девочками, а то мало ли что.

— Ну хорошо.

Двери и рамы в окне будки не было, на глинобитном полу валялась куча мешков с песком, часть их до половины закрывала оконный проем. Ставр начал растаскивать мешки и укладывать их так, чтобы девушки могли на них устроиться. Шуракен ушел к самолету.

В носовой части массивного, низко сидящего над землей транспортника горел свет, он создавал впечатление странного кочевого уюта. Дверь пилотской кабины была открыта, трап спущен. Экипаж продрал глаза и завтракал яичницей с колбасой и кофе. Летчики собирались вылететь на рассвете, не дожидаясь изнуряющей жары, и вечером приземлиться в Москве. Чтобы не ждать заправщик до полудня, они залили топливные баки накануне вечером.

Прежде чем подойти к самолету, Шуракен убедился, что там его не ждут головорезы генерала Джо. После этого он спокойно поднялся по трапу и, переступив высокий борт кабины, сказал:

— Здорово.

Если летчики и удивились, увидев его, то внешне они ничем этого не выразили. Шуракену налили кружку кофе, и дежуривший в этот день по кухне второй пилот разбил на шипящую сковородку еще четыре яйца.

Рассказ Шуракена о том, как они со Ставром выкрали у генерала Джо девчонок, привел экипаж в неописуемый восторг. Чтобы не портить мужикам настроение, Шуракен пока опустил мрачные подробности этой истории, представив ее просто как дерзкую хохму.

— Телки-то красивые? — спросил бортмеханик.

— Красивей не бывает. Сказал же, эротический балет.

— Ну, блин, все, запускаем двигатели и прямо к ним.

— Боюсь, за эту шутку Джо вас обоих за яйца подвесит, — сказал Шуракену командир экипажа. — Может, вам отвалить вместе с нами, а там разберетесь, кто есть ху в этой истории?

— А в Москве какой-нибудь козел из руководства отправит нас под трибунал за дезертирство. Нет, здесь нам с этим делом проще будет разобраться. Здесь война, а у войны свои законы: кто жив остался, тот и прав.

Положив автомат на землю, Ставр сидел у входа в блокпост. Лиля видела его силуэт на фоне быстро светлеющего дверного проема. Она поднялась с мешков и пошла к выходу.

— Куда ты? — спросил Ставр.

Лиля остановилась и сверху вниз посмотрела на его поднятое к ней лицо с обтянутыми бронзовой кожей скулами и темной, отросшей за ночь щетиной. Теперь она увидела, что глаза у Ставра светло-карие с золотистыми искрами.

Лиля сделала полшага вперед, но Ставр поднял ногу и загородил ей дорогу, уперев рифленую подошву ботинка в торец дверного проема.

— Стоять, — тихо сказал он.

— Ну стою, дальше что?

— Нельзя усаживаться где попало. Здесь полно змей и скорпионов.

— Тогда проводи меня.

Ставр встал и первым вышел из будки. Уже стало совсем светло, но пышущий нестерпимым жаром шар пока не выплыл из адской печи за горами.

Ставр осмотрел каменистую, выжженную землю.

— Давай здесь, — сказал он. — Я отвернусь.

Он честно повернулся к Лиле спиной и почувствовал, как у него шевельнулись уши, когда послышалось журчание струйки. Потом оно стихло. Ставр стоял и ждал, когда Лиля скажет, что все, но она молчала, и он обернулся.

Лиля сидела на корточках и пристально смотрела на него. Длинные, тонкие руки были опущены между колен к лодыжкам, гибкая узкая спина выгнута, как у кошки. Она была похожа на нежное, чувственное животное и на порочную девочку.

От ее взгляда и позы Ставр поплыл. Он потерял ощущение реальности и своего тела в пространстве, в котором для него остались только ее полуоткрытые губы, складки юбки, падающие между раскосо разведенных бедер, и бедра — длинные, нежные, в золотистой пыльце легкого загара.

Лиля медленно выпрямила спину и поднялась с корточек. У ее ног, там, где сухая земля, как губка, втянула влагу, лежали маленькие белые трусики. Лиля поднялась на пальцы и по-кошачьи переступила через них.

Кости у Ставра стали мягкими. Его потащило к ней почти против воли, как гвоздь к магниту.

— Послушай, — тихо сказал он, — если ты это делаешь потому, что мы вам помогаем, то не надо... Не надо пытаться расплатиться со мной.

— Не обижай меня, — ответила Лиля. — Не делай из меня блядь. Я хочу тебя. Хочу узнать, какой ты.

Ставр попытался еще что-то сказать, но уже забыл все слова. Рука протянулась к ней, и ладонь наполнилась влажной горячей плотью. Бедра девушки раздвинулись, пропуская его руку глубже.

Твердый и острый кончик Лилиного язычка настойчиво бился о его зубы, все еще стиснутые от гордости и недоверия. Ставр вдруг заметил это и разжал их.

Ставру мало было чувствовать, он хотел видеть ее тело. Он целовал маленькие груди, нежно покусывал бесстыдно торчащие соски, забывая о том, что на самом деле времени для игры у них нет. Но Лиля смотрела на жизнь практичнее, она помнила об этом. Она попыталась расстегнуть пряжку на поясе из парашютной стропы. Но ей не случалось иметь дело с такими пряжками, она просто не знала, как это сделать.

— Ну помоги же мне, — потребовала она. — Прямо пояс невинности, к нему ключа не надо?

— Не говори глупостей.

Ставр отбросил ее руки и одним нажатием пальцев расстегнул пряжку.

В отместку за резкость Лиля просто сдернула со Ставра пятнистую камуфляжную шкуру, и перед ней предстал его богоданный ствол.

Лиля вцепилась Ставру в плечи и, как кошка, прыгнула на него. Ее сильные упругие ноги танцовщицы обвили его поясницу, и он подставил руки под ее девчоночью попку.

Экипаж самолета прогнал двигатели и занял свои места к взлету. Командир формально получил у сонного диспетчера разрешение на вылет. Как огромное, грузное насекомое, самолет пополз по рулежной дорожке.

Приведя в порядок одежду, Ставр и Лиля опустились на землю возле будки. Мужчина привалился спиной к стене, а девушка села между его ног и откинулась назад, на него. Ее легкая пушистая голова лежала у Ставра на груди, улыбаясь, он играл ее смешными кудряшками.

Самолет выполз на взлетную полосу и остановился напротив будки. Дверь пилотской кабины открылась, в проеме появились Шуракен и один из летчиков. Они выкинули трап.

Рита и Наташа побежали к самолету. Когда Лиля и Ставр со Светкой на руках подошли к трапу, они уже залезали в кабину. Шуракен нагнулся с верхней ступени трапа и взял у Ставра его ношу. Пока он передавал ее летчикам, Ставр в последний раз поцеловал Лилю.

Шуракен спрыгнул на плиты. Летчик поднял трап, дверь кабины захлопнулась. Взвыли турбины, и самолет понесся к далекой точке на горизонте, где сходились лучи взлетной полосы. Проследив, как он оторвался от африканской земли и, набирая высоту, взял курс домой, Ставр и Шуракен пошли к ангарам. Они разбудили русских механиков, обслуживающих вертолеты, и заняли у них «уазик» с брезентовой крышей, пообещав вернуть его с кем-нибудь из курсантов.

Ставр сел за руль. Шуракен с чувством исполненного долга плюхнулся рядом и захлопнул дверь. Вдруг он повел носом и резко повернул к Ставру голову, его глаза сверкнули от злости.

— Хули от тебя бабой пахнет?

— Зато ты пожрал у летчиков.

Ставр врубил скорость и с пробуксовкой ушел с места.

В угрожающем молчании они проехали через КПП аэродрома. Охранник лениво приветствовал их. Спецы часто приезжали на аэродром к вертолетчикам или к экипажам самолетов из России.

Молчание становилось все более напряженным.

— У тебя что, спермотоксикоз? — наконец проговорил Шуракен. — На одну плоскость с сучьим потрохом Джо нас поставил. Все обосрал!

— Я ни к кому не приставал. Она сама так решила.

— Которая это была?

— Во всяком случае, не Наташка, она дала бы тебе.

Шуракен погрузился в мрачное молчание.

— Тушканчики, твою мать, — проворчал он.

11

Щенка звали просто Малыш или Мелкий. Собаки в Сантильяне были редкостью, потому что их успевали съедать быстрее, чем они размножались. Спецы выменяли щенка пару месяцев назад в одной из деревень, отдав за него пачку соли и две банки сгущенки. Это была сверхщедрая цена за собаку. Соль играла в джунглях роль белого золота, а сгущенка — это было что-то вроде пищи богов. Но щенок стоил того. Как только Ставр и Шуракен переступили порог коттеджа, Малыш, бешено колотя хвостом, выкатился им под ноги. Шуракен обхватил его ладонями под передними лапами и поднял. Щенок повис длинным голопузым тельцем и шлепал языком, пытаясь дотянуться до заросшей щетиной физиономии.

— Послушай, бульдозер, не дави Мелкого, — ревниво сказал Ставр.

Шуракен протопал прямо на кухню, достал из холодильника колбасу, нарезал и положил в собачью миску.

— Иди ешь, паразит, — нежно сказал он.

Но Малыш продолжал носиться между ним и Ставром, всем своим видом показывая, что он совершенно бескорыстно радуется их возвращению.

Ставр бросил в гриль два бифштекса и достал из холодильника пару банок пива.

Курсанты еще не вернулись из лагеря Вигоро, поэтому спецы могли позволить себе завалиться спать, что они и сделали после того, как покончили с бифштексами. Они не надеялись, что кража девушек сойдет им с рук, но здесь, в резиденции президента, где все было под контролем, чувствовали себя в относительной безопасности. Даже генерал Джо не мог безнаказанно оторвать им головы на территории своего брата. Расправляться с кем-либо здесь имел право только сам Давид Агильера, а он, как всякий диктатор, был особо заинтересован в профессиональной подготовленности своих служб безопасности. Он уже имел возможность оценить результаты жесткой выучки и профессиональной дрессировки, которой русские спецы занимались с тощими, ленивыми и свирепыми парнями, попадавшими им в руки. В знак благодарности за первый выпуск курсантов и за проведение нескольких специальных операций Давид Агильера лично прицепил на куртки Ставра и Шуракена «Серебряные кресты» за «выдающуюся храбрость и умелое руководство подчиненными в бою». Грамоты с гербами республики висели у спецов в коттедже, приколотые на стену среди фотографий, на которых они стояли на фоне джунглей, своего «крокодила» и боевых вертолетов. Кстати, напрасно кто-нибудь думает, что в коттедже, как во временном логове холостых мужиков, имели место бардак и всякое безобразие. Здесь был их дом вдали от дома.

Пока спецы отсыпались после ночных подвигов, разъяренный генерал Агильера искал их в таких местах, где они могли бы спрятать украденных девушек и заняться с ними сексом, иначе для чего они их крали? Его головорезы перевернули вверх дном лагерь Вигоро и ангары вертолетчиков на аэродроме. Они узнали, что на рассвете сразу после вылета российского самолета спецов видели на КПП. Генерал Агильера понял, что белые девушки, за которых он, не скупясь, отвалил немалые деньги, безвозвратно потеряны. У него в голове не укладывалось, что найдутся люди, у кого хватит наглости и безрассудства нанести оскорбление и прямой убыток ему, всесильному и, подобно библейским воителям, не знающему предела жестокости в расправах. Чтобы спустить пары, генерал пристрелил несколько человек из охраны виллы, но это не вернуло ему душевного спокойствия. Во-первых, негодяй начальник охраны, допустивший саму возможность оскорбления, успел удрать, а во-вторых, удовлетворить генерала могла только кровь обидчиков. Он погрузился в белый бронированный «Мерседес» и в сопровождении двух машин с «ягуарами» примчался в резиденцию. Он потребовал, чтобы Советник сдал ему спецов.

— Вынужден расстроить вас, Джошуа. — Советник говорил спокойно, как человек, располагающий реальной силой и властью. — Они подчиняются мне, но это означает, что я несу за них ответственность. В Москве есть полковник Марченко, это их хозяин. Для него нет ничего невозможного, и в случае гибели своих людей он добьется, чтобы назначили служебное расследование, и сам возглавит его. Вместе с ним сюда явятся ушлые ищейки из контрразведки. И они нароют здесь столько интересного, что смерть двух дураков вообще перестанет их волновать. Не будете же вы рисковать серьезным бизнесом ради кратковременного удовольствия?

— Дьявол! — заорал генерал, который в течение нудной речи Советника с трудом сдерживал чувства. — Они залезли в святая святых — мой дом! Вонючие гиены, они уволокли мой кусок мяса! Никто́ из тех, кто причинил мне неприятности, не остался в живых, и они не будут исключением. От вас немного требуется: только выгоните их из норы. Пошлите их куда-нибудь, остальное мое дело. Джунгли не выдают тайн.

— Отлично, я позабочусь о том, чтобы они носа не высунули из резиденции.

— Как это понимать?

— Вам придется потерпеть, пока не станет понятно, во что эта история выльется.

— Кара теряет всякий смысл, если не настигает немедленно.

— Ваше нетерпение может дорого вам обойтись.

— Мне наплевать, во что это обойдется! Если речь идет о деньгах, скажите, сколько я должен за них заплатить, и я куплю их шкуры вместе с потрохами.

— Три миллиона долларов, ваша доля в последней сделке, вас устроит? Только учтите, что деньги вы отдадите не мне, а своему брату, вместе с головой.

— Ну хорошо, — прорычал генерал, — я подожду. А пока никто не может помешать мне поговорить с ними по-мужски.

Отоспавшись, спецы привели себя в порядок и отправились обедать в офицерский клуб.

— Привет, ребята, — приветствовали их пилоты штурмового вертолета Ми-24, сидевшие за одним из столиков в ресторане. — Заруливайте сюда.

— Привет Аспидам.

У пилота Кости была кличка Аспид-1, а у Васьки — Аспид-2. Боевой экипаж несколько раз прикрывал спецов огнем своих пулеметов. Один из этих пулеметов, бивших на четыреста метров, они подарили Ставру и Шуракену, и те сварили для него решетчатую платформу на «крокодиле».

Официант-сантильянец подал на стол первые блюда. В клубе традиционно была неплохая европейская кухня. Иногда даже готовили говядину, если самолет привозил из России замороженные туши.

В офицерском клубе не было женской обслуги, но в этом же здании помещался другой клуб, открытый для гражданских. Официантками там служили специально привозимые из Бенина очень молоденькие девушки-мулатки. Девушки проходили строгий медицинский контроль и, дорожа своим высоким, по местным понятиям, заработком, все свободное время мылись, чтобы никто из белых господ не почуял специфического запаха пота их расы. Шоколадные красотки были горячи и искусны в сексуальных играх и беспощадны, как кошки.

— Читали в «Московском комсомольце» о заварухе в Абхазии? — спросил Шуракен. — Не понимаю, какого черта нас до сих пор здесь маринуют. Черные и без нас обойдутся, а мы были бы нужнее дома.

— Не бойся, без тебя не кончится, — усмехнулся Аспид-2. — Это только начало. Еще будем вспоминать Сантильяну как курорт.

— В гробу я видал эти патриотические игры с оружием, — сказал Ставр. — Я не против войны и готов воевать где угодно, только не у себя дома. Женщины и родина существуют для того, чтобы давать героям отдых. Может, кому это покажется странным, а по мне, так в самый раз.

— Ставридас по жизни больной на голову. — Тяжелая лапа Шуракена опустилась Ставру на плечо. — Но я его все равно люблю.

— Видали? — Ставр показал в улыбке ровные белые зубы. — От жары Шур потерял всякую ориентацию, в том числе и сексуальную.

— Да ладно, ваши неформальные сексуальные отношения ни для кого не новость, — сказал Аспид-1. — Честно признаться, ваше счастье меня раздражает. Почему одним — все, а другим — ничего? Надо менять второго пилота, Васька меня не возбуждает.

— Даже не мечтай, — ответил Аспид-2. — Кстати, «ягуары» утром подняли вверх дном ангары и общагу механиков. Рылись, как коты на помойке. Интересно, что они искали?

— Наверно, пустые бутылки.

— А механики говорят, вы увели у них «уазик».

— Вернем.

— А что вы делали в пять утра на аэродроме?

— Провожали московских. — Шуракен интонацией дал понять, что тема закрыта.

В обычный день после четырех часов дня Ставр и Шуракен отправились бы в казармы и продолжили занятия с курсантами, в клуб они пришли бы ужинать и провести вечер. Сегодня им представилась нечастая возможность свободно располагать собой до завтрашнего утра, когда свирепый сержант Шелумба построит курсантов на плацу к началу занятий.

После обеда спецы зашли в бар и выпили по первой рюмке джина. Вертолетчики остались пить дальше, а Ставр и Шуракен отправились в бильярдную, надеясь найти там доктора Улдиса. Их надежда оправдалась, что, впрочем, было неизбежно, потому что, начиная с двух часов дня, док Улдис обретался здесь каждый день.

Сорокасемилетний худощавый и стройный мужчина, темноволосый, с четким удлиненным лицом и коротким ястребиным носом, док Улдис исполнял свой долг полевого хирурга в Эфиопии, на Суэцком канале и Бог знает где еще. Он принимал участие в ликвидации последствий нескольких ужаснувших мир катастроф и стихийных бедствий. В данный момент он небрежно командовал парадом в санчасти русской колонии в Сантильяне. Это было все равно что оказаться в депо на запасных путях, если не сказать проще — в жопе. И так как бóльшую часть времени он проводил в бильярдной, то однажды Ставр поинтересовался, не утратил ли док навыки своего основного ремесла.

— При необходимости я вырублю и прооперирую тебя в любой воронке от снаряда, — с характерным латышским акцентом сказал док Улдис.

Увидев появившихся в бильярдной спецов, он обрадовался.

— Для начала по двадцать долларов, — предложил он, — и я даю пять очков форы.

Пять очков форы нисколько не умаляли достоинства Ставра и Шуракена, потому что в сравнении с доком оба играли одинаково плохо. Им недоставало опыта.

— И кого вы хотели перекатать? — спросил

док Улдис, записывая себе первую игру. — Дока Улдиса хотели перекатать? Нет, мальчики, дока вам не перекатать. Продолжим?

— Продолжим, но прежде зальем горючее в баки, — сказал Шуракен.

Он положил кий и двинулся в бар.

— Зайдите в санчасть, возьмите антибиотики, — сказал док Улдис, когда они со Ставром вышли из бильярдной следом за Шуракеном.

— Спасибо, еще не кончились.

— Очень плохо. Не боитесь вы, ребята, малярии, а зря не боитесь. Она ведь как птичка, прилетит и сядет.

— Да ладно, док. Знаете, какой радиус дальности полета комара? Десять метров, мы с вертолетчиками прикинули. Хрен ли ему летать дальше? Для переноса малярии он еще должен укусить кого-нибудь больного, а здесь в резиденции «малярки» ни у кого нет. Получается, антибиотики зря жрать — себе же хуже. А вот прамидол, кстати, кончился.

— Что ты говоришь? И с чего он вдруг кончился? Не припомню, чтобы кто-нибудь из вас приползал ко мне с рваной шкурой.

— В последнем рейде один черный поймал трассирующую пулю, и трассер взорвался внутри. Пока мы его до госпиталя тащили, вкололи все, что было, пять доз.

— Ну с пяти доз вы его, надеюсь, вырубили?

— Не надо цинизма, док, — строго сказал Ставр. — Мы не употребляем наркотиков. Это вопрос выживания, сегодня я поймаю кайф, а завтра депрессуху. Руки у меня будут дрожать, глаз — тухлый, и мне прострелят башку.

Шуракен шел впереди, и его монументальная спина перекрывала Ставру обзор большей части бара. Но в минуты опасности спецы понимали друг друга, как собаки, — на телепатическом уровне. Поэтому, когда напрягся Шуракен, Ставр прежде

83

ощутил, как рефлекторно напружинились его мускулы, а потом увидел генерала Джо.

Устрашающий, как черный смерч, который ломает и разрывает на куски все живое на пути, генерал двигался им навстречу. На нем был обычный тропический камуфляж, но голову венчала имперская фуражка с золотым гербом и роскошными галунами. Под ней, как черная дыра, зияло эбонитовое лицо и неукротимой яростью горели зрачки. Вихрь ужаса, который он распространял вокруг, поднял сидевших в баре сантильянских офицеров, они вытянулись и оцепенели, выпучив на генерала фарфоровые белки.

Сквозь кровавую завесу, застилавшую глаза, генерал Агильера не увидел никого, кроме Шуракена, который обозначался в пространстве бара как монумент.

Огромными шагами генерал преодолел разделявшую их дистанцию и, с ходу размахнувшись, двинул Шуракена в челюсть. Этот удар отправил бы в нокаут любого, но Шуракен относился к той породе мужиков, которые держат даже удар копытом. По семейным легендам, его прадед валил жеребца, схватив его за задние ноги.

В башке у Шуракена разлетелся сноп огненных искр. Он автоматически бросил руку к кобуре на поясе и рванул рукоятку «стечкина», отработанным движением скидывая его с предохранителя. Вороненый ствол глубоко въехал генералу в живот. От ужаса Джошуа Агильере показалось, что кишки комом встали у него в горле.

На один миг натянутый как струна нерв или невидимый провод, находящийся под высоким напряжением, сковали генерала и Шуракена, связали в единое целое.

Все окаменели. Никто не мог бы их сейчас развести.

Палец Шуракена надавил на спусковой крючок, выбрав весь запас свободного хода до сопротивления курка — тугого, заряженного бешеной силой выстрела. Сходя с ума от невозможности кончить это дело, Шуракен резко опустил ствол и высадил всю обойму в пол под ноги генералу Джо.

Генерал подпрыгнул непристойно, как обезьяна, на полусогнутых коленях.

На звук выстрелов в бар ворвались «ягуары», оставшиеся за дверью, так как клуб был для них запретной территорией. При виде них Ставр выхватил пистолет. Но «ягуары» не стали стрелять, они схватили своего хозяина, прикрывая собственными телами, утащили из бара и затолкали в «Мерседес».

— Е-мое, он дал мне по морде, — с искренним недоумением сказал Шуракен.

— Вот теперь мы по уши влипли в дерьмо, — констатировал Ставр.

12

Ставр и Шуракен философски относились к превратностям судьбы и считали, что нет смысла заранее становиться в боевую стойку, а то устанешь стоять и ждать. Но сегодняшний свободный вечер был безнадежно испорчен.

— Ребята, — сказал док Улдис, когда они собрались уходить из клуба, — если дело дойдет до ареста, наплюйте на все и сматывайтесь. Наш боевой петух Джо не простит чечетки, которую он тут отбивал.

— Куриный выпердыш он, а не боевой петух, — сказал Шуракен.

Спецы вышли из клуба и направились домой. При значительной разнице в весе у них была совершенно одинаковая манера двигаться — мягкая, эластичная и как бы слегка в рапиде. Такую манеру вырабатывают серьезное, профессиональное владение рукопашным боем и опыт предельных напряжений, которые нельзя выдержать, не умея глубоко расслабляться и мгновенно концентрировать силу. На душе у спецов кошки скребли, но внешне они оба выглядели вполне спокойными.

Было еще светло, поэтому, подходя к коттеджу, они издали заметили на двери грязное пятно, в котором преобладал кроваво-красный цвет. Подойдя ближе, ребята увидели, что это такое.

Это был Малыш, распятый вниз головой. Задние лапы щенка были прибиты к двери, брюхо распорото, и вывалившиеся кишки намотаны на шею. Кровь заливала белую шерсть и оскаленную мордочку Малыша. Она еще падала вязкими каплями в лужу под ним.

— Господи, почему я не убил его? — из глубины сердца застонал Шуракен. — Малыш, бедный Малыш...

— Это демонстрация того, как будем выглядеть мы, — сказал Ставр. Правый угол рта у него дергало и криво тянуло вверх. — Черта он меня живого получит.

Шуракен достал из кармана нож, открыл его и начал выдирать гвозди.

— Держи Малыша, — глухо сказал он, пряча от Ставра глаза.

Ставр взял еще мягкое и теплое тело щенка. Он заметил, что голова странно болтается.

— У него шея сломана, — с облегчением сказал Ставр. — Значит, они сначала убили его. Слава Богу, он не мучился.

— Они убили его, чтобы он не орал, — с яростью сказал Шуракен и выдернул второй гвоздь.

— Нельзя его так хоронить, — сказал Ставр, — хоть он и собачий сын, но он любил нас.

— Да, надо вправить ему кишки на место, — ответил Шуракен.

Он открыл дверь, вошел в коттедж и вернулся с большим полотенцем, иглой и катушкой ниток.

Шуракен расстелил полотенце на крыльце. Ставр положил на него щенка. Обращаясь с Малышом осторожно, как с живым, спецы вправили ему внутренности в брюшную полость и зашили. Потом завернули его в полотенце.

Заточенной десантной лопатой, которая имелась у них в багажнике «крокодила», парни срезали прямоугольник дерна на газоне, выкопали яму, опустили в нее Малыша и, зарыв его, положили дерн на место.

13

Ночью спецы спали по очереди. Если они умеют перелезать через стены и ходить по крышам, то это вполне умеют делать и другие, например, «черные ягуары».

Утром позвонил секретарь Советника и передал приказ немедленно явиться в офис.

— Поехало, — сказал Шуракен.

— Мы, положим, не асфальт, катков таких не придумали, чтобы на нас наехать, — заметил Ставр.

— Не зарекайся. Может, нас там уже ждет наряд автоматчиков.

— Автоматчики прогулялись бы сюда, не облезли.

Плотный световолосый парень, недавно окончивший ускоренный курс в институте военных переводчиков, с искренней симпатией приветствовал Ставра и Шуракена в приемной офиса. Парня звали Дима, он был секретарем Советника. Дима доложил, что спецы прибыли, и впустил их в кабинет.

Советник сидел за столом, на котором рядом с письменным прибором стояла великолепная статуэтка из полупрозрачного матового стекла, изображающая крылатую девушку. Это была гордость его коллекции — «Эмили», носовая фигура с «Роллс-ройса».

Советник оценивающе посмотрел на вызывающие морды спецов, их дерзкие раскованные позы, в которых они остановились перед ним.

— Забыли, как следует стоять перед старшим офицером? — жестко спросил Советник.

Спецы медленно и демонстративно подобрались и перешли в характерные стойки — так они стояли бы на ковре перед показательным рукопашным боем. Но Советник хорошо знал, что по-настоящему спецы признают власть только одной руки. Полковник Марченко воспитывал своих людей целенаправленно.

— Шпана, ковбои, — продолжил Советник. — Ваши фамилии Дубровский или Зорро? Всех московских блядей спасать — спасалок не хватит. Как вам нравится запах горящей резины?

— При чем резина? — спросил Ставр.

— А вы не слышали про местную национальную забаву — надевание бус? Для нее используют старые автомобильные покрышки.

— Не надо нас пугать, — ответил Шуракен. — Некоторые уже пробовали.

— Утром я виделся с президентом и, учитывая его отношение к вам, попросил защиты для вас. Президент при мне звонил своему брату и запретил ему вас трогать. Но генерал потребовал, чтобы вы принесли ему извинения за дискредитацию личности. Считаю, что он имеет на это полное право. Так что поезжайте к нему и извинитесь за стрельбу в клубе, об остальном все будут молчать.

— А нам не надо прихватить с собой старые автомобильные покрышки, или у генерала свои есть? — поинтересовался Ставр.

— Мы не поедем к Джо даже под честное слово президента, — сказал Шуракен. — И извиняться нам не за что. Он сам нарвался, он дал мне по морде в присутствии других офицеров. Пусть радуется, что остался жив.

— Я нахожусь здесь для того, чтобы отношения с Сантильяной оставались хорошими. И я прямо вам скажу, что, несмотря на все ваше непомерное самомнение, вы слишком мелкие фигуры в этой игре. Вами очень легко пожертвовать. Но сейчас я вам гарантирую, что генерал примет ваши извинения. Правда, это не означает, что он вам все простит и забудет. Тут так не принято.

— Тогда зачем нам к нему таскаться? — спросил Шуракен.

— Действительно, зачем? — продолжил Ставр. — Зачем лезть на пальму, если и так ясно, что рано или поздно кокос сам свалится на голову.

— Мы, пожалуй, подождем, когда Джо сам явится с нами разбираться, а там посмотрим, кто кого.

— Я хочу, чтобы эта вонючая история немедленно и тихо закончилась, — сказал Советник. — Я гарантирую вам неприкосновенность и обещаю, что если вы выполните условия генерала Агильеры, независимо от того, что вы при этом будете думать про себя, через неделю вы улетите домой с заверенными печатями республики выражениями благодарности от президента и самой высокой оценкой вашей профессиональной деятельности от меня. Да, маленький нюанс, кого вы убили, когда везли Аль-Хаадата?

Ставр и Шуракен переглянулись.

— Я не знаю, — сказал Ставр. — Стрелял я. Одного точно могу подтвердить. А что?

— А то, что это оказался вождь одного из кланов и за него теперь требуют компенсацию в тысячу долларов.

— Вы собираетесь вычесть их из наших суточных? — поинтересовался Шуракен.

— Нет. Эта поездка была санкционирована генералом Агильерой, он и заплатит компенсацию.

Я вам сказал это, чтобы подсластить пилюлю. Когда вы поедете извиняться, мысль о компенсации за вашу меткую стрельбу немного утешит вас.

— Боюсь, родственникам вождя придется долго ждать этих денег, — сказал Шуракен.

Вернувшись к себе, спецы открыли по банке пива из холодильника и приступили к обсуждению ситуации.

— Я не поеду извиняться, — сказал Ставр. — Мне на все это наплевать. Я считаю, зря ты ему яйца не отстрелил.

— Правильно, — согласился Шуракен. — Ты извиняться не пойдешь. Пойду я, потому что я стрелял.

— Что? Не понял.

— Пора возвращаться домой, Ставридас. Там черт знает что творится, а у меня мать... и Нинка.

— При чем Нинка? У нее муж есть.

— Муж не стенка, он двигается.

— Да ты и стенку сдвинешь.

— Надо будет — сдвину. Раз Советник нас домой досрочно отправить обещает, я извинюсь. Я Джо за человека не держу, мне все равно.

— Мать твою! Ну давай все бросим и пойдем извиняться!

— А ты, Ставридас, все-таки подумай, твоих бабок тоже обидеть могут, если в Москве заварушка начнется.

— Всегда ты прав, Шур, даже противно. Ладно, раз решили, нечего это дерьмо тянуть, едем прямо сейчас.

— Значит, так, поедем мы вместе, но к Джо пойду я один.

— Один ты никуда не пойдешь.

— Стрелял я, значит, извинений требовать он может только от меня. По правилам кто-то должен оставаться на страховке. Если со мной что-нибудь случится, ты в любом случае вытащишь меня оттуда.

В знак протеста против всей этой затеи Ставр перед отъездом разрисовал морду зеленым, черным и красным гримом.

14

На сей раз Ставр и Шуракен пробрались через город без особых происшествий. Может быть, им повезло потому, что за ними не тащились раздражавшие народ национальные гвардейцы, а может, потому, что день был в разгаре, жара стояла адская и бандиты отсыпались на своих тюфяках. За городом им попался один-единственный пегий от ржавчины грузовик, который, хлопая рваным брезентом, мчался подобно гонимому ветром страннику.

— Не подъезжай к воротам, остановись здесь, — сказал Шуракен.

Ставр съехал на обочину. До ворот виллы оставалось около двадцати метров. Солнце стояло в зените, на лица и камуфляж спецов падала тень от решетки, на которой был установлен тот самый пулемет, что им подарили вертолетчики. Спецы забрали его из «Тойоты», когда люди генерала Джо пригнали ее в резиденцию президента.

Шуракен вылез из «крокодила». Он вытащил из кобуры пистолет и нож из ножен, положил их на сиденье. Не было никакого смысла идти на виллу вооруженным, если оружие все равно пришлось бы сдать. Единственное, что у него осталось, — это личная рация «Standard» в кармане под левым плечом. У рации была одна исключительно ценная функция: она автоматически подавала сигнал бедствия, если длительное время находилась в горизонтальном положении.

— Связь через каждые десять минут, — сказал Ставр. — Если на десятой минуте сигнала нет, на одиннадцатой я начинаю действовать.

— Не психуй, все нормально будет. Но если что — тогда гуляй и ни в чем себе не отказывай.

Оставшись сидеть за рулем «крокодила», Ставр напряженно следил, как Шуракен медленно идет к воротам. Он положил автомат на колени. Это был «калашников» новейшей разработки — отличная машина под патрон международного стандарта и с бесшумным подствольным гранатометом. Он еще не поступил на вооружение в разоренную российскую армию, но уже появился на диком рынке оружия. Ставр машинально достал из стоявшей между сиденьями цинковой коробки гранату и загнал ее в подствольник. Если бы, войдя в ворота виллы, Шуракен через десять минут не сообщил, что с ним все в порядке, Ставр с помощью пулемета разнес бы ворота к чертовой матери, протаранил бы их обломки мордой «крокодила», ломом прошел бы по вилле с автоматом в руках и вытащил Шуракена живого или мертвого или погиб бы сам, смотря как повезет.

Шуракен уже подходил к воротам, когда Ставр услышал урчание приближающегося сзади автомобиля. Он медленно повернул голову и глянул через плечо — ничего интересного не обнаружилось, всего лишь старый армейский джип, набитый местными вояками. Проезжая мимо, они тоже посмотрели на Ставра. Из-за его боевой раскраски они даже не поняли, черный он или белый. Ставр легко определил, что это «ягуары», по черным обвязкам на головах вместо беретов национальных гвардейцев. Джип проехал, волоча за собой, кроме бензиновой гари, ядовитый запах ромового перегара, отчетливо различимый в неподвижном знойном воздухе.

Перед воротами джип поравнялся с Шуракеном. Его-то «ягуары» сразу узнали благодаря впечатляющим габаритам и светло-русым волосам.

Шуракен вдруг увидел черную жилистую руку с пистолетом, высунувшуюся в окно джипа, но он уже ничего не успевал предпринять. На фоне окна возникла дымная оранжевая вспышка, и пуля, выпущенная почти в упор, прошила его насквозь.

Ставр выскочил из «крокодила». Увидев, как упал Шуракен, он мгновенным резким движением вскинул к плечу автомат и нажал на спуск гранатомета. В таких ситуациях Ставр не целился, он просто попадал туда, куда смотрел.

Граната вошла в корму джипа, прожгла металл и разорвалась. Все, кто находился внутри, были или убиты наповал, или изрешечены осколками. Взрывной волной джип подбросило над дорогой.

Контуженный близким взрывом, Шуракен откатился в сторону, зажимая уши, матерясь и оставляя кровавые пятна на дороге. Пуля попала ему в бок, он почувствовал ее попадание как тупой удар здорового кулака, который сбил его с ног.

Ставр одним бешеным рывком преодолел дистанцию, отделявшую его от Шуракена, и увидел, что друг хватает валяющийся на дороге пистолет, вылетевший из руки «ягуара». Ставр упал на одно колено, приняв основную стойку для стрельбы, известную как «стойка Иозелеса», и сделал в сторону Шуракена заявление, в котором было только одно цензурное слово — «крокодил». Суть его сводилась к тому, что Шуракену следует немедленно начать движение к «крокодилу», а Ставр прикроет его.

Из ворот выскочили двое охранников. Ставр завалил их двумя короткими очередями по три выстрела и дал одну длинную поверх ворот, предупреждая остальных, что вылезать не следует.

Шуракен отступил к «крокодилу» и выхватил из кузова свой автомат. Привалившись боком к раскаленному солнцем борту, он накрыл ворота сплошной завесой огня. Над головой Ставра летела «соломка» — белые пунктиры трассирующих пуль.

Пятясь, Ставр отступил к машине, вскочил за руль и завел двигатель. Шуракен всей тяжестью рухнул на сиденье рядом с ним.

«Крокодил» сорвался с места. Шоссе было слишком узким, чтобы с ходу развернуться. Ставр направил машину поперек дороги и послал в прыжок с насыпи, как будто это была лошадь, а не автомобиль. Вздымая за собой шлейф пыли, «крокодил» развернулся на каменистой земле и понесся без всякой дороги, прыгая через канавы и подминая кусты. Это была не езда, а скачка с препятствиями.

Теперь Шуракен чувствовал острую боль в боку, при каждом броске она пронзала его раскаленным стержнем.

Ревя как зверь и раскидывая щебенку своими широкими протекторами, «уазик» вскарабкался по насыпи и вылетел на дорогу. Ставр нутром чувствовал, как «крокодил» рвется вперед на пиковой мощности, словно понимая, что жизнь его хозяев сейчас зависит только от него.

— Как ты? — отрывисто спросил Ставр.

— С меня бутылка.

— С какой радости?

— Первая пробоина в фюзеляже.

— ...

— Твою мать, Ставридас, как ты материшься. Такого мата я даже от старых алкашей ветеранов не слышал. А ведь ты мальчик из приличной семьи.

— У меня словарный запас больше и воображение. Все, заткнись.

Если бы Ставр имел время остановиться и перевязать Шуракена, он был бы спокойнее. На такой дьявольской скорости он почти не мог оторвать глаз от дороги, но боковым зрением видел, как быстро темнеет от крови куртка напарника. Шуракен мог потерять критическое количество крови прежде, чем они доехали бы до санчасти в резиденции, к тому же Ставр не был уверен, что им снова удастся легко пробиться через город. И действительно, как только въехали в пригород, первый же полуголый черномазый, который лениво брел куда-то по своим делам, шлепая об асфальт вырезанными из автомобильных покрышек подметками сандалий, увидев «крокодила», скинул с плеча ремень своего любимого автомата. Вместо того чтобы убраться с дороги, он поднял ствол.

— Да пошел ты! Не до тебя.

Негр не мог слышать то, что Ставр прорычал сквозь стиснутые зубы, но он опустил автомат и прыгнул в канаву. То ли это была везуха, то ли негр прикинул, что скорость сближения слишком высокая, то ли он поймал телепатический сигнал — волевой импульс, посланный Ставром, который был сейчас не слабей, чем удар в челюсть.

Ставр вдруг сообразил, что здесь недалеко расположен госпиталь международной организации «Врачи без границ». Недавно спецы доставили туда отбитых у повстанцев монашек, которые были сестрами милосердия этой организации. Ставр свернул к госпиталю. К счастью, туда только что въехала машина и ворота не были закрыты. «Крокодил» беспрепятственно влетел в них и затормозил перед белым двухэтажным зданием госпиталя.

Ставр выпрыгнул из машины и вытащил Шуракена.

Шуракен пока держался на ногах, но уже очень ослабел от потери крови. Ставр перекинул его руку через свои плечи и повел к дверям госпиталя. Но, сделав несколько шагов, Шуракен обмяк и начал падать. Ставр нырнул под него, поднял на загривок и втащил в вестибюль.

Они были везучие ребята. За несколько лет профессиональной деятельности — первое настоящее огнестрельное ранение. Сами они стреляли без промаха и хорошо знали, что бывает с человеком, когда в него попадает пуля. Но одно дело, когда это случается с врагом, который сам пытался убить, и совсем другое, когда такое происходит с другом, ближе которого никого сейчас нет.

Ставр не знал, насколько серьезно ранен его напарник, и ошалел от настоящего страха, видя, как в приемном покое лежащего без сознания Шуракена раздевают, разрезая на нем окровавленный камуфляж. Он не мог представить, что мощное тело Шуракена станет вдруг таким беспомощным и превратиться в объект чьей-то профессиональной деятельности. Это зрелище рвало Ставру сердце и приводило в отчаяние. Но потом он заметил, что мужское достоинство Шуракена имеет вполне жизнеутверждающий вид. Его член не обвис индюшачьей соплей, обескровленно и бесполезно. Он лежал на своем природном основании, имея вид спокойной готовности к действию и ожидая сигнала.

«Будь я проклят, — подумал Ставр, — пока аппарат у мужика в порядке, он не подохнет».

15

Джунгли всколыхнула весть о покушении на вожака Объединенного повстанческого фронта Фодея Мабуто. То, что ему удалось избежать гибели от руки наемного убийцы, казалось чудом. На самом деле никакого чуда не было. Мабуто знал о готовящемся покушении, он получил предупреждение об этом и мог избежать, но все же пошел на известный риск. Чудеса воспламеняют воображение народа и поднимают в его глазах ценность и авторитет вожаков. По собственной радиостанции Мабуто оповестил всех, что никакие покушения и угрозы врагов не остановят его на пути к победе, и заверил народ Сантильяны, что в самое ближайшее время он будет освобожден от диктатора Агильеры.

Он продолжал вести сложные затяжные переговоры с независимыми вождями повстанческих группировок, посылал своих людей для участия в совместных рейдах и засадах. Но втайне готовил государственный переворот. Самым радикальным, впечатляющим и близким Мабуто по духу сценарием для переворота был захват власти генералом Пиночетом в Чили. Он эффектно начался со штурма президентского дворца. Следуя образцу, Мабуто тоже решил бомбить резиденцию Агильеры и расположенные вокруг нее казармы национальной гвардии. Сопутствующее разрушение окружающих трущоб вождь повстанцев рассматривал как начало обновления городской застройки.

Он нанял старый самолет, а вместе с ним и его экипаж, промышлявший контрабандой и рискованными перевозками «грязных» грузов. Пятеро белых авантюристов были готовы ввязаться в любое горячее дельце, лишь бы хорошо заплатили. Они посадили загруженный пятьюдесятью бочками авиационного керосина самолет на грунтовую полосу, проложенную людьми Мабуто в саванне, и нагло заявили будущему диктатору, что ему следует позаботиться о лучших условиях для своей авиации. Мабуто ответил, что этот вопрос будет решен, как только он добудет те бомбы, которые им предстоит сбросить на дворец Агильеры.

16

Шуракен вынырнул из забытья, в которое его погрузили с помощью противошоковых и снотворных препаратов. Ощущения были еще притуплены, он чувствовал, что где-то в теле гнездится боль и чертовски хочется курить. Жалюзи на окне были закрыты, и судя по тому, что свет сквозь них не просачивался, была или ночь, или поздний вечер. Маленькую палату освещал плафон, горевший над соседней кроватью. При его свете Ставр читал книгу в агрессивного вида обложке, в каких обычно издаются детективы и бестселлеры о приключениях агентов спецслужб. Рядом с его кроватью на металлической табуретке стоял маленький монитор.

— Здорово, — сказал Шуракен.

— Здорово. — Ставр отложил книгу и сел.

— Ты что тут делаешь?

— Работаю у тебя телохранителем.

— Тогда дай мне сигарету.

Ставр достал из пачки сигарету, раскурил и передал Шуракену. Затем он принес блюдце и поставил его так, чтобы удобно было стряхивать пепел.

Шуракен сделал две глубокие жадные затяжки и посмотрел на Ставра сквозь белый прозрачный дымок, поднимавшийся от зажатой в пальцах сигареты. Боль и жестокий жар, которые он испытал, омыли его яростной волной и откатились. Черты лица Шуракена заострились, обрели отменную четкость, словно резец судьбы прошел по ним, убрав все неопределенное и случайное.

Белый столбик пепла нарос. Шуракен стряхнул его в блюдце.

— Ну, — сказал он, — рассказывай, что происходит.

— Что тебя конкретно интересует?

— Что со мной?

— С тобой все в порядке, — ответил Ставр. — Да, я тебе скажу, надо уметь так ловить пули! Она прошила тебя легко, как иголка, не задеты ни внутренние органы, ни кости. Я готов, как Гомер, завопить: «О благословенный "макаров"!»

Ставр вынул из-под подушки на своей кровати плоский черный пистолет «макаров» и протянул его Шуракену:

— Держи, он валялся в «крокодиле», и я решил сохранить его, может, он дорог тебе как память. Высоцкий был не прав. Не надписи в парижских туалетах свидетельствуют о нашем распространении по планете, а «калашников», «макаров» и РПГ-7. Так, это лирическое отступление, теперь вернемся к делам. Здешние врачи обещают через неделю поставить тебя на ноги, но я думаю, они просто хотят, чтобы мы побыстрей убрались отсюда.

— Это хорошие новости, но раз ты сидишь тут на атасе, значит, есть и плохие.

— Хуже не бывает. Джо заявил, что мы устроили бандитский налет на его нору, перестреляли половину охраны и пытались взорвать виллу с помощью начиненного взрывчаткой джипа. Он приказал «ягуарам» разыскать нас и прикончить.

— А что, никто не знает, где мы?

— Нет. Я виделся только с доком Улдисом. Он сказал, что Димка, секретарь, просил передать, что Советник нас сдал. Когда Джо наехал на него, он сказал: «Черт с ними, со спецами, Сантильяна дороже». Такие дела, мы объявлены террористами и подлежим ликвидации.

— Е-мое... Плевать на пиндосов, как-нибудь отобьемся, а вот как перед своими отмазываться, вообще не представляю. Вроде и правы во всем, а выглядим как пара идиотов.

— Не загружай пока себе этим голову. Расслабься, отдыхай, у тебя есть целая неделя, пока здешние ребята согласны нас терпеть. А потом нам придется убираться. Мы здесь как динамит. Это гражданский госпиталь, они должны были оказать первую помощь и сразу нас выставить.

— Почему же они этого не сделали?

— Потому что они нам кое-чем обязаны.

— Они нам? Чем же?

— Помнишь монашек, которых повстанцы пытались обменять на дизель-генератор? Это их медсестры.

— Это тот самый госпиталь?

— Тот самый, и у нас с тобой тут блат.

Разговаривая с Шуракеном, Ставр критически

рассматривал его физиономию, заросшую дикой, стоящей дыбом щетиной. Он убрал блюдце, в котором Шуракен загасил окурок, вытащил из-под кровати сумку и достал из нее бритву и тюбик с кремом для бритья.

— Я хотел притащить сюда дока Улдиса. — Ставр сел рядом с Шуракеном и начал наносить на его щеки густую белую пену из тюбика. — Но здешние врачи заявили, что они против чужих на своей территории, а если мы им не доверяем, то можем проваливать ко всем чертям. Они просканировали сквозняк, который устроили тебе «ягуары», а потом просто заварили лазером несколько крупных сосудов и остановили кровотечение. Прямо как в авторемонтной мастерской, они орудовали, как мы, если бы чинили «крокодила».

Ставр начал соскребать щетину, бесцеремонно поворачивая физиономию Шуракена.

— Ничего, — проворчал Шуракен и придирчиво потрогал подбородок. — Пожалуй, ты сможешь зарабатывать себе этим на жизнь, когда тебя выгонят за авантюризм и служебное несоответствие.

— С тебя пять баксов.

— Почему пять? Обычно это стоит три.

— Спецобслуживание...

Ставр замолчал на полуслове и повернул к себе экран маленького монитора, стоявшего на табуретке. По просьбе Ставра док Улдис забрал из их коттеджа и передал ему охранную систему, состоящую из радиолучевых датчиков движения, скрытой видеокамеры и монитора. Незаметные, легко маскирующиеся датчики Ставр установил снаружи таким образом, чтобы нельзя было незаметно подойти к окну палаты, а камеру — в коридоре. У черных головорезов генерала Джо не было никаких шансов напасть внезапно.

— К нам гости, — сказал Ставр.

На экране монитора было серое, искаженное неправильной перспективой изображение коридора, освещенного лампами дневного света. К двери палаты подходила медсестра.

Ставр встал и открыл дверь. Вошла молодая женщина в брюках и халатике светло-зеленого цвета.

— Привет, джентльмены, меня зовут Джилл. — Она улыбнулась Ставру и Шуракену открыто и весело.

— Привет, Джилл. — Они смотрели на нее, восхищенные и покоренные ее неотразимой женственностью.

Заволновался даже Шуракен, у которого в венах еще было полно абсолютно инертной искусственной крови и противошоковых препаратов.

— Черт, и весь этот коктейль для меня? — спросил он, когда Джилл поставила поднос со шприцами и ампулами на белый эмалированный стол-стойку возле его кровати.

— Пустяки, — ответила Джилл, распечатывая шприц.

Ставр демонстративно отвернулся.

— Не могу я видеть этого садизма, — сказал он. — Так хладнокровно всадить в человека иглу.

Джилл окинула его насмешливым взглядом.

— Кому ты вешаешь? — сказала она. — А то по тебе не видно, что ты за шедевр. Всадишь в человека пулю, и ни в каком месте не екнет.

— Не хочу унижать себя оправданиями, — пожал плечами Ставр.

Джилл сняла с руки Шуракена жгут и откинула простыню.

— Черт, — сказал Шуракен, который обнаружил, что он совершенно голый.

— Пустяки, — заметила Джилл. — У всех всегда одно и то же, ни у кого еще не было на другом месте. Давай, дорогой, поворачивайся ко мне своей драгоценной попой.

— Черт, — проворчал Шуракен, — если так пойдет и дальше, то моя задница превратится в кусок сыра, изъеденный термитами.

— А что, у девушки тяжелая рука? — весьма заинтересованно спросил Ставр.

— Ты запросто можешь это узнать, — ответил Шуракен. — Джилл, оставь что-нибудь для него. Несправедливо, что одним все, а другим ничего.

Шуракен осторожно повернулся на спину. Джилл снова накрыла его простыней и посмотрела на Ставра, который сидел на своей постели.

— Действительно, надо подумать, что бы я могла сделать тебе, — дерзко сказала она.

— А тут не надо долго думать.

Джилл стояла в пределах досягаемости. Ставр взял ее за талию, притянул к себе. Его руки ощущали под халатом упругое, нежное тело, ноздри улавливали завораживающий запах кожи. Джилл не пользовалась духами, потому что женщина, обладающая таким собственным запахом, не нуждается в другом. От ее тела шел пряный, пленительный аромат молодой, чистой и отважной суки. Почуяв его, Ставр забыл о шутках. А она засмеялась, увидев, как улыбка сходит с его лица.

— Так и быть, — сказала она, — я дам тебе порошок из коры дерева Йохимбе.

— Что это за дерьмо?

— Это потрясающее дерьмо. От него у тебя всегда без проблем будет стоять.

— Как раз этой проблемы у меня нет, — ответил Ставр. — Есть проблема, где поймать подходящую самочку.

— Тогда удачной охоты. — Джилл высвободилась из рук Ставра. — Пока, джентльмены, если будут проблемы, зовите, я дежурю всю ночь.

Она забрала поднос с использованными шприцами и пустыми ампулами и ушла.

— Ну и чего ты тормозишь, Ставридас? — спросил Шуракен. — Тебе такие авансы выдали, давай скачи за ней.

— Обойдусь.

— Если из-за меня, то я точно без тебя обойдусь часок.

— Девочка легко может быть подставой, что-то я не помню, чтобы она появлялась здесь раньше, — ответил Ставр, снова укладываясь на постель и берясь за свою книгу.

Он не хотел, чтобы Шуракен думал, будто его напарник отказывается от золотой ночи, которую обещала Джилл, соблюдая принципы мужского товарищества. Тогда, на аэродроме, он воспользовался своей удачей потому, что с таким же успехом она могла обломиться Шуракену, если бы к летчикам пошел Ставр.

Спецы рассчитывали залечить рану Шуракена за пять-шесть дней, не больше. К счастью, на Шуракене все заживало как на собаке. На следующий день он поднялся с постели, и Ставр прогулял его по актуальному маршруту — до сортира.

— Давай, Сашка, тренируйся, — подбадривал он. — Засиживаться здесь, честное слово, не стоит. Если «ягуары» сюда явятся, они тут все разнесут к чертовой матери. А это все-таки больница, а не филиал спецслужб, и я не хочу, чтобы врачи пожалели, что помогли нам.

Ожидая, пока раненый немного окрепнет, спецы разрабатывали план дальнейших действий. Из-за обещания Советника выдать их генералу Джо, о котором их предупредил секретарь, у ребят оставался только один способ сохранить свои головы: нелегально вернуться в Россию тем же способом, каким они отправили девчонок, и сообщить о случившемся своему начальнику подразделения, Командору. Что за этим последует, они себе примерно представляли — уж во всяком случае не благодарность родины. В прежние времена они предпочли бы смерть в последнем бою с «ягуарами». Даже если бы потом их изваляли в грязи и обвинили во всех смертных грехах, то свои ни в какое вранье не поверили бы и помянули добрым словом. Нынче времена другие: от верха до низа все вдруг поняли, что интересы личности превыше интересов государства. Рассчитывать на справедливость — гиблое дело. Ставр и Шуракен могли надеяться только на Командора.

Прошло несколько дней, но, как ни странно, никто спецами не интересовался. В конце концов ребят даже начало раздражать отсутствие должного внимания со стороны генерала Джо и его головорезов, которым уже давно пора было их найти. Не так уж тщательно они спрятались, и, зная, что один из русских ранен, нетрудно было сообразить, что они обратятся за помощью в один из госпиталей организации «Врачи без границ». Но «ягуары» в госпитале не появлялись, и никто о русских спецах не спрашивал.

Шуракен ходил на перевязки. Ставра волновала Джилл, но он стойко боролся со своими желаниями, изнывал от безделья и размышлял, не сбегать ли ему разобраться, с какой стати о них забыли.

17

В прежние времена Командор никогда не появлялся в официальных кабинетах. Кроме самого шефа, в лицо его знал только непосредственный руководитель — Координатор. Они встречались на конспиративных дачах и квартирах, принадлежавших Конторе. Там Командор получал очередное задание и всю необходимую информацию. Дальше действовал самостоятельно, о результатах его действий иногда сообщали короткие газетные заметки в разделах типа «Зарубежный калейдоскоп». Те времена прошли. Возглавив центр подготовки сотрудников элитного силового подразделения, Командор перестал быть абсолютно засекреченной личностью. Теперь новая власть ликвидировала и центр подготовки, и само подразделение, но шеф

Командора по-прежнему был при деле. Время от времени Командор получал телефонный звонок, в котором ему сообщали место и время встречи с Координатором. В этот раз его вызвали на дачу по Можайскому шоссе.

— Свяжитесь с вашими людьми в Сантилье-не, — сказал Координатор, — прикажите им взять под контроль Ширяева. Пусть заканчивают со своими делами там и занимаются исключительно своим шефом. В Сантильяну направляется комиссия, которой поручено расследовать его деятельность. Очень вероятно, что Ширяев попытается исчез-нуть. Задача ваших людей не позволить ему это сделать.

Координатор, человек с ничем не примеча-тельной, незапоминающейся внешностью, одетый так, как одевается среднестатистический владелец старых «Жигулей» шестой модели, сел в машину и уехал. Через несколько минут отбыл и Коман-дор.

На соседнем участке человек, лежавший за кус-тами смородины с пожухлыми от ноябрьских ноч-ных заморозков листьями, снял наушники и убрал их в сумку, туда же он уложил диктофон и под-ключенный к нему микрофон, позволяющий слы-шать разговор на значительном расстоянии.

Через несколько минут сотрудник Генштаба ге-нерал-лейтенант Иванников получил информа-цию о встрече Командора с Координатором. Он немедленно вызвал своего зама.

— Давай принимай меры, — приказал Иван-ников. — Свяжись с Ширяевым, предупреди его о комиссии. Он большой специалист по заметанию следов, пусть поморочит им головы, пока мы пе-рекачаем деньги на другие счета. Потом Ширяева можно им сдать, так даже лучше: слишком много воли взял в последнее время. Но пока надо, чтобы Марченко не успел спустить на него своих барбо-сов.

— Он получил приказ и свяжется с ними, как только доберется до Москвы.

— Значит, сделай так, чтобы не добрался.

На встречу с Координатором Командор поехал один, без своего верного адъютанта прапорщика Кости. Так что сейчас он сам сидел за рулем старой, лично ему принадлежавшей «Волги». Благодаря заботам все того же Кости машина была в отличном состоянии и тянула как зверь. В России Командор принципиально ездил только на отечественных автомобилях, предпочитая «Волгу» и «УАЗ».

День был хмурый и ветреный. По обочинам дороги тянулся дочиста обобранный ноябрем лес. Как и люди, деревья с тоской ждали снега. Несколько раз принималась было сыпать белая колючая крупа, по шоссе ее как будто кто-то мел гигантской метлой, заметал в придорожные канавы, где она превращалась в грязь. Да уж, ноябрьская погодка никого не порадует.

Командор направлялся на один из объектов спецсвязи, в служебных документах система этих объектов именовалась «Контур». Оттуда Командор мог по защищенной от прослушивания линии связаться со своими сотрудниками в любой точке земного шара. Он думал, что, судя по тому, как складывается ситуация, российская миссия в Сантильяне доживает последние дни и командировка Ставра и Шуракена закончится раньше срока.

На одной из заткнутых «кирпичом» дорог, уходящих от шоссе в лес, притаилась в засаде гаишная машина с выставленной в окно пушкой радара. Поигрывая полосатым жезлом, перед ней стоял мент в серой непромокаемой куртке и тяжелом, неуклюжем бронежилете.

«Сейчас привяжется», — подумал Командор.

Гаишник вышел на дорогу, ткнул жезлом в лобовое стекло «Волги» и показал на обочину — загарпунил добычу.

Съезжая на обочину, Командор машинально «прокачал» детали: номер на «жигуле» — соответствует, оружие, обмундирование на менте штатное — соответствуют, бляха имеется, морда — обычная морда здорового русского мужика. Командор опустил окно и полез за документами в карман меховой летной куртки.

Гаишник небрежно козырнул и, привычной скороговоркой проговорив свою фамилию и звание, взял права и техпаспорт, никаких других документов Командор в эту поездку не брал.

— Николай Пантелеич, — сказал гаишник, заглянув в права, — вы, конечно, считаете, что знаки не для вас ставятся? Разрешено восемьдесят, а у вас сто тридцать. Создаете аварийную обстановку на дороге.

— Спорить не буду. Виноват, готов заплатить штраф.

— Заглушите двигатель и пройдите в нашу машину.

— Зачем?

— Произведем проверку на алкоголь.

— А так разве не видно, пьяный я или трезвый?

— Все так говорят. Глушите двигатель и пройдите в машину.

Командор прикинул, что спор с гаишником займет больше времени, чем простой тест на алкоголь. Он заглушил двигатель, вылез из «Волги» и направился к милицейским «Жигулям». За рулем гаишной машины сидел водитель, а на заднем сиденье поместился молодой человек в белом халате, кое-как натянутом на серую милицейскую куртку. Остановивший Командора гаишник остался ждать возле открытой задней двери машины. Тест показал отрицательный результат.

— Еще вопросы ко мне есть? — спросил Командор.

— У меня нет, — ответил молодой человек, проводивший тест.

Командор собрался вылезти из машины, но как только его голова появилась в дверном проеме, ожидавший снаружи гаишник нанес ему страшный удар кастетом по голове.

Оглушенный Командор начал валиться на дорогу, но гаишник и молодой человек с заднего сиденья быстро засунули его обратно в машину. Гаишник вытащил из куртки Командора ключи от «Волги» и захлопнул дверь. Водитель дал газ, вывел машину на шоссе и погнал ее в направлении противоположном от Москвы.

За месяц до этих событий случилось происшествие, ставшее одним из сюжетов раздела криминальных хроник нескольких московских газет. В разгар дня двое молодых мужчин приехали в фирменный «жигулевский» магазин, торговавший запчастями и комиссионными автомобилями. Купив или не купив то, за чем приехали, они вернулись на автостоянку и увидели троих чеченцев, поджидавших возле их машины. Бандиты принадлежали к сильной мафии, контролировавшей магазин и рынок. Присмотрев свежую или лучше совсем новую машину, они наезжали на владельца и угрозами вынуждали за бесценок продать ее. Двое неизвестных приехали на хорошей экспортной «девятке» престижного цвета. Ни во внешности, ни в одежде этих двоих бандиты не усмотрели признаков принадлежности к какой-нибудь братве. На предложение продать машину они, как и ожидали чеченцы, ответили отказом. Все сначала отказываются, а потом соглашаются — жизнь все-таки дороже машины. Неизвестные молча выслушали все плохо выговариваемые по-русски оскорбления, угрозы и заявления, что со стоянки им уехать не дадут. Самолюбивые чеченцы решили, что, раз с ними не спорят и их не боятся, значит, их не уважают.

— Не хотите по-хорошему, хуже сделаем. — Один из чеченцев разбил лобовое стекло машины обрезком трубы.

Неожиданно для бандитов неизвестные выхватили из-под пиджаков пистолеты, и чеченская мафия уменьшилась на трех боевиков, убитых наповал выстрелами в голову.

Неизвестные спокойно сели в машину и уехали. С тех пор чеченцы не прекращали искать их и пообещали награду тому, кто поможет напасть на след хладнокровных стрелков, всадивших пули в черепа их друзей.

Получив распоряжение принять меры к тому, чтобы Командор не успел передать своим сотрудникам приказ взять под контроль Ширяева, заместитель Иванникова позвонил человеку, знакомство с которым он тщательно «шифровал», и сказал: тот может сообщить заинтересованным людям, что чеченцев возле вазовского магазина прикончили люди Командора. Он сообщил, что в данный момент Командор едет по Можайскому шоссе в сторону Москвы, и продиктовал номер серой «Волги». Заодно он предупредил, что Командор очень опасен и захватить его можно только врасплох.

Командор пришел в себя в каком-то подвале, судя по тому, что здесь отсутствовали окна и тело пронизывала холодная сырость. Он было раздет догола и всей тяжестью висел на руках, прикованных наручниками к двум железным скобам, специально для этой цели вмурованным в стену. Судя по всему, он не первый приходил в себя здесь в таком полураспятом виде. Командор поднялся на ноги и осмотрелся. При свете тусклой лампы под низким потолком было видно все небольшое пустое помещение с железной дверью. На полу валялась куча тряпья, в которой Командор признал свою одежду. Чувствовал себя Командор, мягко говоря, неважно: голова гудела от удара кастетом по затылку, ныли плечевые суставы, растянутые от того, что тело долго висело на них всей тяжестью. Но с болью у него были свои — профессиональные — отношения, он сам умел причинять точно рассчитанную боль, умел стойко переносить ее и обучал своих учеников приемам, с помощью которых они сохраняли способность действовать даже тогда, когда обычный человек уже терял над собой контроль. Ощущения, испытываемые Командором сейчас, с его точки зрения, не стоили внимания. Для него не играло особой роли и то, что его раздели, в отличие от обычных людей чувство уязвимости собственного тела у Командора не усиливалось из-за отсутствия одежды. Но, судя по тому, как все складывалось, в ближайшее время следовало ожидать очень неприятных событий, на этот счет у Командора иллюзий не было. Высота скоб, на которых были защелкнуты вторые браслеты наручников, не позволяла пленнику сесть. Командор привалился спиной к стене, расслабился, чтобы дать телу отдохнуть, и стал соображать, кто мог устроить ловушку на шоссе и притащить его сюда. Вариантов набралось несколько, начиная от личной мести за старые дела и кончая событиями, назревающими в Сантильяне.

Время шло, тянулось, тащилось, наконец совсем замерло... Вначале Командор каждую минуту был готов услышать шаги, увидеть, как открывается дверь. Потом волевым усилием снял выматывающее напряжение ожидания. Затем шаги и звук открывающейся железной двери стали ему мерещиться. В сознании начала укрепляться страшная мысль, что его замуровали здесь. В какой-то миг даже испытанная выдержка Командора дала слабину. Он попытался расшатать и вырвать из стены скобы, но быстро прекратил безнадежные усилия, понимая, что если люди, которые приковали его здесь, рассчитывают сломать его, чтобы о чем-то договориться, то, выматывая и калеча себя, он оказывает хорошую услугу своим неизвестным врагам. Выход один: держать психику под контролем, беречь силы и ждать, надеясь на то, что судьба еще даст ему последний шанс.

Наконец Командор действительно услышал скрип открывающейся двери и звук шагов. Он поднял голову и увидел трех человек, одетых в полуспортивном-полувоенизированном стиле, принятом у рэкетиров и боевиков. Определив в смуглых, небритых черноволосых парнях «лиц кавказской национальности», Командор удивился такому обороту дела: торговля, рэкет и прочий бандитский бизнес никогда не входил в сферу его профессиональных интересов. С этими парнями у него просто не должно быть общих тем для разговора. Бандиты разглядывали его, как обезьяну в зоопарке, и обменивались впечатлениями на своем языке. Они кого-то ждали.

В подвал вошел еще один человек. Тридцатилетний красавец в длинном стильном пальто нараспашку, под которым виднелся, пожалуй, чересчур артистичный для делового человека костюм от Версаче. Он был безукоризненно выбрит, его ухоженность просто бросалась в глаза. Бандита сопровождал образцовый телохранитель, одетый в таком же, как хозяин, стиле дорогой итальянской мужской моды.

Боевики в мешковатых штанах и коротких кожаных куртках почтительно посторонились, давая хозяину возможность подойти к пленнику. Бандит внимательно осмотрел Командора.

Командор хорошо представлял, как он сейчас выглядит: пятидесятишестилетний мужчина, изнуренный холодом и мучительным стоянием у стены, плешивый, седой, с клочьями сивой шерсти на груди. Под ногами стояла не впитывающаяся в бетонный пол зловонная лужа. Но человек, способный отличить существенное от несущественного, заметил бы, что тело Командора — сильное и мускулистое — выглядит лет на десять моложе почерневшего от усталости лица, прочерченного глубокими волевыми складками.

— Я знаю, что моих людей в Южном порту убили твои люди, — сказал главарь. — Назови их имена и скажи, где их найти.

— Пусть меня освободят и дадут одеться, тогда я буду с тобой говорить.

Главарь дал знак одному из боевиков, и тот набросился на пленника, как пес, получивший команду «фас!». Позволив ему основательно избить Командора, главарь крикнул что-то на своем языке, и вошедший в раж бандит неохотно отошел от своей жертвы.

Про стрельбу в Южном порту Командор читал в газете. Это происшествие не прошло незамеченным из-за его исключительной для того времени дерзости — в девяносто втором году бандитские разборки на улицах среди дня еще не стали обычным делом. Читая репортаж, Командор отметил, что работали подготовленные ребята. Три выстрела — три трупа. Поймать стрелков не смогли, несмотря на то что в погоню за ними немедленно бросились и товарищи бандитов, и дружественная им милиция. Но все это вовсе не означало, что чеченцев убили люди из его команды. Хотя, кто знает, сотрудники спецподразделения имели право на убийство для пользы дела. Иногда они им пользовались.

Однако доказывать чеченцам, что он не знает, кто убил их товарищей, было самоубийственной глупостью. Командора все равно не выпустили бы отсюда живым. Значит, надо было вступать с бандитами в соглашение, морочить им головы, обещать вывести на убийц. Тогда мог появиться шанс выйти из подвала, а там как судьба повернется.

Командор попрепирался с главарем, сколько надо было, чтобы расколоться не совсем уж по-

зорно, потом сказал, что знает, кто убил чеченцев.

— Они знают, что вы их ищете, — сказал
он. — Они поменяют место жительства, поменяют
документы. Без меня вы их никогда не найдете.

— Я вижу, ты умный человек, — ответил главарь. — Ты правильно все понимаешь. Зачем тебе
подыхать за чужую вину? Помоги нам их найти, и
ты останешься жить.

— Для того чтобы их найти, надо объехать несколько мест, где они могут скрываться. Твоим
людям не удастся даже приблизиться к этим мес-
там без моей помощи, но я хочу иметь гарантии,
что останусь жив.

— Я тебе это обещаю. Даю слово.

— Я предпочел бы что-нибудь более существенное, — усмехнулся Командор. — Но делать
нечего, придется согласиться на то, что дают.

— Можешь не сомневаться, ты останешься в
живых, если поможешь найти этих двух гадов.

— Вряд ли смогу быть тебе чем-нибудь полезен, пока вишу здесь, как свиная туша.

— Хорошо. Давайте отцепите его. Меня предупредили, что ты такой крутой мужик, круче не бывает. Не знаю, может, это и так, но имей в виду,
если ты врешь и пытаешься задурить мне мозги, то
умрешь очень плохо.

Боевики отстегнули наручники от скоб в стене
и пока не сковали Командору руки, чтобы дать
ему одеться. Отойдя от стены, он чуть не упал. Тело
одеревенело от многочасового стояния и, казалось, почти не слушалось. Одевался Командор
очень медленно. Боевики не спускали с него глаз.
Но Командор выглядел измученным, основательно избитым старым человеком, с трудом преодо-
левающим боль и слабость. На самом деле он тя-
нул время, чтобы восстановить подвижность сус-
тавов и кровообращение в мускулах. Во время пре-
пирательства с главарем и сейчас, одеваясь, Ко-

мандор по понятным для профессионала признакам постарался определить, где каждый из боевиков носит свой любимый ствол. Он пришел к заключению, что трое боевиков вооружены пистолетами или револьверами — кому что нравится. Только у телохранителя главаря под длинным и довольно объемным пальто мог оказаться пистолет-пулемет типа «узи» или обрез. Его и красавчика главаря надо выбивать в первую очередь.

Медлительность и неуклюжесть Командора действовали главарю на нервы.

— Не тяни время, пошевеливайся, — приказал он.

— Быстрей не могу, — пробормотал Командор. — Что-то мне от вашего гостеприимства совсем плохо. Сынок, не в службу, а в дружбу, подай мне куртку.

— Сдурел, козлина? Кто я, по-твоему, чтоб куртки тебе подавать? Сам поднимешь. — И боевик, которого Командор попросил помочь, пнул валяющуюся на полу куртку.

Но главарь сказал ему что-то, и боевик, всем своим видом демонстрируя крайнее неудовольствие, нагнулся, поднял куртку и ткнул ею в Командора.

Командор перехватил его руку, мгновенно развернул бандита спиной и прижал к себе. Удерживая его правой рукой, левой выдернул у него из кобуры пистолет и всадил пулю в позвоночник. Ранение даже в область сердца не дает гарантии, что враг сразу потеряет способность двигаться и атаковать. Такую гарантию дают только простреленный череп или перебитый позвоночник. Оттолкнув тело первого бандита, Командор перебросил пистолет в правую руку, вскинув его на уровень глаз, выстрелил в голову телохранителю и тут же перевел прицел на самого главаря. Звук третьего выстрела слился с раскатившимся под низким потолком подвала эхом второго.

Все произошло буквально в доли секунды. Бандиты еще только схватились за оружие, а на полу уже валялись два трупа и один тяжелораненый.

Попасть в человека из пистолета даже с небольшого расстояния совсем не так просто, как это принято думать, особенно если имеешь дело с профессионалом, умеющим хладнокровно и расчетливо передвигаться, сбивая прицел и заставляя врагов перекрывать друг другу директорию огня. Ошалевшие от неожиданности, оставшиеся два бандита бешено нажимали на курки, опустошая обоймы.

Каждое движение Командора было точно рассчитано. В таких ситуациях прицельная стрельба невозможна и используются приемы инстинктивного наведения оружия на цель. Но это приносит успех только специалисту, постоянно поддерживающему свою боевую форму. Несмотря на то что в последнее время Командору почти не приходилось самому заниматься реализацией операций, тренировался он регулярно.

Тремя выстрелами он завалил двух оставшихся противников.

Подвал заполнила глухая тишина. Грохот выстрелов притупил на некоторое время слух Командора. Потом он услышал стон одного из бандитов и частое, как у собаки в жаркий день, дыхание еще живого главаря. В пистолете оставался последний патрон. Командор подошел к тому бандиту, которому принадлежал так славно послуживший ему ствол, обыскал его карманы, нашел запасную обойму и перезарядил оружие. Пустую обойму он обтер полой свитера и бросил на пол. Подойдя к раненому, Командор без малейшего колебания добил его, затем пристрелил и бьющегося в агонии главаря. В планы Командора не входило, чтобы эти ребята успели дать показания, а кроме того, он считал, что, хоть бандиты и не его епархия, дело должно быть сделано чисто и до конца.

Стерев с пистолета отпечатки своих пальцев так же, как он стер их с обоймы, Командор бросил оружие на пол.

Во время перестрелки Командор дважды почувствовал жалящую боль: один раз в ноге и второй в спине. Он знал, что ранен, и, прежде чем выбираться из подвала, решил посмотреть, насколько серьезны полученные дырки. Спиной он к своим врагам не поворачивался, поэтому туда скорей всего попала пуля, отрикошетившая от стены. Осмотреть эту рану Командор не мог, оставалось только надеяться, что пуля уже была сильно деформирована и не проникла настолько глубоко, чтобы повредить внутренние органы. (Как выяснилось позже, уже в госпитале, пуля действительно застряла в мышцах.) Второе ранение было в ногу. В мускулах бедра уже ощущалось сильное онемение, но они действовали и нога держала нагрузку. Командор разорвал на полосы свою майку и прямо поверх джинсов туго перевязал рану.

За железной дверью узкая крутая лестница вела наверх, к другой двери, закрытой на засов. Командор отодвинул засов, осторожно открыл дверь. За ней была ночная тьма, сырая, промозглая, пахнущая землей, мокрыми деревьями и гнилыми листьями. Темное, обветшалое двухэтажное здание окружал яблоневый сад, за деревьями виднелся высокий серый забор из бетонных панелей. Послышался близкий шум проходящей электрички. Обойдя здание, Командор увидел две машины — «Жигули» шестой и девяносто девятой модели (в 1992 году бандиты еще только мечтали об иномарках). Автомобили стояли перед входом в здание, украшенное псевдоколоннами. Ни в машинах, ни возле них никого не было. Командор осмотрел фасад здания. Почти все окна были выбиты, стена и псевдоколонны расписаны похабными надписями, а также названиями и символикой рок-групп. На одной из колонн еще сохранилась табличка: «СПТУ № 167».

Из двух имевшихся в его распоряжении машин Командор выбрал «шестерку» как менее приметную. Он выбил стекло водительской двери, открыл ее и сел за руль. Складной нож, лежавший в кармане его летной куртки, оказался на месте. Командор подцепил лезвием и аккуратно вытащил замок зажигания, соединил провода напрямую и завел двигатель. Асфальтированная дорожка вела к воротам, за которыми тянулся узкий, неосвещенный проезд между заборами каких-то производственных сооружений. В конце проезда виднелись корпуса многоэтажек обычного спального района. Выехав на шоссе, Командор увидел на другой стороне универсам и окончательно убедился, что находится в Москве. Сориентироваться дальше уже не представляло никакой проблемы.

Командор направился на один из объектов «Периметра», откуда он мог связаться со своими парнями в Сантильяне. Но связи со Ставром и Шуракеном уже не было. Дежурный в русской военной миссии сообщил ему, что спецы выполняют задание полковника Ширяева и связи с ними в течение ближайших нескольких часов не будет.

18

Пребывание Ставра и Шуракена в госпитале организации «Врачи без границ» закончилось неожиданным появлением Советника и дока Улдиса. Ставр увидел их на экране монитора охранной системы.

— Атас, Шур! — сказал он. — На горизонте руководство.

Если бы с Советником не было дока Улдиса, Ставр не пустил бы его в палату: вылез бы навстречу и начал разбираться с руководством в ко-

117

ридоре, давая Шуракену время подготовиться к любому обороту дела. Но участие в визите дока подтверждало честность намерений, поэтому Ставр их впустил.

Посмотрев на готовых к самой решительной защите спецов, Советник, чтобы разрядить напряжение, сразу заявил, что никаких объяснений по поводу перестрелки у виллы генерала Джо ему не требуется, в данный момент есть проблемы поважней дурацкой потасовки с пьяными «ягуарами». Как он и рассчитывал, трактовка событий как случайной стычки, происшедшей по вине местных, расположила Ставра и Шуракена в его пользу. А они были ему сейчас чертовски нужны.

— Я обещаю, что эта ковбойская история останется нашей семейной тайной, — дружески улыбнулся Советник. — Надо быть безнадежно заурядной личностью, чтобы в вашем возрасте не совершать благородных ошибок. Советую чаще думать мозгами, а не яйцами, делать только то, о чем вас конкретно попросит родина, и с вашими профессиональными данными вы отлично устроитесь. Считаю, что инцидент исчерпан. Саша, вы способны самостоятельно передвигаться или вам нужны носилки?

— Ни черта мне не нужно, — ответил Шуракен.

— Отлично. Улдис осмотрит вас дома. Олег, снимайте вашу сторожевую систему, если, конечно, вы не собираетесь оставить аппаратуру в подарок госпиталю. Давайте, мальчики, поживей. У господина президента есть для вас срочное поручение.

— Стоп, это все хорошо, — сказал Ставр, — но прежде чем мы выйдем отсюда, предупреждаю, что если увижу во дворе госпиталя хоть одного «ягуара», стреляю сразу.

— «Ягуары», Олег, там, где им и следует быть. Бегают по джунглям, — ответил док Улдис. —

Пока вы тут отсиживаетесь, произошло событие, которое вас вряд ли сильно удивит, но обрадует однозначно. Ваш друг генерал Джо арестован.

— ?!

— Да, — подтвердил Советник. — Генерал арестован службой безопасности по обвинению в подготовке военного переворота. Так что теперь у генерала есть более насущная забота, чем разборка с вами. Ему приходится думать, как сохранить собственную голову. Но вряд ли это удастся. Арест держится в тайне. Официально Верховный главнокомандующий республики гостит в резиденции президента, но гостит он там не в лучших апартаментах. Учитывая местные традиции, можно предположить, что в ближайшее время генерал Агильера станет жертвой террориста и в Сантильяне объявят национальный траур.

— Пусть президент не рассчитывает на нас в этом деле, — предупредил Ставр. — Выстрел в затылок в подвалах дворца не соответствует нашим профессиональным принципам. Но он может поставить на меня против Джо в американской дуэли.

— В своих семейных делах президент, пожалуй, обойдется без вас, — ответил Советник. — Но, как я уже сказал, у него есть для вас поручение. Обещаю, оно вам понравится.

Суть поручения президента Советник изложил спецам уже в резиденции, куда они вернулись чрезвычайно довольные тем, что их проблема разрешилась таким неожиданным образом. Они ни минуты не жалели о том, что спасли девчонок, считали, что поступить по-другому не могли, чего бы это потом ни стоило. Но удирать из страны, чтобы спасти теперь свои шкуры и ставить на уши Командора, для профессионалов их уровня было полным позором. Спецов охватывала черная тоска, когда они думали, как будут давать Командору объяснения. Но теперь этот позор, похоже, отменялся. Новое задание — они не могли пожелать для себя ничего лучше.

Президент имел веские основания не доверять своему брату и был готов воспользоваться первым же подходящим случаем, чтобы избавиться от постоянно маячившей за спиной смертельной угрозы. Надо отдать ему должное, в этом заключался не только его личный интерес, но и некоторая забота о благе своего народа. Нынешний диктатор понимал, что если власть в стране захватит такой человек, как его брат, то все, что творится в Сантильяне сейчас, покажется безмятежным миром и процветанием. Проблему мог решить один выстрел из снайперской винтовки, за которым последовали бы национальный траур и скромная сумма дотации из государственной казны на похоронные торжества. За то, что этого до сих пор не произошло, генерал Агильера должен был благодарить Советника, который имел сильное влияние на президента и успешно выполнял роль миротворца между братьями. Генерал был необходим Советнику как подставное лицо в махинациях с перепродажей российского оружия. В секретном сейфе Советника хранилось регулярно пополнявшееся новыми материалами досье на генерала Агильеру. Когда из Москвы пришло предупреждение, что в Сантильяну направляется комиссия для ревизии деятельности, связанной с торговлей оружием, Советник понял, что наступил решающий момент для реализации его глобального плана. Он запустил на полную мощность механизм банковского насоса, откачивавшего деньги на счета подставных фирм, откуда они затем стекались на его собственный счет в цюрихском банке. Теперь пришло время для отвлекающих маневров и прокладки ложных следов, потому что уцелеть, присвоив почти миллиард долларов, совсем не просто. Генерал Агильера стал не только не нужен, но и опасен. Советник выложил главный козырь против него — досье. Оно легло на стол начальника туземной службы безопасности, который представил материалы из него как итог собственной работы и блестяще разоблачил заговор против президента. Результат не заставил себя ждать. Генерал Агильера был арестован.

Обезглавив заговор, президент Агильера начал расправляться с единомышленниками своего брата. Подбирая документы досье, Советник сделал все, чтобы следующий удар обрушился на коменданта базы «Стюарт» полковника Касимбу.

Военная база «Стюарт» находилась в пустыне. Открытая местность не позволяла подтянуть к ней крупные силы для нападения. Здесь располагались склады, на которые прямо с аэродрома поступали оружие и боеприпасы, получаемые из России. Отсюда все это ценное военное добро должно было распределяться по воюющим частям. Но оно по назначению или вообще не попадало, или быстро исчезало. Полковник Касимба получал причитавшуюся ему в этом бизнесе долю. Кормясь с руки генерала Агильеры, полковник, естественно, был его сторонником. На базе хранился неприкосновенный запас оружия и боеприпасов, предназначавшихся для военного переворота. Но материалы досье представляли фигуру коменданта базы в сильно преувеличенном виде. Президент решил, что полковник Касимба вполне способен попытаться устроить переворот и без руководства генерала Агильеры. С ним надо было покончить как можно быстрее, но проблема состояла в том, чтобы придать этой акции законный вид. Президент предпринимал значительные усилия, создавая себе имидж борца за национальную независимость и права человека на черном континенте, и это уже приносило плоды. Под социальные реформы президент получил несколько солидных кредитов от Международного валютного фонда и преспокойно положил себе в карман. Для того чтобы и дальше успешно заниматься грабежом в таких масштабах, было необходимо иметь приличную физиономию. Советник предложил ему решение, которое практически немедленно должно было привести к желаемому результату. Против полковника следовало возбудить дело, обвинив его в должностных преступлениях, что было недалеко от истины. А арест Советник предложил замаскировать под проверку обеспечения безопасности базы «Стюарт», которая заключалась в условном уничтожении базы «диверсантами» и похищении самого коменданта.

Эта акция и была тем поручением президента, ради которого Советник собственной персоной явился в госпиталь к Ставру и Шуракену. Спецам было приказано проникнуть на базу и заминировать склады с оружием имитирующими взрывными устройствами, а проще — минами без взрывателей. При последующем разборе диверсии фактом производства взрыва будет считаться остановка часового механизма, после которого в реальном случае должна была бы произойти детонация. Третьим пунктом задания приказывалось осуществить захват полковника Касимбы и доставить его в резиденцию президента.

Давид Агильера придавал этой операции такое большое значение, что даже встретился со спецами и вдохновил их призывом.

— Сделайте это или сломайте себе шею перед лицом Бога и республики, — напыщенно призвал он.

На подготовку операции давалось всего несколько часов. Спецы поставили единственное условие: чтобы для возвращения в их распоряжение был предоставлен вертолет. Президент выделил спецам легкий вертолет французского производства, рассчитанный на десант из четырех человек и имевший двадцатимиллиметровую автоматическую пушку. Обычно машиной управлял местный экипаж, обученный русскими специалистами, но на этот случай были назначены Аспиды. Ставру и Шуракену это гарантировало надежную поддержку, а президенту и Советнику — сохранение секретности.

Получив план базы «Стюарт», спецы разработали оперативный порядок действий и схему минирования складов. Это был абсолютно секретный документ, который должен был позже фигурировать в следствии по делу полковника Касимбы. Места установки взрывных устройств и их тип были отмечены условными значками.

— Вы специалисты, вам и решать, как это сделать, — сказал Советник, открывая сейф, чтобы убрать туда документ. — Приступайте. Желаю удачи.

— По правилам вы и начальник службы безопасности должны подписать оба экземпляра плана, этот и тот, который остается у нас, — ответил Шуракен.

— Акция строго секретна, о ней знаем только мы и президент. Вы получили его личный приказ и напутствие. Давайте не будем формалистами, или вы в чем-то сомневаетесь?

— Да, вы это точно подметили, — сказал Ставр. — Охрана базы ведь не предупреждена, что мы собираемся поиграть с ними в диверсантов. И на всякий случай нам не помешает иметь, так сказать, президентский мандат, что-нибудь вроде: «Податели сего действуют по моему поручению на благо республики». А то как бы они нас не прикончили, чтобы доказать служебное рвение.

— Будить президента среди ночи и требовать, чтобы он подписал ваш план, я не могу. Моей подписи вам хватит?

— Вы приказываете нам провести эту операцию? — спросил Шуракен.

— Да.

— Тогда подпишите.

— Но раз подписи президента не будет, — сказал Ставр, — то мы не обещаем мирно сдаться в плен, если охрана базы окажется бдительней, чем мы с вами думаем.

19

Грузовой «Форд», старый и раздолбанный, как любая дармовая техника, попавшая в руки сантильянцев, полз по прорубленной в джунглях дороге. В кабине сидели двое африканцев, одетых в ту живописную смесь армейского тряпья, которая обычно служила здесь формой.

— Смотри, — толкнул сидевший за рулем африканец своего напарника, совершенно одуревшего от жары, насыщенной испарениями джунглей, и монотонного движения.

Водитель показал на валявшуюся впереди перевернутую машину. Это был маленький белый джип «Судзуки», он лежал на боку и, судя по всему, или подорвался на мине, или был подбит из базуки, но не сгорел. Людей возле джипа не было. Он загородил только часть дороги, и его можно было спихнуть бампером грузовика, но водитель и его напарник опасались, что джип может оказаться заминированным. Они вылезли из грузовика, осторожно подошли к брошенному автомобилю и начали его осматривать. Заглянув в салон, увидели несколько валявшихся там банок мясных консервов. Тут уж африканцы полезли в машину, забыв о всякой осторожности, и стали искать, нет ли там еще каких-нибудь сокровищ. Но больше ничего не обнаружили и, переругиваясь из-за трех банок тушенки, сели в грузовик, спихнули джип с дороги и поползли дальше.

Когда грузовик тронулся, Ставр и Шуракен улеглись на мешки с маниокой, местным корнеплодом вроде картошки. Они запрыгнули в кузов, пока африканцы выуживали из джипа тушенку.

— Как ты? — тихо спросил Ставр.

— Нормально, — буркнул Шуракен.

— Тебе надо было еще неделю валяться, а не участвовать в этом дебил экшене.

— Будем надеяться, этот уже последний. Обрыдла мне эта Сантильяна слов нет рассказать как.

— А по мне, так ничего, — ответил Ставр, растягиваясь на спине и глядя в дырявый брезент над головой. — Одно расстраивает, бабы тут уж очень корявые. Иногда смотришь и не понимаешь, что это — женщина или черепаха без панциря. Завтра я, пожалуй, съезжу в госпиталь и найду Джилл. О'кей?

— Е-мое, — раздраженно буркнул Шуракен, это была универсальная формула, которая выражала самые разные эмоции в зависимости от интонации. — У тебя нет другой заботы? Ты о чем-нибудь другом можешь думать?

— Могу, но не хочу! Ты как, в порядке?

— Давай спроси меня об этом еще раз.

Ставр понял, что Шуракен не в настроении, и оставил его в покое.

Грузовик выбрался из джунглей и потащился по шоссе, проложенному через пустыню к базе «Стюарт». Через полчаса он подкатил к контрольно-пропускному пункту. Охрана вяло приветствовала местных парней, сидевших в кабине, и пропустила грузовик на базу, не досматривая его.

База «Стюарт» напоминала форпост преисподней. Во всяком случае, над ней вполне уместен был бы плакат с надписью: «Оставь надежду...» Белые, как прокаленная солнцем мертвая кость, железобетонные кубы складов и казарм, обнесенные рядами уложенных друг на друга спиралей колючей проволоки. Жгучий, иссушающий зной и безнадежное небо с раскаленным, безумным солнцем. Это место способно было в два счета свести с ума или просто прикончить любого европейца. Но гарнизон базы выживал здесь и нес службу. Чтобы выжить в этом

125

высасывающем душу зное, надо было просто привыкнуть экономить жизненную энергию, избегая лишних усилий и подчиняясь неизменному ходу солнца. Поэтому между двенадцатью часами дня и шестнадцатью вечера ничто живое не появлялось на открытом пространстве. Гарнизон в это время отлеживался на тюфяках в казармах.

В этот день обычный послеполуденный сон коменданта базы полковника Касимбы был неожиданно прерван. Он проснулся от того, что кто-то грубо тряс его. Полковник открыл глаза и увидел двух здоровых парней. Их лица были расчерчены зелеными и черными полосами камуфляжного грима, искажающими черты. По типу сложения и цвету тех участков кожи, которые не были покрыты гримом, полковник сразу определил в них белых.

— Какого дьявола вам от меня надо? — плохо соображая спросонья, прохрипел полковник.

— Слушайте, полковник, — сказал Шуракен, — не надо задавать вопросы. Делайте то, что мы приказываем.

— Убирайтесь к...

— Полковник, вы нарветесь на неприятности, если будете раздражать нас.

Ставр бросил полковнику его штаны и рубаху.

— Одевайтесь, — сказал он.

— Что вам от меня надо? Кто вы?

— Слишком много вопросов, — ответил Шуракен. — У нас нет приказа вести переговоры, мы должны просто доставить вас в указанное место.

— В какое место?

— К черту в задницу! — заорал Ставр. — Мы все там окажемся через три минуты, если вы не пошевелитесь. База заминирована.

И Ставр сунул под нос полковнику свою лапу с часами и выразительно постучал по циферблату.

Полковник Касимба начал очень быстро натягивать на себя одежду. На лбу у него выступил пот. Кто были эти парни, полковник не понимал, но

126

он твердо знал, что белые коммандос не шутят, а если и шутят, то всерьез.

— Это ваша машина стоит у дома? — спросил Шуракен.

— Моя.

— О'кей, — сказал Ставр. — Сейчас мы сядем в вашу тачку и выедем с базы. И вы, полковник, не станете поднимать из-за этого шума, потому что теперь уже меньше чем через три минуты здесь все взлетит к чертовой матери. А вы ведь не хотите поджариться?

— Полковник, — сказал Шуракен, — у вас нет другого выхода, кроме как подчиняться нашим приказам.

— Я готов, — ответил Касимба. — Учтите, в прихожей дежурит мой адъютант.

— Он отдыхает, — заметил Ставр.

Они вывели полковника из дома и посадили в машину. Шуракен сел рядом с ним, Ставр — за руль. Он надвинул панаму на нос и спокойно повел машину к КПП базы.

С того места, где он сидел, полковнику Касимбе была хорошо видна правая рука Ставра, лежавшая на руле. Он не мог оторвать взгляда от часов на его запястье, сухом и жилистом, как пясть скаковой лошади. Минутная стрелка на циферблате уже стояла на двенадцати, до установленных на таймере трех часов дня оставалось буквально несколько секунд. Взглянув на пепельно-фиолетового полковника, Шуракен подумал, что бледный негр представляет очень противное зрелище. И тут пропищал сигнал таймера.

— Все, — сказал Ставр, — полковник, считайте, что вы уже в аду.

Касимба перевел взгляд на приземистый железобетонный ангар склада. Он оцепенел от ужаса, чувствуя, как вокруг него в неподвижном зное концентрируется ярость взрыва. Он не мог понять, почему эти двое белых лезут прямо на смерть.

И тут рвануло. Все пространство между землей и небом прошило огненными перьями, и машину снесло взрывной волной. Пролетев несколько десятков метров, она врезалась в ряды колючей проволоки и запуталась в них, как заяц в сетях.

Над базой начали вздыбливаться фонтаны огня. Обломки бетона и железной арматуры разлетались, прошивая все на своем пути. Склад горючего охватило тяжелым маслянисто-багровым пламенем. Горящие бочки с бензином взлетали, подхваченные ураганными потоками раскаленного воздуха, и шмякались в песок. Клубящийся ураган огня, дыма и песка разорвал и скрутил в клубки спирали колючей проволоки, снова подбросил в воздух и засыпал песком машину полковника Касимбы.

Ставра шибануло головой о боковую стойку переворачивающегося автомобиля. В глазах у него потемнело, он отключился.

Шуракен ногами выбил остатки лобового стекла, выпихнул из машины полуоглушенного напарника и выбрался следом.

Еще плохо соображая, Ставр вскочил на ноги, потряс головой и ошеломленно посмотрел на беснующийся над базой шквал огня.

— Мать твою, что это? — пробормотал он.

— Будь я проклят, если хоть что-нибудь понимаю, — ответил Шуракен. — Может, мы забыли выкрутить детонатор у одной из них?

— Ты соображаешь, что говоришь?! — заорал Ставр. — Могли мы забыть выкрутить хоть один сраный детонатор?

— Нет...

Машина валялась вверх колесами, опутанная колючей проволокой. Левый задний баллон медленно вращался и горел. Из открытой и искореженной задней двери на песок до половины вывалилось тело полковника Касимбы. Он был убит куском железобетона, который, как осколок снаряда, влетел в окно машины. Вокруг его пробитой головы расползалась кровавая лужа, такая густая и вязкая, что песок не впитывал ее.

— Мы взорвали эту проклятую базу! Как это могло случиться? — Перемазанный собственной кровью и расплывшимся черно-зеленым гримом, Ставр напоминал погибшую душу, узревшую конец света. — Все, теперь нам конец!

— Надо валить отсюда, пока мы не изжарились к чертовой матери! — прооорал в ответ Шуракен.

— Нам нужна машина. Бежим к КПП, может, там уцелело что-нибудь.

Но бежать в этом аду было нельзя — можно было только идти, причем медленно, стараясь как можно реже вдыхать раскаленный, отравленный ядовитой гарью воздух, в котором пламя сжирало почти весь кислород. Ставр и Шуракен двинулись в направлении КПП.

И вдруг все пространство слева от них снова рвануло в небо стрелами огня. Земля дрогнула под ногами. Шквал поднятого дыбом песка подхватил их с нечеловеческой силой и понес, как гребень океанской волны.

Взрывной волной со Ставра сорвало нейлоновый жилет. Его катило и волокло, пока он не обрушился в какую-то похожую на воронку от снаряда яму со спекшимися в твердую кору склонами. От нестерпимой боли он сжал руками голову и, никого ни о чем не умоляя, скорее посылая к дьяволу весь мир, поднял глаза к небу.

Бархатно-черное, оно тяжело клубилось над самым краем ямы. По нему неслись протуберанцы раскаленной плазмы. Видеть это небо было жутко, особенно если смотреть в него со дна ямы и понимать, что ты лишь чудом не сгорел заживо.

«Схожу с ума», — показалось Ставру. Охвативший его ужас нельзя было сравнить ни с чем.

Но апофеоз гибели базы «Стюарт» был не лишен некого феерического великолепия. В одном из ангаров рванули ящики с гранатами для РПГ-7 и реактивные снаряды для установки «Град». Развалины базы накрыло огненным куполом, и из него взмыли в небо две ракеты, у которых сдетонировали стартовые заряды. Они красиво ушли в сторону джунглей.

Одна из этих ракет разворотила половину лагеря Мабуто. Другая едва не превратила в груду железа его самолет.

Мабуто выскочил из горящей хижины и, услышав отдаленный гром взрывов со стороны пустыни, решил, что начался давно назревавший мятеж и силы повстанцев громят расположенную в той стороне базу «Стюарт». Он кинулся к самолету. Навстречу ему по опущенной задней аппарели вылез слегка обалдевший от близкого взрыва ракеты экипаж.

— Началось! Это переворот! — заорал Мабуто. — Мы немедленно летим бомбить дворец!

— О'кей, чем бомбить будем? — невозмутимо спросил командир экипажа Кардин.

По жизни Шуракен знал, что чудеса случаются, но он не поверил своим глазам, когда увидел вертолет, который, вынырнув из клубящегося облака дыма, вдруг возник над погибающей в огне базой. Это прилетели Аспиды, свои родные мужики, надежней которых нет никого в мире. Если бы экипаж был местный, то черные, услышав взрывы и увидев огонь над базой, уже удирали бы на самой бешеной скорости. Но свои на то и свои. Для вертолета нет ничего опасней бушующих над базой потоков раскаленного воздуха. Попав в них, он падает, как подбитая птица.

В мутном вихре поднятого винтом песка вертолет над самой землей поплыл к развалинам ангаров. Шатаясь и защищая лицо от секущего песком ветра, Шуракен пошел к нему. Его увидели.

Вертолет завис, легко цепляясь за землю передним колесом. Возникший в проеме боковой двери Аспид-2 протянул Шуракену руку.

Шуракен махнул ему, чтобы подождал, и стал оглядываться, высматривая Ставра. Их раскидало взрывной волной, и Шуракен понятия не имел, где напарник, но все же надеялся, что Олегу удалось уцелеть.

Оцепенение наконец прошло, Ставр выбрался из ямы и увидел вертолет, который, как мираж, проплыл в дрожащем мареве раскаленного воздуха и скрылся за развалинами ангара. Ставр рванул к нему напрямик через нагромождение плит, рухнувших от удара волны. Глыбы железобетона, обломки арматуры — здесь все шаталось и в любой миг грозило обрушиться и прихлопнуть его, как таракана. Но в минуты опасности его интуиция обострялась до предела, а движения обретали абсолютную безошибочность.

Шуракен увидел Ставра, появившегося среди развалин, и схватился за руку Аспида-2. Пилот втащил его в вертолет. Шуракен рухнул на пол. Он тяжело, с хрипом дышал, по черному, в разводах грязи и грима, лицу текли пот и кровь.

Ставр бежал, преодолевая ураганный поток раскаленного песка и пыли, гонимый навстречу винтом вертолета. Одежда облепила его, как мокрая. Он прыгнул вверх и лег грудью на порог вертолета. Аспид-2 схватил его за шиворот и втащил в салон.

Задрав хвост и опустив нос к самой земле, вертолет ушел в немыслимый разворот и, стремительно набирая горизонтальную скорость, понесся от базы, окутанной тяжелоклубящейся завесой дыма.

20

Кровь из рассеченной брови заливала Шуракену правую половину лица и глаз. Мутная кровавая пленка мешала видеть, он протер глаз кулаком и посмотрел на Ставра. Тот повернул к Шуракену жуткую морду в мазуте, в размазанном в сплошную грязь зеленом гриме и извилистых ручейках пота. Глаза у Ставра были дикие, с неестественно суженными зрачками и кровавой сеткой полопавшихся сосудов.

Из-под воспаленных век две пары глаз упорно смотрели зрачок в зрачок.

Над пустыней поднимался столб черного дыма.

— Будь я проклят, если что-нибудь понимаю, — с отчаянием проговорил Ставр. — Что же это такое? Почему?! Мы взорвали базу! Там, наверно, весь гарнизон погиб...

— Прекрати... — попросил Шуракен. — Я не знаю, честное слово. Прекрати психовать... Посмотри, там, в мешке, кажется, есть вода.

Ставр поспешно развязал вещмешок, который они накануне уложили в вертолет вместе с оружием, достал термос с разбавленным сухим вином. Шуракен сел, привалившись к узкой железной скамье, привинченной вдоль борта, сделал несколько жадных, судорожных глотков и передал термос Ставру. По лицу и груди Шуракена ручьями тек горячий пот. Тело налилось непреодолимой тяжестью. Он чувствовал неровные, болезненные удары своего сердца. Шуракен расстегнул аптечку, помещавшуюся в подсумке на поясе, и достал упаковку амфетамина, сильного стимулятора, входившего в комплект для выживания, но пользоваться им рекомендовалось только в исключительных случаях.

Ставр опустил термос и посмотрел на Шуракена красными, как у бешеного пса, глазами.

— Не жри амфетамин, — как можно мягче сказал он. — Лучше полежи пока. Я же говорил, что тебе не надо участвовать в этом идиотизме. Ничего, сейчас прилетим, и док Улдис займется тобой.

Шуракен проглотил таблетку.

— Это точно, — сказал он, протягивая руку за термосом, — нами обязательно займутся. Только не Улдис. Я не представляю, как мы все это объясним, если сами не понимаем, что произошло. Так что не время отлеживаться. Надо напрягать мозги и думать, что делать.

— Черт возьми, Шур! Ты знаешь, как здесь разбираются. Нас поставят к стенке, как Герхарда.

Вертолет уже летел над джунглями и в эту минуту оказался над лагерем Мабуто. Увидев его, повстанцы открыли яростную пальбу из всего оружия, какое оказалось под рукой.

— Атас, ребята, в нас стреляют! — крикнул Аспид-1.

Мабуто увидел вертолет, приближающийся к взлетной полосе со стороны лагеря, и решил, что он прилетел, чтобы уничтожить его самолет.

— Сбейте их! — Мабуто сам бросился к зенитному пулемету, прикрывающему взлетную полосу.

Он вскочил на седло пулемета, развернул его ствол навстречу вертолету и открыл огонь.

Напоровшись на пулемет, вертолет сразу получил несколько пробоин. Приборы показали падение мощности двигателя. Корпус трясло так, что казалось, сейчас он развалится на куски. Аспид-2 попытался накрыть пулемет Мабуто из автоматической пушки, но страшная тряска и неустойчивая траектория полета не давали ему прицелиться.

Ставр схватил свой автомат и по полу перекатился к открытому проему правой боковой двери. Он сел спиной к креслам пилотов и, чтобы не вывалиться, уперся ногой в стойку дверного проема. Внизу он увидел взлетную полосу, расчищенную в джунглях, и маленькие черные фигурки людей. Их было до черта, и все они, казалось, стреляли персонально в него. Снова все, что он видел, стало картинкой прицела.

— Сволочи! Ну сволочи! — заорал Ставр, поднимая к плечу приклад автомата. — Вас трогали? Вам хоть слово грубое кто сказал? Летит себе вертушка, так не хера по ней палить!

На железный пол посыпались гильзы. Грохот автомата Ставра и двадцатимиллиметровой пушки, которой орудовал Аспид-2, заглушил все звуки, кроме угрожающе неровного рева двигателя.

Стимулятор еще не начал действовать, Шуракену по-прежнему казалось, что его тело налито свинцом и весит целую тонну. Но он взял автомат и стал подбираться ко второй боковой двери.

В этот миг борт прошили два снаряда из зенитного пулемета Мабуто. В обшивке зазияли две дыры. Один из снарядов, сплющенный и потерявший значительную часть смертоносной энергии, отрекошетил от противоположного борта и упал на пол. Но второй, очевидно, сумел попасть в какой-то жизненно важный центр машин. Вертолет вдруг бросило в левый крен и едва не перевернуло. Шуракена ударило о скамейку, он зарычал и на секунду ослеп от боли.

Пол под Ставром накренился и ухнул вниз. Он с размаху влетел в салон.

В глазах у Шуракена прояснилось, и он увидел, что Ставр скатывается к двери левого борта.

— Дер-р-р-жи-и-ись! — Шуракен рванулся к напарнику.

Изувеченная машина пронеслась над взлетной полосой, над самолетом Мабуто и попыталась рухнуть в джунгли. Аспид-1 мучительно напрягся, выводя вертолет из катастрофического бокового крена.

— Проскочили! — крикнул Аспид-2. — Все, ребята, проскочили!

Но вертолет упорно шел на столкновение с землей. Лопасти винта беспорядочно рубили воздух, а не тянули вверх. Аспид-1 отчаянно боролся с машиной.

Шуракен в броске дотянулся до Ставра одной рукой. Схватил за ногу, но бешеная сила, играя, сорвала его захват.

Ставр вылетел в дверной проем.

Все тянулось бесконечно долго. Шуракен видел каждую фазу движения. Они даже успели посмотреть друг на друга, и Шуракен заметил в широко раскрытых глазах Ставра изумление и... смех.

Вертолет выровнялся.

Шуракен вскочил и бросился к двери. Но не увидел ничего, кроме проносящейся внизу лохматой зелени джунглей.

— Назад! — заорал он. — Сию минуту назад!

— Ты взбесился? На черта назад? — не оборачиваясь, спросил Аспид-1.

— Назад! Олег вылетел за борт!

Аспид-1 не мог отвлечься от поврежденного управления, а Аспид-2 неловко повернулся, зажимая рану на бедре, и осмотрел салон. Кивнул напарнику, подтверждая слова Шуракена. Аспид-1 выматерился. Затем он увидел кровь, проступившую между пальцев Аспида-2.

— Ч-черт, ты ранен!

— Только зацепило. Ничего страшного. Саня, — очень спокойно сказал Аспид-2 Шуракену, — дай перевязочный пакет из аптечки.

— Костя, поворачивай назад. Это приказ!

— Не могу! Саня, не могу я. Я не уверен, что мы сами дотянем до аэродрома.

— Плевать! Поворачивай назад! Ты понял? Назад!

— Не сходи с ума. Ну повернем — дальше что? Мы же ничего не можем сделать.

— Мы должны найти его! Должны вытащить, пусть мертвого!

— Куда я сяду? На джунгли?

— Мне плевать, куда ты сядешь! Костя, поворачивай, или я стреляю по приборам!

Пилоты обменялись быстрым взглядом. Они тоже понимали друг друга без слов.

— Давай, Васька, займись Сашкой, пока он нас не завалил, — в микрофон, чтобы его через наушники слышал только напарник, сказал Аспид-1.

Аспид-2 вылез из кресла и неловко из-за простреленной ноги пролез в салон.

— Саня, успокойся. Дай мне автомат. Ну хорошо, можешь не давать. Тогда поставь на предохранитель. Саня, ну подумай, надо гробить всех нас? Ведь Олегу ты уже ничем не поможешь.

— Я не могу вернуться без Олега. Я должен найти его. Но ты прав, вы тут ни при чем. Это мое личное дело. Высадите меня.

— Мы не можем сесть тут.

— Снижайтесь, я выпрыгну.

Аспид-2 пристально посмотрел на Шуракена. Он понял, что убеждать его бесполезно: парень под стимулятором и у него плохо с головой.

— Ну хорошо, — согласился Аспид-2. — Прыгать я тебе не дам. Сейчас выбросим фал. Вон он валяется, размотай и закрепи его сам.

Шуракен схватил фал и быстро начал вязать его к крепежному кольцу в полу. Когда он наклонился, Аспид-2 коротким и точным ударом опустил ему на затылок рукоятку пистолета.

Шуракен мешком обрушился на пол.

— Извини, друг.

Аспид-2 оттащил Шуракена в хвостовую часть салона, подальше от дверных проемов. Уложив его там, пилот достал из аптечки индивидуальный пакет, поверх штанов перевязал ногу и вернулся на свое место.

Едва сохраняя высоту, вертолет летел над джунглями. За ним тащился подозрительный хвост белого дыма.

21

Появление вертолета сразу же за ракетным ударом по лагерю можно было расценить только как разведку противника. Мабуто это так и понял. Его самолет видели, теперь следовало ожидать налета чего-нибудь посерьезней, например летающего танка Ми-24, который разнесет НУРСами и лагерь, и самолет. Теперь у Мабуто не осталось другого выхода, кроме как немедленно нанести упреждающий удар. Нужно было только решить — чем бомбить?

— В чем проблема? — заявил один из членов экипажа. — У нас есть бочки с керосином.

Эта идея вдохновила всех и особенно Мабуто.

— Генерал, я видел у вас ящик с осветительными ракетами, — начал развивать авантюру главарь всей компании и командир экипажа Кардин. — С их помощью мы можем превратить бочки с керосином в гигантские факелы.

Тут же притащили ящик, и, не теряя времени, белые авантюристы с азартом начали прикреплять к верхнему ребру каждой бочки по две ракеты. Их запалы соединяли нейлоновым шнуром таким образом, чтобы, дернув за него посередине, выдернуть запалы обеих ракет. При падении такой бочки на землю керосин полыхнул бы огромным костром. Экипаж запустил двигатели и начал готовиться к взлету.

Набирая скорость, самолет понесся по проложенной в джунглях взлетной полосе. Когда он тяжело оторвался от земли, Кардин сказал:

— Никакой дьявол не заставит меня посадить сюда наши задницы еще раз.

Самолет набрал высоту и взял курс на столицу. Через десять минут экипаж и Мабуто увидели внизу панораму города с кварталами трущоб, современными европейскими зданиями и прекрасным белым дворцом президента. Кардин провел самолет над резиденцией на безопасной высоте и лег на обратный курс, начиная снижаться. Остальные члены экипажа открыли хвостовой люк и, привязавшись страховочными концами, чтобы не вывалиться за борт, начали подтаскивать бочки.

— Ха! Знаете, что это мне напоминает? — прокричал один из них, парень по имени Кейси. — В восемьдесят девятом я летал сбрасывать гуманитарную помощь. Черномазые обстреливали нас, и всякий раз мы потом насчитывали по десятку дыр. Когда нам надоело чинить самолет, один парень предложил: сначала напалм — а потом гуманитарная помощь.

Самолет снизился до девяноста метров. Внизу как на ладони были видны городские постройки. Люди задирали головы и таращились на «бомбардировщик» Мабуто.

Когда появились здания резиденции президента, один из членов экипажа начал закатывать бочки на роликовую дорожу и толкать их к люку. Двое других выдергивали запалы ракет и выкидывали бочки за борт.

Продолжая снижаться, самолет пролетел над резиденцией и пошел на разворот. На вираже крылом едва не посбивал антенны с крыши многоэтажного европейского здания, а гибкие, как хлысты, стволы пальм пригнула воздушная волна.

Когда самолет снова оказался над дворцом, по нему открыли огонь из зенитных пулеметов. Мабуто, смотревший в иллюминатор на пылавшие внизу пожары, услышал звук бьющих в борт пуль. Он шарахнулся от иллюминатора и растянулся на полу.

Кейси, толкавший бочки к люку, захохотал.

— Эй, генерал, — крикнул он, — лучше встаньте и стойте по стойке «смирно». Будет меньше шансов получить пулю в живот!

Его приятели выталкивали бочки, в азарте и спешке иногда забывая дернуть за запальный шнур.

Двое телохранителей Мабуто скорчились на полу под переборкой пилотской кабины.

На улицах, прилегавших к резиденции, толпы людей в ужасе разбегались, ища спасения. Одна из бочек свалилась на верхние перекрытия недостроенной железобетонной башни. Пылающее озеро растеклось по плитам и полилось вниз, охватывая огнем бамбуковые занавеси, травяные циновки и развевающиеся тряпки. Обитатели башни бросились спасаться, таща по висящим между этажами лестницам выводки своих бесчисленных детей.

Зенитные пулеметы, прикрывавшие резиденцию, забили свинцом все воздушное пространство над ней. Снаряд влетел в кабину пилотов и угодил в огнетушитель. Тот взорвался. Густой и вонючий дым клубами повалил в салон.

Решив, что самолет горит, один из телохранителей Мабуто потерял сознание. Второй обезумел и кинулся на Кейси. Тот нокаутировал его ударом в челюсть.

Второй пилот выскочил из кабины и отчаянно замахал руками.

— Нет! Нет! — закричал он. — Все в порядке! Мы не горим!

С рваными дырами в крыльях и фюзеляже, со снарядом, разорвавшимся в отсеке аккумуляторов левого двигателя, самолет взял курс на запад, стремясь поскорей пересечь границу Сантильяны и найти аэродром, подходящий для аварийной посадки.

Мабуто пришел в себя и сообразил, что бомбардировка дворца все же оказалась весьма впечатляющей и теперь осталось только возглавить растерзание раненого, точнее, подпаленного льва. Но самолет летел черт знает куда, унося его от армии, славы и власти. Мабуто начал бушевать и требовать, чтобы экипаж вернулся в лагерь.

— Вот тебе лагерь, — весело оскалился Кейси, предъявив ему неоспоримый аргумент в виде здорового, отбитого в бесчисленных потасовках кулака. — Все, генерал, мы свой контракт отработали, остальное нас не касается.

Беспорядочный зенитный огонь продолжался еще около часа после того, как самолет улетел.

Южное крыло дворца и галерея перед парадным входом горели. Вилла, в которой размещалась русская военная миссия, была целиком охвачена пламенем. Крыша и перекрытия второго этажа обрушились, превратив это прекрасное сооружение в груду обломков. Санчасть русской колонии осталась невредимой, и док Улдис немедленно приступил к исполнению своих профессиональных обязанностей. В результате налета погибли двадцать четыре человека. Президент Агильера не пострадал.

22

Вертолет приземлился за несколько минут до налета вождя Мабуто. Аспиды дотянули до аэродрома только на инстинкте выживания и мастерстве, которое, как известно, не пропьешь. Они сели на безопасном от ангаров и других вертолетов расстоянии. Из двигателя по-прежнему тянулся хвост белого дыма, и пилоты не были уверены, что вертолет напоследок не рванет. Они сразу выволокли наружу Шуракена и повыкидывали все снаряжение. От ангаров к вертолету мчались механики.

— Похоже, ты здорово перестарался, — сказал Аспид-1, осматривая рассеченную рукояткой пистолета кожу на голове Шуракена. — На хера ты его так приложил?

— Теперь уж не на хера, а как есть, — огрызнулся Аспид-2. — Ты же видел, какой он был? Еще секунда, и сиганул бы за борт. Хватит того, что мы Олега потеряли.

Добежавшие до вертолета механики с интересом осмотрели боевые пробоины в его бортах и лопастях винта. Они с энтузиазмом принялись заливать двигатель и топливные баки пеной из огнетушителей. Но их приподнятое настроение улетучилось, когда пилоты сообщили о гибели Ставра.

Шуракена положили на кусок брезента. Трое механиков и Аспид-1 понесли его к ангарам. Аспид-2, хромая, пошел следом. И тут над их головами на предельно низкой высоте с ревом пронесся самолет. Все переглянулись: появление чужого самолета не предвещало ничего хорошего.

— Вот дьявол, кажется, это его мы видели в осином гнезде в джунглях? — сказал Аспид-2.

Через несколько минут со стороны города послышались приглушенные расстоянием тупые очереди зенитных пулеметов.

Шуракен пришел в себя в санчасти русской колонии. Вертолетчики привезли его, когда туда уже притащили жертв налета вождя Мабуто. Док Улдис занялся ожогами различной степени, переломами, пробитыми головами и огнестрельными ранениями, полученными в результате панической стрельбы куда придется. Когда ему сообщили про Шуракена, он вышел из операционной и быстро осмотрел его. Состояние Шуракена не требовало немедленных действий, поэтому его, не раздевая, положили на диван в ординаторской.

Придя в сознание, Шуракен не понял, где находится, но это не имело для него никакого значения. Из любого места, где бы он ни находился, Шуракен должен был возвращаться в джунгли и искать Ставра. Нерушимый закон бригад специального назначения — не бросать погибших друзей. Нарушение принципов чести и верности мужчина может не пережить: он может запить, свихнуться, даже застрелиться. И это справедливо. Но есть еще казенные, чисто юридические проблемы, хотя в первый момент о них думают меньше всего. Шуракен должен был выполнить свой последний долг — отвезти Ставра домой и похоронить рядом с родными. Никакие доводы рассудка не смогли бы остановить Шуракена в его горестном поиске.

141

Мускулы снова налились свинцовой тяжестью. Голова разламывалась от невыносимой боли, от каких-то воющих звуков и пронзительных криков. Шуракен осторожно опустил ноги на пол и сел. Он инстинктивно поднял руку и потрогал затылок. Волосы были мокрыми, рука, когда он на нее посмотрел, — в крови. Шуракен поднялся и пошел к двери. Обнаружилось, что координация движений у него, как у хронического алкоголика.

Шуракен открыл дверь и застыл на пороге, ошеломленный тем, что увидел. Небольшой холл и коридор санчасти были заполнены ранеными и обожженными людьми, которые сидели и лежали везде, так что ступить между ними было некуда. Военспец понял, что стоны и пронзительные крики ему не мерещились, они доносились отсюда. В ноздри ударила тошнотворная едкая вонь паленого тряпья и, что еще хуже, горелого мяса.

Шуракен не знал о налете Мабуто, о пожаре в резиденции и плохо представлял, где находится, поэтому все, что он увидел, связалось в его сознании со взрывом базы «Стюарт». Шуракен ужаснулся. В бою он убивал хладнокровно и профессионально. Это была часть его специальности. Так же, как и Ставр, он не стал бы «унижать себя оправданиями» просто потому, что невозможно объяснить естественную справедливость борьбы и коренное право мужчины брать в руки оружие и подвергать себя испытаниям, бросая вызов другим мужчинам, опасности и смерти. Это надо принимать или не принимать так, как оно есть. Но получилось, что Шуракен взял на себя ответственность за очередной бессмысленный апокалипсис, обрушил огненный ураган на людей, которые ничем ему не угрожали и не ждали от него плохого. И теперь он увидел последствия своих деяний.

«Будь все проклято!» — подумал Шуракен.

Но он не мог помочь этим людям, а раскаяние его было им ни к чему. Шуракен готов был принять смерть или любое другое наказание, которое назначат ему за эту кровь. Но прежде чем предстать перед судом и умереть, он должен был завершить свое дело. Пока еще у него есть друг. Его надо найти, вытащить из проклятых джунглей и отправить домой под трехцветным российским флагом, чтобы ни одна сволочь не могла упрекнуть их, что как мужчины и профессионалы они запятнали свою честь.

Шуракен двинулся к выходу, с трудом пробираясь среди раненых. Он выглядел не лучше многих из них. Его шатало, как пьяного, и тошнило, как казалось Шуракену, от запаха обоженной и корчащейся в муках плоти. Почти не соображая, куда идет, он выбрался в коридор. Все плыло перед глазами, стены качались. Навстречу, занимая почти всю ширину коридора, шли люди с носилками. Шуракен посторонился, пропуская их, и привалился к стене.

«Спокойно. Надо отдохнуть. Подожди, я сейчас... — мысленно попросил он Ставра, — сейчас я немного передохну и пойду к тебе».

Он нашел Ставра. Когда Шуракен поднял его, голова Ставра тяжело легла ему на плечо. Шуракен прижал его к груди и заплакал.

Земля была гнилая и топкая, она не держала их двойную тяжесть. С каждым шагом Шуракен уходил в трясину чуть не по колено, и с каждым шагом все трудней и трудней было вытаскивать ноги. Узкая черная змейка прыгнула с кочки и впилась в руку. Боясь уронить Ставра, Шуракен терпел боль и не сбрасывал проклятую тварь. А жало все глубже проникало в вену. Слезы горя и изнеможения жгли Шуракену глаза, грудь судорожно расширялась, но легким не хватало воздуха, предательская слабость наливала пудовой тяжестью мускулы, текла в руки и колени. Шуракен споткнулся, упал и, как тогда в вертолете, не смог удержать Ставра.

Вязкая черная вода поглотила друга, медленно сомкнулась над бледным неподвижным лицом. В смертельной тоске Шуракен огляделся и увидел тонкую березку, обреченно белеющую среди черно-зеленых елок. Он решил срубить ее, подцепить ею тело Ставра и вытащить его из болота. Шуракен вынул нож и пошел к березке. Но он услышал человеческие голоса, возбужденные и до того отвратительные, что при их звуке в нем всколыхнулась нечеловеческая ярость. Он понял, что они добрались до Ставра раньше него. Шуракен знал обычаи этой войны и представлял, что сотворят черные с телом Ставра, если найдут его.

Хорошо, что он взял из «крокодила» мачете, иначе не проломился бы сквозь джунгли. Шуракен рубил сплошную зеленую чащу, через которую и руки невозможно было просунуть, и ревел, как зверь, но все было напрасно. Он не мог найти место, где оставил Ставра.

Оказав необходимую помощь пострадавшим во время налета, док Улдис передал их местным властям, и их перевезли в госпиталь. Из своих раненых было только двое: Аспид-2 с легким касательным ранением бедра и Шуракен, с которым доку пришлось здорово повозиться. Незалеченная рана дала острое воспаление. Термометр зашкаливало за сорок. Шуракен пытался встать и рвался, как бешеный жеребец, отбиваясь от санитара, мешавшего ему это сделать. Док Улдис накачал его противошоковыми и успокаивающими препаратами, прекратив таким образом самоубийственное безумие. Затем он вскрыл и вычистил нагноение, образовавшееся из-за сильного ушиба в плохо зажившей ране. Через двое суток температура упала и Шуракен пришел в себя, холодный и вконец обессиленный. В его сознании стерлись отрывочные, уже искаженные полубредом картины короткого возвращения в сознание, но он с болезненной отчетливостью помнил все, что было до вспышки в глазах и внезапного провала в небытие.

Шуракен уже не был одержим идеей искать Ставра. Он презирал психопатов и свои чувства всегда воспринимал только с точки зрения позитивных, рациональных решений. Он понимал, что время упущено: если на труп Ставра не наткнулись повстанцы, то его обязательно нашли термиты, а им нужно буквально несколько часов, чтобы обглодать тело до костей и приняться за кости.

Но сейчас бездействие и болезнь разрушали его стойкость. Он сосредоточился на своем отчаянии и, лежа на спине с закрытыми глазами, вел непрерывный внутренний разговор со Ставром. Он говорил ему те слова, которые колом встали бы у него в горле, если бы он попробовал по жизни сказать их вслух. Ведь и Ставр никогда не выставил бы своих чувств напоказ, закамуфлировал бы их обычной грубостью и насмешкой. Шуракен снова и снова в мельчайших деталях вспоминал все, что произошло в вертолете. Шуракен был безнадежно одинок в своем отчаянии. Тоска высасывала из него последние силы. Он был глух и слеп ко всему и безразличен даже к болезненным манипуляциям дока Улдиса, когда тот обрабатывал его открытую, плохо заживающую рану. Но если ему задавали вопросы, Шуракен отвечал неохотно, однако вполне конкретно, так что док Улдис мог убедиться, что с головой у него все в порядке.

— Ему нелегко будет пережить смерть Олега, — сказал Улдис пилотам, когда они, по традиции, ужинали в клубе. — У них ведь практически не было семей, и, я думаю, по-настоящему у них уже никого ближе друг друга не осталось.

— Надо поговорить с ним об Олеге. Если он заговорит, ему станет легче, — сказал Аспид-2.

— Я пробовал, он не хочет разговаривать, — ответил Улдис.

— Сашке можно пить? — спросил Аспид-1.

— Пить всегда можно.

— У меня есть бутылка московской водки. Надо помянуть Олега. Теперь уж ничего не поделаешь. Жизнь.

Они по-прежнему каждый вечер собирались в офицерском клубе, но после пожара в резиденции и гибели базы «Стюарт» события приняли такой оборот, что, похоже, дни русской колонии в Сантильяне были сочтены.

Док Улдис вошел в палату, остановился возле кровати и посмотрел на отчужденное и напряженное лицо Шуракена, как обычно лежавшего с закрытыми глазами.

— Малыш, ты далеко? — спросил док.

— Я здесь.

Док придвинул стул и сел.

Шуракен открыл глаза и посмотрел на Улдиса. В его глазах были бесконечная усталость и боль. Улдис видел, что Шуракен с трудом отвлекается от своих горестных сосредоточенных размышлений и хочет одного — чтобы его оставили в покое.

— Послушай, мне надо кое-что сказать тебе.

— Я слушаю.

— Прибыла комиссия из Москвы. Я не могу помешать им допросить тебя. Постарайся переключиться, все обдумать и решить, что ты будешь говорить.

— Я скажу все как есть. Ширяев подтвердит, что у нас не было намерения взрывать базу. Надо поискать в кармане моей куртки, там должен быть подписанный им план операции.

— На Ширяева не рассчитывай. Он ничего не подтвердит.

— Почему?

— Потому что его нет в живых или по крайней мере нет в наличии.

— Что? Что это значит? Улдис, я ни черта не

146

понимаю. Нет в живых и нет в наличии — разные вещи. Извини, давай поконкретней.

— Ширяев исчез в тот день, когда вы мотались на базу. Димка, секретарь, сказал, что, возможно, он получил известие о взрывах на «Стюарте» и поехал разбираться. Вроде он никому ничего не сказал, потому что операция была секретной.

— Тогда откуда ты об этом знаешь?

— Вертолетчики сказали, что «Стюарт» ваших рук дело.

— Нет, не наших. Так что стало с Ширяевым?

— Вроде он погиб. Нашли его машину, подорвавшуюся на мине, останки белого человека. Опознать, Ширяев это или нет, практически невозможно.

— Я не верю, что Ширяев погиб, — спокойно сказал Шуракен. — Такое говно за просто так не погибает. У него всегда все было рассчитано. Значит, он знал, что будет с базой, подставил нас, а сам удрал.

— Да, кстати, в тот же день вашему приятелю, генералу Джо, прострелили башку. Объявлено, что он погиб, командуя обороной дворца во время налета.

— Ты тоже не веришь, что Ширяев погиб?

— Я слишком хорошо знаю Ширяева, поэтому ни за что не поручусь. Но в принципе он мог подорваться.

Как только перед Шуракеном возникла конкретная практическая проблема, с которой ему предстояло разбираться, его депрессия начала быстро отходить на задний план. Он уже не выглядел психопатом, сосредоточенным на своих болезненных переживаниях. Это радовало. Док с большим уважением относился к Шуракену и не хотел, чтобы парень стал легкой добычей для следователей. А в том, что Шуракена сейчас начнут потрошить самым серьезным образом, сомневаться не приходилось.

23

Президент Агильера принял трех старших офицеров, возглавлявших следственную комиссию. Он был в трауре по случаю трагической кончины своего брата, Верховного главнокомандующего республики Джошуа Агильеры. Со сдержанным достоинством человека, мужественно переживающего свое горе, президент сказал, что считает себя обязанным посвятить русских друзей в истинные обстоятельства трагедии. Официально было объявлено, что генерал Агильера погиб во время террористического налета на резиденцию, но на самом деле, сказал президент, он застрелился, узнав о предательстве полковников, вошедших в сговор с главарями оппозиции и пытавшихся осуществить военный переворот. Генерал Агильера не смог пережить того, что люди, которым он доверил ключевые посты в армии республики, все эти верные соратники, друзья юности, как полковник Касимба, оказались гнусными предателями, негодяями, поставившими на карту благополучие страны ради призрачной надежды захватить власть.

— Мой брат, — сказал президент, — был человеком несгибаемой чести. Такие понятия, как верность и воинский долг, были для него святыми. Он был идеалист, но я даже представить себе не мог, что благородство может привести его к такому трагическому финалу. Я чувствую себя виноватым перед Джошуа. Он очень много работал, жил в постоянном нечеловеческом напряжении. Этого требовала беспощадная борьба с оппозиционными группировками. Джошуа ни на один день не мог ослабить усилия, не мог позволить себе отдохнуть. А я рассчитывал на его зрелость, силу и несокрушимое здоровье и мало берег его. И вот попытка военного переворота привела к непоправимому. У брата произошел нервный срыв. Я никогда не смогу простить себе того, что в эту минуту меня не оказалось рядом с ним. Смерть Джошуа не только мое личное горе, но и невосполнимая потеря для страны. Опираясь на надежную, возглавляемую Джошуа Национальную гвардию, я мог спокойно вести республику по пути демократических реформ, промышленного и культурного возрождения. Увы, отныне мне не с кем разделить мою ношу. Господа, видя в вас прежде всего посланцев великой страны, которая в трудную минуту протянула мне руку дружбы, я поделился с вами своим личным горем, но прошу сохранить известие о самоубийстве моего брата в тайне. Это в интересах чести семьи Агильера.

Изложив таким образом свою трактовку событий, президент Агильера перешел к насущным для комиссии вопросам и заявил, что не видит вины русских специалистов во взрыве базы «Стюарт». У него есть основания полагать, что база была заминирована предателями, которые, обнаружив, что их главарь, полковник Касимба, захвачен, уничтожили ее. После этого президент выразил русским свои соболезнования по поводу гибели полковника Ширяева. Президент сказал, что он уважал старшего военного советника, ценил его профессионализм, опыт, глубокое понимание политической ситуации на африканском континенте. Именно благодаря Ширяеву он вовремя раскрыл заговор мятежных полковников и сумел его ликвидировать. Он высоко ценил выдержку, личное мужество и масштабность мышления Советника и скорбит о его гибели, как о гибели близкого друга. В заключение своей речи президент упомянул, что он сожалеет о гибели капитана Ставрова.

Возглавляющий комиссию генерал-майор Смирнов в стандартной формулировке выразил президенту соболезнования. Он сказал, что, хотя никто из присутствующих не имел чести лично знать генерала Агильеру, они убеждены, что это был доблестный патриот и превосходный военный.

Но, высказав все, что он обязан был высказать по этикету, Смирнов завершил свое заявление не самым приятным для президента образом:

— Господин президент, Россия потеряла опытного военного специалиста по национально-освободительному движению, более десяти лет отработавшего в Африке. В результате безнаказанного террористического налета уничтожен архив русской военной миссии, сгорели дипломатические и финансовые документы исключительной важности. Погиб молодой талантливый офицер. Господин президент, Россия оказывала вашему правительству достаточную помощь для того, чтобы исключить возможность таких серьезных неудач, как этот мятеж. Я обязан предупредить вас, что материалы следственной комиссии будут переданы для рассмотрения в соответствующие высокие инстанции. Может быть принято решение о значительном сокращении и даже прекращении военных поставок в вашу страну.

«Ну и черт с вами, — подумал президент Агильера, когда русские покинули его кабинет. — Не вы — так американцы. К сожалению, их помощь обойдется подороже, чем помощь России, но Сантильяна богатая страна. Можно сдать в аренду иностранным компаниям один-два алмазных прииска, и пусть отбиваются от бандитов».

24

На следующий день один из членов комиссии появился в палате у Шуракена.

— Майор Бобков Виктор Степанович, — представился он.

Увидев его вежливое незапоминающееся лицо и стандартный костюм, Шуракен подумал: «Атас, сейчас начнется прокачка мозгов. Интересно, какая у них рабочая гипотеза? Они подозревают, что мы со Ставром завербованы американцами или получили от повстанцев по миллиону долларов за взрыв базы?»

— Как вы себя чувствуете? — спросил Бобков.

— В пределах нормы, — ответил Шуракен. — Садитесь.

Бобков придвинул стул и сел. Он достаточно много знал о Шуракене из его личного дела, видел фотографии. Сейчас он отметил ощущение силы, которое шло от Шуракена, несмотря даже на то, что тот был не в лучшей форме. Верхняя часть койки была приподнята, под спину Шуракен засунул две подушки, так что он скорее сидел, чем лежал. На Бобкова произвела впечатление скульптурная мощь его груди и рук, великолепная мускулатура, не искусственно накачанная, а профессионально сформированная. Ему понравилось лицо Шуракена с крупными правильными чертами и серьезными серыми глазами. В этом парне чувствовались уверенность в себе и гордость, которые скорей всего не позволили бы ему врать и изворачиваться, но в том, что он будет защищаться, Бобков не сомневался. Он решил повести разговор таким образом, чтобы необходимость защищаться у Шуракена не возникла.

— Нам предстоит разобраться в обстоятельствах взрыва базы «Стюарт» и гибели полковника Ширяева, — сказал Бобков. — Вы непосредственный участник событий и можете дать ценную информацию. Я хотел бы задать несколько вопросов.

— Задавайте.

Бобков спокойно достал из кармана портативный магнитофон.

— Не возражаете, если я включу магнитофон?

— Включайте.

— Мы знаем, что вы выполняли приказ вашего руководителя полковника Ширяева и у вас не было намерения взрывать базу.

— Нет. У нас не было такого приказа.

— Вы специалист, и у вас наверняка есть своя версия случившегося.

— Да. Я думал об этом.

— Что же, по-вашему, произошло?

— Случайный взрыв одной мины не мог дать такого эффекта. База взлетела на воздух потому, что сработала вся сеть поставленных по определенной схеме взрывных устройств. Это могло произойти только в одном случае.

— В каком же?

— Если кто-то, кто знал схему минирования, прошел по нашему следу и поставил на мины взрыватели, и они сработали в той последовательности, в которой были выставлены датчики времени.

— Это могли быть повстанцы, члены вооруженной оппозиции?

— Нет.

— Почему?

— Схему минирования знали только я, мой напарник капитан Ставров и полковник Ширяев. Не имея схемы, найти мины было абсолютно невозможно.

— Как вы думаете, полковник Ширяев мог быть заинтересован в уничтожении базы?

— Я не могу ответить на этот вопрос.

— Понимаю ваше нежелание компрометировать вашего руководителя. Но мы здесь для того, чтобы разобраться в обстоятельствах гибели полковника Ширяева. Мне кажется, наши интересы совпадают и мы можем рассчитывать на вашу помощь.

«Так, — подумал Шуракен, — чистосердечное признание и так далее. Знаем мы эти песни, неоригинально».

— Я спросил вас о возможных причинах, которые могли иметься у полковника для уничтожения базы, потому что вы сами сказали, что схема минирования была только у вас и Ширяева, — спокойно уточнил Бобков.

— Это я так думаю, — ответил Шуракен. — Но на самом деле полковник вполне мог передать план операции службе госбезопасности. В любом случае президент имел право требовать, чтобы Ширяев ознакомил с планом кого-то из его доверенных людей. Полковник не обязан был информировать об этом нас с Олегом.

— Насколько я понимаю, у вас были довольно напряженные отношения с полковником?

— Да.

— Почему?

— Мне трудно объяснить вам. Это были чисто личные конфликты.

— Я постараюсь понять вас.

— Вы легко поняли бы меня, если бы прожили здесь хотя бы месяц. Нервы здесь постоянно напряжены, так что конфликты случаются иногда на пустом месте. Это портит отношения, как разборки на коммунальной кухне.

— Ну, я не думаю, что все дело только в том, что вы тут не поделили кастрюли.

— Сложный вопрос, на каждой кухне свои кастрюли. Полковник довольно часто использовал нас для выполнения поручений, которые, скажем так, не вызывали у нас восторга.

— Мне было бы легче разобраться в ситуации, если бы вы привели пример подобного поручения.

— Несколько дней назад по приказу полковника мы сопровождали на виллу генерала Агильеры человека, который явно не был дипломатическим лицом и официальным гостем президента. Мы не шестерки и не телохранители, и у нас не было ни малейшего желания рисковать своими шкурами из-за друзей генерала Агильеры.

— Вы помните имя этого человека?

— Аль-Хаадат, но это скорей всего псевдоним.

— Вы можете описать его?

— Невысокий, полноватый, смуглый, слишком холеный, что характерно для криминалов. Типичный делец, скорей всего профессиональный торговец оружием. Прилетел на собственном самолете.

— Вы видели оружие, которое хранилось на складах базы?

— Нет. Мы не входили внутрь складов. В этом не было необходимости. Целью операции была проверка надежности охраны.

— Значит, вы не знаете, что к моменту взрыва на базе «Стюарт» не было никакого оружия?

Бобков, внимательно следивший за лицом Шуракена, отметил, что это известие произвело на того ошеломляющее впечатление. Лицо у Шуракена застыло, как у игрока в покер, который вдруг понял, что игра сделала неожиданный и опасный поворот, но Бобков поймал короткую, как молния, вспышку гнева и боли в его глазах.

— Нет, — сказал Шуракен, — я об этом не знал.

— А о предстоящей ревизии вы знали?

— Нет.

— Мне кажется, вы поняли, капитан, с какого рода тактической операцией мы имеем дело. Взрыв как средство борьбы с ревизией — примерно так ее можно квалифицировать.

Между следователем и Шуракеном повисло напряженное молчание. Бобков выдержал паузу, но ни оправданий, ни уверений в невиновности со стороны Шуракена не последовало.

— Капитан, — сказал Бобков, — могу заверить вас, что никто не собирается делать из вас стрелочника как из единственного оставшегося в живых участника операции. Мы постараемся объективно разобраться в том, что на самом деле произошло. Но никто не снимет с вас вашу часть ответственности. Возможно, вас подставили, но вы и ваш напарник капитан Ставров проявили недопустимую неосторожность, прямо скажем, не соответствующий опыту и квалификации энтузиазм.

154

Вы применили боевые взрывные устройства, хотя в спецоперации такого рода должны были использовать имитаторы. Думаю, вы понимаете, что вся эта заваруха с базой может неблагоприятно сказаться на вашей карьере.

Но Шуракену уже было наплевать на карьеру. Из всего, что сказал Бобков, он понял главное: Ставр заплатил жизнью за махинации Советника и генерала Джо. Надо было быть слепыми или умственно отсталыми, а лучше то и другое вместе, чтобы не понимать — эта парочка вовсю торгует оружием. Но спецы не предполагали, что бизнес достигает такого размаха. В момент, когда они получили приказ устроить спектакль с террористическим нападением на базу, генерал Джо уже был арестован. Выходит, что они прикрыли задницу Советника. Со стыдом и бешенством Шуракен вспомнил, как они с Ставром писали план спецоперации и, словно два курсанта-отличника, по всем правилам вычерчивали цветными карандашами точную схему минирования, как перечислили типы взрывных устройств и пометили их условными обозначениями, как в одном из пунктов указали, что применение этих устройств по данной схеме гарантирует полное уничтожение складов с оружием. В результате их сделали, как двух дураков, даже следователь, черт бы его побрал, высказался насчет энтузиазма. У Шуракена кровь кипела от ярости и жажды расправы. Но генерал Джо уже находился вне пределов человеческого возмездия, а Советник, как теперь был окончательно уверен Шуракен, удрал и теперь тщательно заметает следы, а уж это он умеет. Он не один раз поменяет имя, а если надо — то и внешность, и объявится в таком месте, где никому не придет в голову его искать.

Через несколько дней Шуракена отправили в Россию. С ним вылетел лейтенант, член комиссии, который, как он сказал, вез в Москву на экспертизу первые материалы, собранные комиссией. Самолет, как обычно, был транспортный. Весь полет Шуракен пролежал на скамье в бытовом отсеке за кабиной пилотов. Он с горечью думал, что возвращаться без Ставра хуже, чем не вернуться вообще. Потеря Ставра и то, что он даже не сумел вытащить тело друга из джунглей, рвало Шуракену душу.

Приземлились. За иллюминатором поплыл серый нудный пейзаж подмосковного военного аэродрома. Самолет зарулил на стоянку. Вой турбин перешел в стихающий свист.

Шуракен встал с лавки, отработанным до автоматизма движением бросил на плечо ремень автомата, взял сумку и двинулся к выходу. Наступила та трудная минута, о которой он думал во время перелета. Если Командор приехал его встречать, сейчас Шуракену придется сказать, что он потерял Ставра. Такие дела. Однако он не имел права расползтись, как последнее дерьмо. Он знал, каким Командор хочет его видеть.

Шуракен умел ходить легко и бесшумно, но сейчас рампа загудела под тяжестью его шагов.

У трапа его ждали незнакомый офицер и наряд автоматчиков.

— Стоять, — приказал офицер. — Сдать оружие.

Шуракен бесстрастно посмотрел на него.

25

Если с человеком однажды случается какая-нибудь ужасная глупость, потом она имеет обыкновение повторяться. До того, как вылететь из этого проклятого вертолета, Ставр уже однажды вылетел с третьего курса факультета журналистики Московского университета. Вылетел он самым конкретным образом — в окно пятого этажа общежития.

Ставр — тогда просто Олег — жил на Ломоносовском проспекте в облицованном светло-желтой плиткой доме с башенками и прочими величественным деталями, характерными для эпохи расцвета империи. Две бабушки, сестры-преферансистки, распустили его до безобразия. Ему было двадцать лет, он не стригся, носил тесные черные джинсы и короткую кожанку. Его повадки и высказывания привлекали опасной дерзостью и непредсказуемостью. Лохматый, нарочито грубый, он был великолепен. На дискотеках Олег танцевал брейк, и однажды дежурный преподаватель выразил свои впечатления от этой хореографии: «Точь-в-точь пьяный полуголый индеец из племени команчей», — сказал он. Олегу исключительно легко давалось все, что требовало темперамента, хорошей координации движений и выносливости. Он дрался, как молодой свирепый пес, искал драк и талантливо занимался сексом, имел успех даже среди уставших от жизни студенток старших курсов.

Накануне происшествия Олег по случаю новогодних праздников и начала сессии уже несколько дней не вылезал из общежития. Пил с друзьями и занимался любовью с красивой, влюбленной в него девочкой Юлей.

В девятнадцать лет «дала — не дала» — основной вопрос бытия. Поэтому, когда Олег и Юля вернулись в комнату, где народ гулял четвертый день и начал уже тихо озверевать, один из приятелей посмотрел на них мутными от водки и бешеными от ревности глазами. В тесной комнатенке было не продохнуть от сигаретного дыма и винных паров.

— Здесь настоящая душегубка, — сказала Юля. — Давайте откроем окно.

Бледный от любви Олег подошел к столу и среди объедков увидел чудом уцелевшее яблоко. Он разломил его надвое и половину протянул Юле.

Пристально глядя на него откровенными, сияющими глазами, она наклонилась чувственным кошачьим движением и зубами взяла яблоко у него с руки.

— Женщины как дети, — сказал сходивший с ума от ревности приятель. — Что ни дай, все в рот тянут.

Олег мгновенно засадил ему в челюсть. Удар был эффектный, но неквалифицированный, Олег разбил руку.

Пока народ вытаскивал и ставил на ноги завалившегося в щель между койками приятеля, Олег сел на окно, которое кто-то как раз успел открыть. Он взял с подоконника снег и, морщась, приложил к разбитому кулаку. Юля обняла его и поцеловала в горячий, влажный от пота лоб.

— Отойди от окна, — сказала она. — Ты простудишься.

— Вот дура, — бросил приятель.

Он вытащил из кармана носовой платок и протянул Юле:

— На, дай ему.

— Зачем?

— Сейчас увидишь.

Если бы удар достиг цели, у Олега наверняка был бы сломан нос. Но он резко отклонился, кулак приятеля только вскользь задел его по скуле. Олег почувствовал не этот удар, а какой-то легкий толчок, словно его задело колесо Судьбы. И он вывалился за окно, прямо в ослепительный свет морозного дня.

Олег не почувствовал ужаса. В его душе вдруг вспыхнул какой-то гибельный восторг. Тело было расслаблено и легко подчинялось естественным рефлексам. Он падал плашмя, спиной вниз, со свободно раскинутыми руками и ногами, и ввалился в двухметровый снежный вал, наметенный снегоочистителем вдоль стены общежития. Олег пробил сугроб почти до земли, только самый нижний слежавшийся и слоистый пласт, хрупко крошась и прессуясь, остановил его. Снег взметнулся беззвучным взрывом и, невесомый, мерцающий, как звездная пыль, засыпал Олега.

Его друзья и подружки раздетыми выскочили из общежития и понеслись туда, где он упал. Возможно, это происшествие не имело бы последствий, если бы они Олега нашли. Но они его не нашли.

В этом была какая-то мистика, шиза. Ошалевшие студенты подались к коменданту общежития.

Олег лежал в сверхлегкой неподвижности, в нежном восторге нирваны. Свет ослепительного зимнего солнца сиял сквозь засыпавший его хрустальный пух. Потом снег на лице подтаял и потек холодными струйками. Олег почувствовал, что лежит в ледяном саркофаге.

«Это очень здорово, — подумал он, — но можно превратиться в мумию мамонта».

Олег выбрался из сугроба и пошел в общежитие. Когда он открыл дверь и вошел в вестибюль, все разом замолчали и вытаращили на него глаза, как на НЛО.

— Такого ломового кайфа я не испытывал даже от оргазма, — сообщил Олег.

К сожалению, уже были вызваны милиция и «скорая помощь», поэтому скандал замять не удалось. Приятелю грозило уголовное дело. Олег пошел в ректорат и заявил, что сам выбросился из окна, пытаясь покончить жизнь самоубийством из-за несчастной любви. Как неудачливого самоубийцу Олега отчислили из университета, чтобы его пример не вдохновил других психопатов.

— У тебя большие способности, — с иронией заметил Олегу отец, на несколько дней прилетевший в Москву, чтобы разобраться с подвигами сына. — Надо найти для них правильное применение.

И он пристроил закоренелого в распутстве раздолбая под опеку отцов-командиров в Рязанское воздушно-десантное. Отец принял такое решение, потому что у него было всего несколько дней на устройство семейных дел, а оставлять этого жеребца на ответственность двух интеллигентных старух, безумно его любящих, было по меньшей мере негуманно по отношению к старухам. Отец рассчитывал, что если Олег получит профессиональное военное образование, то потом он активизирует свои связи и даст карьере сына перспективное направление. Но уже на выпуске Олег попал в поле зрения Командора, который объезжал военные училища, выискивая парней с генетической предрасположенностью к экстремальным действиям, с обостренным восприятием, моментальной реакцией и высоким уровнем интеллекта. Полковник располагал властью, позволявшей ему забирать отобранных им курсантов даже против воли их командиров. Попав в секретный учебный центр, Олег оказался в условиях очень далеких от казармы и решил, что ему чертовски повезло: армия явно не была его стихией.

Так что полет без парашюта случился со Ставром не впервые. В тот раз ему повезло: он был слишком пьян и счастлив, чтобы испугаться, поэтому не разбился. Теперь он падал с несоизмеримо большей высоты, но уже умел безошибочно управлять собой и до конца бороться за жизнь. Он знал, что сейчас главное не прогибаться в спине, иначе может так загнуть, что не выдержит позвоночник. Сделал полуоборот через правое плечо, перевернулся спиной вниз. Позвоночник свободно прогнулся, так что Ставр провис, как в гамаке, раскинув руки и ноги, чтобы максимально увеличить площадь опоры на поток воздуха. Он дал волю рвущемуся из глотки крику, ведь крик — это природная психологическая защита. Пока Ставр орал, он просто не мог думать о том страшном ударе, который ему суждено испытать в последний миг, или об острых обломках стволов деревьев и сучьев, которые пронзят тело и разорвут его на куски. Ужас заставил бы сжаться, свел судорогой мускулы, и Ставр влетел бы в джунгли как снаряд, пробивая и ломая все на пути и ломаясь сам.

Этого не случилось. Ставр буквально лег в густую упругую сеть ветвей и лиан. Он хватался за них, пытаясь затормозить падение, лианы рвались, как гнилые веревки, но все-таки тормозили его. Ставр повис в двух метрах над землей, хохоча, как Тарзан. В мозгу у него взрывались шаровые молнии. В такую дикую эйфорию его не вогнал бы ни один наркотик.

Ставр освободился от лиан и свалился на землю. Его еще разбирал смех, но он уже обрел способность логически действовать. Прежде всего следовало немедленно сообщить о себе. Рация...

Ставр обнаружил, что жилета с рацией на нем нет. Он не помнил, где потерял жилет, но искать его в джунглях явно не имело смысла, потому что в вертолете... да он уже в вертолете был без жилета. Потеря очень осложнила положение. По его объемным карманам жилета было рассовано множество необходимых для выживания вещей. Например, набор антибиотиков и тюбик с бактерицидной мазью. Ставр изрядно ободрался. Самая скверная рана была на спине. Острый сук распорол кожу и неглубоко рассек мышцу на правой лопатке. Боль от этой раны особенно раздражала Ставра именно потому, что он не мог посмотреть на нее. Но те, которые он видел, надо было немедленно обработать пенициллиновой мазью, иначе через несколько часов в этом гнилом климате они обязательно воспалятся.

Теперь следовало быстро убираться отсюда, потому что если повстанцы видели, как что-то падало с неба, они постараются его найти, надеясь заполучить какое-нибудь ценное снаряжение. Самое ценное Ставр уже потерял, но их устроит и то, что

осталось: пояс из парашютной стропы, американская кобура из конской кожи, пистолет с двумя
запасными обоймами в подсумке, штурмовой
нож, часы с компасом, а главное, отличные легкие ботинки на толстой рифленой подошве.

По компасу Ставр определил направление на
город и двинулся вперед, рассчитывая выйти на ту
дорогу, по которой они с Шуракеном ехали на
базу «Стюарт» и на которой оставили «Судзуки».
Он вытащил нож и, еще в эйфории адреналино-
вого шока, полез в джунгли с бешеной энергией.
Джунгли всегда были для Ставра всего лишь враж-
дебной зеленой стеной по краям дороги. Теперь он
оказался в плену этого мира и понял, что не имел
о нем ни малейшего представления.

Его окружили фантастические, остервенелые в
борьбе за жизнь растения. Сплетясь в сплошной
хаос, они прижимались вплотную, обвивали друг
друга, душили и запускали в стволы и стебли сосе-
дей воздушные корни, высасывая соки. Ставр
представил себе, что если бы он тут лег, переломанный, без движения, они и в него запустили бы
свои хоботы и принялись высасывать его кровь.
Пробиться через зеленый хаос можно было только
с мачете. В руках у Ставра был отличный штурмовой нож, но здесь он был ни на что не годен.
Ставр привык побеждать, он рубился сквозь джунгли, задыхаясь в тяжелом влажном воздухе, насы-
щенном одуряющими сладкими запахами цвете-
ния и разложения. Майка почернела и прилипла к
телу. Из-под обвязанного вокруг головы платка
текли ручейки пота, проедая светлые борозды на
его черном от грима и мазута лице. Остановившись
передохнуть, Ставр понял, что, несмотря на бешеные усилия, он почти никуда не продвинулся.
Нет, ему не пройти через джунгли десятки километров, которые отделяют его от города, не одо-
леть даже значительно меньшее расстояние до дороги. Ставр решил повернуть назад, идти в том на-

правлении, откуда летел вертолет. В этом случае был шанс выбраться из джунглей в саванну. Там сухой и легкий воздух, пальмы, кустарники, заросли слоновьей травы. Там опасно, но там можно идти, а значит, можно в конце концов дойти.

Ставр повернул назад. Его окружали гнетущая мягкая тишина и густые зеленые сумерки. В глубине джунглей не водились ни птицы, ни животные, и солнце сюда никогда не проникало. Здесь цвели порочно благоухающие плотоядные цветы, откровенно напоминающие женское лоно, и ползали, пожирая друг друга, омерзительные насекомые.

К концу дня Ставр понял еще одну тайну джунглей. Все здесь сочилось влагой, но не было воды. Несколько раз он натыкался на странные ямы, заполненные густой черной жидкостью. Больше всего эта жидкость напоминала нефть, но, может быть, это была некая квинтэссенция, отфильтрованная землей из разлагающихся стволов и листьев. Что бы это ни было, напившись ее, Ставр мог бы уже никуда не идти, не мучить себя напрасно. Лечь и ждать смерти, а лучше сразу застрелиться. Ставр был подготовлен к таким ситуациям. У него было выработано умение стойко переносить лишения, а главное, умение управлять собой и при необходимости отказываться от самых жизненно необходимых желаний. Но эта наука давалась жестоким образом.

Однажды на тренировочной базе в Средней Азии они с Шуракеном возвращались после выполнения учебного задания. По правилам спецгрупп, они не имели права вернуться тем путем, которым пришли. Обратный путь оказался вдвое длинней. Со снаряжением и оружием они шли по земле, напоминающей глиняный блин на раскаленной сковородке, растрескавшийся и утыканный клочьями низкой — по щиколотку — сожженной колючки. Солнце — безумное, воспаленное око — плыло над их головами от горизонта к горизонту. Ставр и Шуракен уже бредили водой, не могли думать ни о чем, кроме воды, когда дошли до овечьего колодца. Командор учил их ремеслу сам и делил со своими парнями все испытания, которым их подвергал. Он первый подошел к колодцу и не разрешил парням пить. Он позволил им только наполнить фляжки. Отойдя на несколько километров от источника, полковник приказал вылить воду, так как она считается отравленной. Ставр и Шуракен вылили воду, свирепея от самодурства своего командира. Даже сам Командор понимал, как он рискует, приказывая вылить воду двум осатаневшим от жажды, вооруженным до зубов парням. Но он не верил ни в какой другой, более гуманный, способ доказать им, что они могут это выдержать. Он мог пойти на этот риск, потому что был абсолютно уверен в своей силе и способности удержать их в повиновении.

Весь остаток дня Ставр ломился сквозь джунгли. С приближением темноты он выбрал место для ночлега и повалился на мягкую, остро пахнущую землю. На него навалился больной, изматывающий сон, наполненный кошмарными видениями огня, черного неба, отчаяния и тоски. Все то, чего он чудом избежал наяву, начало происходить с ним в воображении. Он перегрыз нерв сна, как зверь перегрызает зажатую в капкане лапу, и очнулся.

Джунгли смотрели на него тысячей невидимых злобных глаз. Ставру казалось, что смерть крадется к нему со всех сторон. Темные суеверия повылезали из запретных углов, чердаков, чуланов подсознания, и, несмотря на попытки думать о практических, реальных вещах, разум не мог освободиться от власти неведомого, тайного ужаса.

Наступил рассвет. Ставр поднялся с земли, разбитый и отупевший до полного безразличия. Ему хотелось снова лечь и заснуть, но нельзя было терять время, он мог не успеть до заката выбраться из джунглей и провел бы еще одну кошмарную ночь.

«Ты должен выбраться отсюда, должен, черт бы тебя побрал, — подумал Ставр. — Давай двигайся. Если ты подохнешь, Шуре придется одному отдуваться за базу «Стюарт».

У Ставра был опыт преодолений. С ножом в руках он двинулся вперед. К концу дня он пробился через зеленый хаос в сухую жаркую саванну. Здесь у поверхности земли было мало воды, и каждое растение, будь это многометровая пальма или крошечная травинка, росло обособленно. Оберегая свою скудную долю влаги, они выживали сурово, в одиночку.

Он отдохнул, глядя на закат. Небо пламенело всеми оттенками алого, стройные силуэты пальм казались черными на его фоне. Над саванной медленно опускался синий полог ночи. Ставр размотал платок с головы и уложил его у корня растения с толстым, гладким стеблем. За ночь платок впитает росу, каплями стекающую по стволу к корням.

Если устал и ресурс психики на пределе — разведи огонь. Собрав сухие сучья, Ставр разжег костер. Сидя возле него, он остро ощущал, как его лицо буквально впитывает энергию пламени. Потом лег и заснул.

Ему приснилась Джилл. Это был восхитительный сон. Джилл прижалась к нему спиной, и Ставр чувствовал изгибы и выпуклости ее тела. Она волнообразно покачивалась, прохладная гладкая кожа скользила по горячей коже Ставра. Ему было приятно думать, что она сейчас чувствует тугие узлы и упругие выпуклости мускулатуры его груди и живота, напряженный ствол члена, настойчивыми толчками упирающийся в раздвоенность ее ягодиц. Джилл вскинула вверх длинные гибкие руки и стала ласкать затылок и шею Ставра. Тела их медленно изгибались. Ставр взял в ладони ее грудь с твердыми крупными сосками. Потом правая рука медленно опустилась вниз по животу. Нежные густые завитки покрывали весь мягкий холмик. Пальцы целиком погрузились в шелковистую шерсть. Ласкать шкурку Джилл было приятно, подбритые девушки всегда разочаровывали Ставра. Рука опустилась ниже, пальцы попытались раздвинуть влажные, скользкие губы, но они были тесно сжаты бедрами. Ставр поцеловал Джилл в шею под ухом, прося впустить его. Девушка медленно развела ноги, и пальцы Ставра проскользнули глубже, хищный зверек, притаившийся в горячей щели, затвердел от его прикосновения. Ставр ласкал его, чувствуя, как ягодицы Джилл бьются о низ его живота. Он застонал, потому что напряжение становилось уже невыносимым, все его существо сосредоточилось в вершине ствола, который неудержимо стремился вонзиться в пульсирующую, жаждущую втянуть его щель.

Ставр проснулся с мыслью, что когда доберется до города, то прежде найдет Джилл и осуществит свой сон и только потом явится в резиденцию, потому что разборка по поводу базы «Стюарт» может очень плохо кончиться.

1

Серая комната без окон могла вызвать приступ клаустрофобии. Здесь не было ничего, кроме стола и стула. На столе перед Шуракеном лежали несколько листов бумаги. С того момента, когда сразу после приземления в Чкаловске ему приказали сдать оружие, прошло около суток. Он зарос дикой щетиной и все еще был в оливковом тропическом камуфляже. Сюда его привезли в закрытой машине, и он не знал, где находится. Шуракену приходилось бывать на разных засекреченных объектах, возможно, он бывал и здесь.

После обычного медицинского осмотра Шуракена привели в это помещение и предложили написать рапорт о событиях в Сантильяне. Шуракен написал. Рапорт забрали и приказали написать все еще раз. Такой оборот дела Шуракену сильно не понравился, и он повторил свой первый рапорт слово в слово, с точностью до запятых. Затем ему предложили подробно изложить обстоятельства гибели Ставра, начиная с получения приказа о нападении на базу «Стюарт». Но Шуракен чувствовал, что это не главное, что его неизвестные корреспонденты, те, кто читает рапорты, ведут с ним психологическую игру, постепенно подводя к тому, что их действительно интересует. Чего они хотят? Вот уж Олежка Ставров их точно не интересует — умер Максим, ну и х... с ним. Тогда что? Ищут крайнего, чтобы списать убытки накрывше-

гося медным тазом коммерческого заведения в Сантильяне? Надо быть очень осторожным, взвешивать каждое слово, каждую запятую, а то тут есть специалисты, которые враз слепят из них со Ставром двойных агентов, предателей родины. Вот о Ширяеве с генералом Джо Шуракен был готов писать сколько угодно: «На здоровье, хавайте дерьмо — это ваши друзья».

Писанина продолжалась несколько часов, непрерывно, в самом напряженном темпе. Шуракен устал. Почерк начал выдавать физическую усталость, но в то же время показывал, что самоконтроль по-прежнему работает на высоком уровне. Круг замкнулся.

Шуракен надеялся, что теперь, когда он уже не дает никакой новой информации для размышления, его хоть ненадолго оставят в покое, дадут возможность передохнуть и привести себя в порядок. Но в его мышеловке появились два человека. Один — вежливый парень лет сорока с приятным интеллигентным, абсолютно незапоминающимся лицом. Второй — грубый, напористый, как плакат «Ты записался в...?».

— Нам необходимо прояснить некоторые проблемы, которые возникли в связи с уничтожением штаб-квартиры российской военной миссии и исчезновением вашего шефа полковника Ширяева, — сказал «вежливый». — Мы рассчитываем на вашу помощь. Ведь вы не только участник этих событий, но и специалист, способный дать квалифицированную оценку фактам.

— Не порите мне мозги, — ответил Шуракен. — Я не спал почти сутки. Сижу перед вами с небритой мордой в пропотевшем камуфляже. И вы утверждаете, что у нас с вами разговор специалиста со специалистами?

— А ты на что рассчитывал, когда проворачивал со своим шефом грязные сделки? — с ходу «наехал» второй следователь.

ЧАСТЬ ВТОРАЯ

— В этой ситуации многое будет зависеть от вас, — спокойно заметил «вежливый». Он положил на стол пачку сигарет, зажигалку. — Курите. Разговор будет долгий, хотите, я распоряжусь, чтобы принесли кофе?

Шуракен усмехнулся. Ход стандартный — понятно, что один будет давить на психику, пробивать защиту Шуракена, раздражая его. А второй попытается интеллигентно и доброжелательно установить контакт.

Шуракен спокойно взял сигарету.

— Ребята, — сказал он, — это скучно.

— От скуки тебя быстро вылечат и от необоснованного самомнения тоже, — заявил «злой» следователь. — Здесь есть специалисты. Вместе с Ширяевым испарилась сумма почти в миллиард американских долларов. Надеюсь, ты не рассчитываешь, что эта махинация сойдет с рук вашей шарашке?

Оба следователя заметили, что сообщение о миллиарде долларов произвело на Шуракена ошеломляющее впечатление. Действительно, оно совершенно меняло дело. Шуракен думал, что на него, как на единственного оставшегося в живых участника диверсии, собираются свалить ответственность за взрыв базы «Стюарт». А так как африканский интерес для России сейчас сильно упал в цене, то никого это по-настоящему не волнует — проведут формальное расследование и всех отмажут. Но, узнав, что в этом деле крутятся такие деньги, Шуракен понял, что влип он очень серьезно. Бабки эти, конечно, черные, и у них есть хозяева. Тут пощады не жди.

— Вот такая получается история, — с сочувствием сказал «вежливый». — Со счетов, которыми Ширяев пользовался для торговых сделок, утекли суммы в общей сложности почти на миллиард американских долларов. Располагая таким капиталом, Ширяев мог позволить себе купить любое шоу для маскировки своего исчезновения. Понимаете, чем вы занимались на базе «Стюарт»?

— Когда в ларьке недостача, с ним случается или пожар, или бандитский налет, — уточнил «злой».

— Да, этот способ борьбы с ревизией всегда успешно практиковался, в нем нет ничего оригинального. А вот вторая часть шоу действительно высокий класс. Бомбардировка резиденции президента бочками с авиационным керосином — дешево и эффективно.

— В общем, нам все про вашу базу понятно, — подхватил подачу «злой». — Можешь не хлопотать с объяснениями. Лучше подумай, стоит ли бросаться грудью на амбразуру, прикрывая шефа? Своей доли ты уже в любом случае не получишь. Для этого надо было вовремя удрать, как твой напарник.

— Олег погиб.

— Это не доказано.

— Есть рапорты вертолетчиков.

— Они не видели, что там между вами происходило до того, как ты заявил, что Ставров вывалился из вертолета. Так что, вывалился он или выпрыгнул, знаешь только ты.

— А ты сам не пробовал?

— Что?

— Прыгать из вертолета.

— Нет, у меня другая профессия, а вот ты и твой напарник как раз специалисты по таким трюкам.

— Даже не пытайся еще раз заговорить со мной в таком тоне, — отчетливо проговорил Шуракен. — А имя моего напарника произноси с подобающим уважением. Капитан Ставров, сотрудник подразделения разведки специального назначения, — вот так это произносится.

— Допустим, вы не замешаны в махинациях Ширяева, — мягко и настойчиво продолжил «вежливый», — но в его распоряжении был не такой уж большой выбор людей, которым он мог доверять. Наверняка Ширяев привлекал вас к каким-то делам.

— Мы с Олегом постарались отбить у него охоту пользоваться нашими личными услугами.

— А у вас не возникло желания самим заняться контрабандой оружия? Как я понимаю, это весьма популярный в Африке бизнес?

— Да в этом деле можно стать богачом на одной сделке. Богачом или покойником, часто это происходит одновременно.

— Извините, но это не убеждает. Вы явно не из тех, кого пугает риск.

— На этих разговорах мы с ним только время теряем, — раздраженно сказал «злой» следователь. — Тебя, сволочь, гвоздями к полу приколотят, если ты не поможешь найти твоего шефа и вернуть присвоенные им деньги.

— Кому вернуть?

— России. Эти деньги принадлежат России и должны быть возвращены.

— Я вас умоляю, вот только про Россию не надо, — усмехнулся Шуракен. — Не надо давить на чувство долга и патриотические мозоли. Если Советник занимался этим, то он крутил дела, как блатные говорят, не от себя, а от хозяина. Я в этих делах не участвовал, и искать свои говенные деньги тем, кто их потерял, придется без меня.

— Миллиард долларов это миллиард долларов, и когда речь идет о таких деньгах, не шутят, — сказал «вежливый». — Не будьте идиотом, капитан, вы знаете, есть вещи, которые не может выдержать ни один человек.

Да, это правда, есть вещи, которые не может выдержать ни один человек. Шуракен это знал.

Но пока ему дали время отдохнуть и подумать. В помещении, куда его отвели, кровать и табуретка были, как в камере, привинчены к полу, а стол — к стене. Шуракен сразу лег. Горящая под потолком панель с трубками дневного света раздражала его, но выключателя в камере не было. Лежа на спине, Шуракен закрыл глаза, руки спокойно вытянул вдоль тела и расслабил все мускулы. Он начал погружаться в глубокую медитацию.

«Олежке повезло, может, и не легкая, но по крайней мере не позорная смерть», — выплыла затаившаяся в подсознании мысль. Шуракен отогнал ее. Умение глубоко расслабляться и быстро восстанавливать силы даже в самой неблагоприятной ситуации было одним из базовых профессиональных навыков. Через несколько минут дыхание стало глубоким и ровным, мускулы лица и всего тела обмякли. Шуракен производил впечатление человека, полностью отключившегося от реальности или спящего мертвым сном. Это было опасной иллюзией. Подсознательная сторожевая система контролировала зону личной безопасности. В данный момент для боевой машины с оперативным псевдонимом Шуракен зоной безопасности была эта камера.

О человеке, контролирующем процесс следствия, двое других участников оперативного совещания знали только, что его зовут Александр Иванович. Вторым участником оперативки был недавно назначенный на свою должность начальник подразделения, которому приказали произвести арест и допрос прибывшего из Сантильны сотрудника внеструктурного подразделения внешней разведки. Подразделение недавно ликвидировали приказом президента как не отвечающее новому курсу международной политики. Недавно назначенный начальник откровенно боялся таинственного Александра Ивановича и был готов выполнить любое его распоряжение. Он не собирался рисковать своей должностью, а может, и чем-нибудь большим, защищая замешанного черт знает в каких делах сотрудника уже не существующей структуры.

Таким образом, обсуждение ситуации происходило между Александром Ивановичем и третьим участником совещания — психоаналитиком.

— Как видите, он не выходит из круга первоначально обозначенных фактов, — сказал психоаналитик. — В его рапортах и записи допроса есть признаки сознательно выставленных защитных блоков. Возможно, самым сильным блоком как раз является его зацикленность на диверсии на базе «Стюарт» и гибели напарника. Эти события — единственное, о чем он дает подробные и точные ответы. Пока я не могу сделать заключения, участвовал Ярцев в махинациях с оружием или нет.

— Думаю, Ширяев не посвящал Ярцева и Ставрова во все свои дела, — ответил Александр Иванович. — Но он наверняка использовал их и достаточно хорошо платил за услуги. Если нам удастся установить, что у Ярцева есть счет в иностранном банке, это будет неопровержимым доказательством того, что он участвовал в контрабанде оружия. Тогда можно будет раскручивать его дальше, но это слишком долгий путь, а время не терпит. Я настаиваю на применении чрезвычайных мер.

— Я должен предупредить, что психотропные препараты могут сделать из этого человека идиота, а его участие в преступлении еще ничем не подтверждается, — сказал психоаналитик.

— Господи! О чем вы говорите? Речь идет о мошенничестве государственного масштаба, — энергично возразил начальник подразделения. — И вообще, защита прав человека не входит в наши задачи, мы должны найти деньги, украденные с государственных счетов, а не разбираться, кто в чем виноват. А этот человек — головорез, способный на все, что угодно, и привыкший убивать. Слава Богу, что Россия больше не нуждается в услугах подобных типов.

— Я обязан выполнить приказ, — невозмутимо заявил психоаналитик. — Я приступлю к исполнению, как только получу его в письменной форме за вашей подписью.

Услышав щелчок замка в двери, Шуракен мгновенно вернулся к реальности. Он сел и посмотрел на человека, вошедшего в камеру. Возникший на пороге молодой человек был не атлет и явно не из породы костоломов, на первый взгляд он не представлял опасности, но это ничего не значило.

— Идемте со мной, — пригласил он.

Шуракен не спеша поднялся на ноги. Высокий, мощный мужчина в камуфляже, на котором еще оставалась пыль далекой страны, он сразу, одним своим видом, демонстрировал этому задохлику в дешевом стандартном костюме, вечному пленнику железобетонных лабиринтов, кто есть кто.

Ближайшая опасность для Шуракена таилась за дверным проемом. Там его могли ждать, чтобы, ошеломив внезапным нападением, попытаться надеть наручники.

Шуракен проследил, как молодой человек первым вышел из камеры. По понятным для опытного глаза движениям, по тому, как ляжет свет на спину серого пиджака, какая едва уловимая тень промелькнет по нему, Шуракен мог определить, ждут его за дверью или нет. Похоже, там никого не было, но он шагнул через порог, готовый отразить внезапную атаку. Шуракен считал, что безвыходных положений не бывает. Задача максимум — уцелеть и добиться справедливости. Задача минимум — до конца отстоять свое достоинство. В связи с этим Шуракен был готов жестоко пресечь любую попытку ограничить свободу его действий.

За дверью его не ждали. Шуракен сбросил ненужное напряжение с мускулов.

— Надеюсь, в программу нашей экскурсии входит посещение мест общего пользования? —

176

небрежно поинтересовался он у молодого человека.

— Да, — ответил тот, — там есть туалет.

«Там. Это где там?»

Отсутствие конвоя не означало доверия: Шуракен заметил, что коридоры оборудованы телекамерами, да и идти пришлось недалеко. Молодой человек набрал код на панели и открыл дверь. Он держался вежливо и вполне лояльно, Шуракен не чувствовал никакого волевого нажима с его стороны. Но в туалетную комнату они вошли вместе, и малую нужду Шуракену пришлось справлять под его наблюдением.

Шуракен застегнул молнию на брюках, вымыл руки, умылся, пригладил мокрыми ладонями короткие светло-русые волосы. Движения спокойные, никакой нервозности и нарочитости, но кому надо, тот поймет, что сломать его не так просто.

— Ну пошли... сталкер, — усмехнулся Шуракен молодому человеку.

Они вышли из туалета, прошли по короткому коридору мимо двух дверей с цифровыми замками. Молодой человек остановился перед третьей и набрал код. Когда Шуракен вошел, он закрыл дверь за его спиной. Очевидно, здесь его роль проводника на опасной территории, сталкера, как назвал его Шуракен, заканчивалась.

Психоаналитик повернулся от компьютера и с профессиональным любопытством посмотрел на Шуракена.

«Похоже, самый крутой аттракцион пока откладывается», — с облегчением подумал Шуракен, увидев стол и компьютер.

— Садитесь, — пригласил психоаналитик, указав на кресло возле стола.

Шуракен сел.

— Обычно меня зовут Профессор, — непринужденно сказал психоаналитик.

— Хорошо. Пусть будет Профессор.

— Знаете, что это такое? — спросил Профессор, кивнув на аппаратуру на столе.

Шуракен посмотрел на компьютер, дополнительные блоки, подключенные к процессору, манжету для измерения давления, эластичный пояс и два миниатюрных датчика, тонкие черные провода от которых тянулись к дополнительным блокам.

— Полиграф, я так полагаю, — сказал Шуракен.

— Правильно полагаете. Вас беспокоит необходимость пройти проверку на полиграфе?

— Нет. Я имел дело с этой штуковиной во время обучения. Это не больно.

— Ваше спокойствие должно убедить меня, что вам нечего скрывать? Можно вам не поверить?

— Можно. Это ваше личное дело.

— Раз вы уже имели дело с полиграфом, мне не надо объяснять, как себя следует вести?

— Нет.

— Тогда начнем. Снимите, пожалуйста, куртку.

«Похоже, они не совсем идиоты, — подумал Шуракен, снимая куртку. — Может быть, дело кончится проверкой на полиграфе?»

Тихо подошла женщина в белом халате и шапочке медсестры на гладко зачесанных, откровенно седых, без краски, волосах.

— Это Анна Львовна, — сказал Профессор. — Она будет нам помогать.

Анна Львовна взяла у Шуракена его оливково-пятнистую куртку из полотна с огнеупорной пропиткой.

— Майку снять? — спросил он.

— Нет, не надо, — мягко ответила она. — Садитесь.

Шуракен сел. Анна Львовна опоясала его под мышками эластичной лентой и застегнула ее на середине груди. Затем она надела манжету для измерения давления, а датчики с помощью резиновых колец закрепила на области пульса правой руки и указательном пальце левой. Руки у Анны Львовны были мягкие, теплые, их прикосновения успокаивали. Когда она, застегивая эластичную ленту и манжету, наклонилась над ним, Шуракен почувствовал материнский запах немолодой женщины, шедший от ее груди под халатом.

— Процедура займет около часа, — сказал Профессор, поворачиваясь от монитора компьютера. — Сядьте поудобней, руки положите на подлокотники, не напрягайтесь. Вы знаете, отвечать надо только «да» или «нет». Вы готовы?

— Поехали.

Задав контрольные вопросы, которые показали кривые психофизиологических реакций Шуракена в норме, Профессор приступил к главному:

— Вы богатый человек?

— Нет.

— Вы оказывали услуги, не предусмотренные контрактом?

— Да.

— Вы передавали кому-нибудь партии оружия?

— Нет.

— Вы участвовали в боевых операциях?

— Да.

— Вы переживаете гибель вашего напарника?

— Да.

Кривые частоты пульса, кровяного давления и дыхания дали бешеный всплеск.

— У вас были командировки за пределы Сантильяны?

— Нет.

— Вы знали, что Ширяев торгует оружием?

— Да.

Показатели физиологического состояния в норме. Очевидно, что говорит правду, но этот вопрос его мало волнует. Так ли это?

— У вас есть счета в заграничных банках?

— Нет.

— Ширяев предлагал вам сотрудничать с ним?

— Нет.

— Вы пытались шантажировать Ширяева?

— Нет, — сказал Шуракен. — И поэтому я еще жив, — пояснил он.

— Боитесь, что в благородные мотивы такого поведения я не поверю? — усмехнулся Профессор.

— Я сам себе не поверю.

— Вы устали?

— Да.

— Сделаем перерыв. Отдохните.

Шуракен откинул голову на спинку кресла. Его изрядно утомила карусель из вопросов, которые предлагались ему в разных комбинациях, повторялись, меняли формулировки. Или вопрос, на который он отвечал «нет», задавался после ряда таких, на которые он отвечал «да». Но Шуракен ни разу не попал в ловушку и не дал усомниться в своей правдивости.

Все, что Шуракен хотел скрыть, не имело никакого отношения к контрабанде оружия. Например, он не хотел, чтобы выяснилась история с девчонками, которых они со Ставром увели у генерала Джо, потому что это грозило неприятностями летчикам, нелегально перебросившим их домой. Кроме того, за спецами числились и другие подвиги, которые легко сходили с рук в условиях реальных боевых действий, однако могли сильно напрячь руководство здесь. Но так как вопросы, которые задавал Профессор, касались только Ширяева, контрабанды оружия и связанной с ней возможностью незаконного обогащения, то все кривые на мониторе полиграфа фиксировали вполне нормальную реакцию. Все же игра с полиграфом требовала большого нервного напряжения.

Шуракен машинально поднял руку, чтобы вытереть со лба пот, но тут же опустил обратно на подлокотник, потому что за ней потянулись провода. Заметив этот жест, к нему сразу подошла Анна Львовна, марлей вытерла пот на лице и шее. И снова Шуракен с удовольствием ощутил прикосновение ее спокойных, умелых, заботливых рук.

Профессор, общавшийся с компьютером, оторвался от монитора и с интересом посмотрел на Шуракена.

— Если верить машине, место в раю вам гарантировано, — сказал он. — Но вы сотрудник элитного подразделения, прошли специальную подготовку на подобный случай и вы сами сказали, что имели дело с полиграфом.

— При зачислении в подразделение и во время обучения я проходил психологические испытания с помощью комплекса тестов, в том числе и проверку на полиграфе.

— А может, вам заодно показали приемы, как обмануть машину?

— Я не буду на такие вопросы отвечать.

— Почему?

— А знаете, как в американских фильмах про полицейских, когда преступнику зачитывают его права, то предупреждают, что каждое его слово может быть использовано против него. Допустим, я говорю: «Да». Тогда встает вопрос: а чем мы с вами целый час занимались? Я отвечаю «нет», и вы думаете: «А ты не прост, парень. Давай попробуем еще раз».

— Что характерно, я примерно так и думаю.

— Вы не верите ни мне, ни машине. В таком случае не представляю, чем могу вам помочь.

— Есть один вариант, но он возможен только при вашем добровольном согласии. Вы позволите ввести вам вещество, которое сделает ваши психофизиологические реакции менее подконтрольными? Препарат совершенно безвреден. В нем даже есть свой кайф. Почувствуете себя так,

181

словно приняли сто пятьдесят—двести граммов водки.

— Спасибо за предложение, но мне как-то не хочется испытывать на себе эти ваши сыворотки правды.

— Но вы утверждаете, что по интересующему нас вопросу вам скрывать нечего, а никаких других вопросов я задавать не буду. Ну так как?

— Давайте обойдемся натуральным продуктом. То есть эквивалентным количеством спирта. Пусть Анна Львовна разведет триста граммов на двоих и — вперед.

— К сожалению, это невозможно. Давайте, капитан, соглашайтесь, в ваших же интересах закончить с этим делом побыстрей.

Шуракен посмотрел на Анну Львовну. Медсестра ободряюще улыбнулась ему и, не дожидаясь его решения, надела жгут на левую руку, на которой не было манжеты для измерения давления. Мягкие, умелые прикосновения ее рук успокаивали Шуракена, внушали ему доверие.

«Черт с ними, пускай колют, — устало подумал Шуракен. — В конце концов наплевать, чего не знаешь, не выболтаешь».

Шуракен на миг расслабился и потерял контроль над ситуацией. И только когда игла уже вошла в вену, он вдруг сообразил, что шприц появился в руках у Анны Львовны, как из воздуха, ей не пришлось никуда ходить, чтобы подготовить инъекцию. Значит, все было подготовлено заранее и шприц уже лежал в кармане халата. Но когда он это понял, было уже поздно. Поршень вытолкнул жидкость из шприца в кровь.

Шуракен вскинул голову и увидел над собой холодное, бесстрастное лицо профессиональной медицинской сестры. Шуракен понял, что попался: его, как быка, привели и поставили, куда следует, и наручники не понадобились. Шуракен тут же ободрал с себя все развлекушки, которые на

182

него понавешали, чтобы направить в ложном направлении его инстинкт самосохранения. Пожалуй, он еще успел бы надеть монитор на голову Профессора, но это уже ничего бы не изменило.

На Шуракена начала наваливаться непреодолимая тяжесть, он, как подлодка, стремительно проваливался в глубину черной, мертвой бездны. Непреодолимая тоска и апатия быстро гасили его агрессивность и волю к действию. Все стало безразлично.

Наблюдавший за Шуракеном Профессор видел, как быстро тускнет его взгляд. Лицевые мускулы настолько утратили тонус, что провисли под собственной тяжестью, искажая четкие и правильные черты лица. Нижняя губа и челюсть отвисли, веки полуопустились, одно меньше, другое больше, как у паралитика.

— Игорь, пригласи этого Александра Ивановича, — сказал Профессор молодому человеку, которого Шуракен назвал сталкером. — Анна Львовна, у вас готова вторая инъекция?

— Да.

В сидящем в кресле апатичном дегенерате Александр Иванович опознал Шуракена только по оливковому камуфляжу. Но он постарался скрыть свое впечатление от этого тяжелого зрелища.

— Нам предстоит работать с человеком, находящемся в... скажем так, нестандартном состоянии, — сказал ему Профессор. — У него будет отсутствовать самоконтроль и любые установки на защиту информации. Предупреждаю, процедура не из приятных. Он будет молоть совершеннейшую чепуху. Вам совершенно не обязательно здесь присутствовать, все равно вопросы буду задавать я. У вас нет навыков, необходимых, чтобы иметь дело с человеком в таком состоянии.

— Я должен присутствовать при допросе.

— Хорошо, но предупреждаю, времени мало, постарайтесь не мешать мне.

— А если будут интересные результаты, мы сможем продолжить?

— Не гарантирую.

Пока Профессор инструктировал Александра Ивановича медсестра сделала Шуракену второй укол. Если введенное ему раньше вещество было мощным транквилизатором, подавившим высшие функции головного мозга, то вторая инъекция вызвала не менее мощное возбуждение эмоциональных и речевых центров. При этом интеллектуальные и волевые функции, которые позволили бы объективно оценивать ситуацию и управлять собой, остались глубоко заторможенными.

Апатия сменилась диким возбуждением. Шуракен посмотрел на Профессора и Александра Ивановича, и вдруг увидел, что это свои, родные мужики. Он почувствовал к ним безграничное доверие и, пытаясь выразить свои чувства, понес околесицу, как пьяный дурак, которому случайные попутчики кажутся закадычными дружками.

Не контролируемые волей психологические установки на защиту информации рассыпались. Весь объем памяти Шуракена был открыт для беспрепятственного доступа. С помощью вопросов, содержавших ключевые слова, Профессор пытался направлять поток сознания Шуракена в нужном направлении. Но на эти ключевые слова, своего рода пароли — «оружие», «посредник», «сделка», «Ширяев» и так далее — Шуракен выдавал на первый взгляд полную чепуху. Эта бессвязная ассоциативная информация подчас вообще не имела никакого отношения к тому, что интересовало Профессора и Александра Ивановича. И хотя все, что даже не говорил, а просто нес Шуракен, было сбивчиво, невнятно или вообще лишено логических связей, Профессор пытался выловить в этом потоке имена или хотя бы обозначения фактов и событий, сориентировавшись на которые можно было задать следующие, уже более точные вопросы. Затем, подвергнув запись допроса аналитической обработке, восстановив логические связи между раздробленными фрагментами, предстояло, как в известной головоломке, сложить картинку событий.

Но все, что удалось выяснить, было чисто внешними фактами вроде визитов дельцов и посредников типа Аль-Хаадата. Ширяев был опытным конспиратором, поэтому не замешанный в его махинациях Шуракен ни прямо, ни косвенно не мог сообщить ничего, что помогло бы добраться до Советника.

Возбуждение нарастало. Взгляд Шуракена уже ни на чем не фиксировался, лицо кривилось и дергалось в идиотских гримасах. Гортань и губы мучительно напрягались, так что на шее вздувались мускулы, но, несмотря на все усилия, Шуракен, как глухонемой, издавал лишь звуки, уже мало похожие на человеческую речь.

— Все, — сказал Александру Ивановичу Профессор. — Теперь уходите. Анна Львовна, кофеин, быстро!

— Но он же почти ничего не сказал. Нес какую-то ахинею.

— Выложил все, что знал. Он не имеет никакого отношения к вашей проблеме, теперь я вам это могу сказать совершенно точно.

Шуракена охватила бешеная ярость. Мир, который только что казался ему родным и добрым, где люди смотрели на него с любовью и уважением, хотели с ним общаться, вдруг превратился в железобетонную клетку. Шуракен почувствовал, как вокруг него сжалось кольцо ненависти и злобы. Его разум был погружен в хаос. Он превратился в зверя, обученного побеждать и выживать любой ценой.

Профессор увидел вспышку ярости в глазах Шуракена, но он знал, что ни один человек не способен выдержать шок такой силы, и сейчас не только психика, но и вся биологическая машина военспеца идет вразнос.

Грудь, казалось, сдавил железный обруч, сердце готово было разорваться на куски. Шуракен сделал попытку встать и потерял сознание.

2

Змея никого не боялась, поэтому стала легкой добычей. Ставр поймал ее, схватив вплотную к голове: так она не могла ужалить его. Вокруг было полно мелкой живности, попадались целые колонии земляных белочек, но их трудно было поймать, не имея ничего подходящего, чтобы соорудить силки. И потом, если выбирать между грызунами и змеей, то Ставр предпочел змею. Она вкуснее, и на ней мяса больше.

Ставр разделал змею и зажарил на углях. Деликатесу не хватало соли.

Змеиный пир Ставр устроил три дня назад, после этого он уже ничего не ел. Одно из золотых правил выживания запрещает есть, если нечего пить, потому что воду, необходимую желудку для переваривания пищи, организм будет вынужден отнять у других жизненно важных органов, и процессы необратимых разрушений в них ускорятся. Того ничтожного количества влаги, которое Ставр мог добыть на рассвете, отжав росу из платка, было слишком мало. В сухом и жарком климате организм быстро обезвоживался.

В сознании появились зловещие провалы, Ставр отключался, а приходя в себя, обнаруживал, что валяется на земле или, как зомби, движется в неизвестном направлении.

Вестниками смерти оказались мухи, а не угрюмо-величественные стервятники, неумолимо сужающие круги над добычей. Если бы Ставр мог выбирать, он предпочел бы стервятников: как профессиональные могильщики, они по крайней мере подождали бы, пока он превратится в падаль. Мухи пытались сожрать его живьем.

Выстрелы, внезапно раздавшиеся неподалеку, Ставр вначале принял за очередные глюки. Но стрельба продолжалась, и он понял, что в зарослях кустарника идет серьезная потасовка. Ставр пошел на звук стрельбы.

Как обычно в боевых ситуациях, включились резервные возможности, сил у него сразу прибавилось. Ставр не надеялся ни на чьи великодушие и помощь. На войне рассчитывать можно только на своих, а своих тут не было. Он просто собирался добыть флягу с водой, прикончив кого-то из тех, кто воевал в буше. При этом у него самого имелись все шансы нарваться на очередь в упор или поймать шальную пулю.

В его положении было не до поединков, напасть надо внезапно и прикончить жертву одним ударом, при этом не обнаружив себя. Заметив передвижение людей в высоком кустарнике, Ставр осмотрелся, выбирая место для засады. Но он услышал рокот винта и, обернувшись, увидел силуэт вертолета, черный на контровом освещении против солнца. Вертолет медленно приближался на предельно низкой высоте. Кустарник и трава ложились от поднятого им вихря. Он завис над отступающей группой и, очевидно прикрывая своих, начал косить буш огнем из крупнокалиберного пулемета. Затем, удерживая атакующих на безопасном расстоянии, вертолет опустился на землю.

В душе Ставра пробудилась безумная надежда. Вертолет означал присутствие белых людей. Правда, судя по тому, чем они сейчас занимались, эти ребята были не из тех, с кем легко договориться. Но Ставру уже не на что было рассчитывать, кроме закона джунглей, — «мы с тобой одной крови». Правда, в данном случае формулировку следовало перефразировать — «мы с тобой одной расы». Он пошел к вертолету.

На борт поспешно грузились характерные для здешней территории вооруженные до зубов камуфлированные личности с рюкзаками или в разгрузочных жилетах, позволяющих разместить на себе весь походный скарб. Эти ребята выглядели типичными наемниками.

Из вертолета выпрыгнул невысокого роста решительный человек с татуировками на руках. Благодаря мощному широкому торсу, прочно базировавшемуся на коротких ногах, он выглядел квадратным.

— Давай! Давай живей, парни! — орал он, стоя рядом с вертолетом.

Прежде чем последним залезть в вертолет, он оглядел кусты и увидел Ставра.

— Вон еще один! — заорал он.

Ставр понимал, что теперь, если он не попадет в вертолет, его порвут на куски черные, уцелевшие после того, как крупнокалиберные пулеметы буквально выкосили в кустарнике здоровенные плеши. Он рванул к вертолету, вкладывая в бег весь остаток сил. Ставру казалось, что он несется, как бешеный жеребец, как тигр. Но квадратный наемник с синими татуировками на маховиках имел на этот счет другое мнение.

— Что-то он не слишком резво двигается. Вы двое, быстро тащите мерзавца сюда, мы вас прикроем! — заорал он.

Двое бросились к Ставру. Они закинули себе на плечи его руки, мигом доволокли до вертолета и, как мешок, забросили на борт. Они не знали, кто он, но в таких ситуациях думать опасно для жизни. Надо действовать: хватать мерзавца, как приказано, тащить в вертолет и убираться из этого проклятого места, где пули прошивают пространство во всех направлениях.

— Взлет! Взлет! — заорал квадратный.

Второй пилот, к которому был обращен этот приказ, потянул вверх дроссельный рычаг, и вертолет взмыл над кустарником.

— Мы потеряли двоих, Динар, — сказал человек, который, очевидно, был старшим в группе. Динаром он назвал квадратного.

— Одного, — уточнил Динар. — Мне сказали, что я должен подобрать семерых сукиных котов. Вас шесть.

— Этот не наш, — ответил старший, кивнув на Ставра.

— Вот как? Тогда откуда взялся этот кусок говна?

— Тебе видней. Ты приказал взять его на борт.

Ставр понял, что у него есть все шансы еще раз вылететь из вертолета, но теперь уже с пулей в голове. Но, даже подыхая, он не собирался приседать и бить хвостом пред всяким сбродом.

— Да пошли вы все на хер, — заявил он, встречая зрачок в зрачок каждую пару направленных на него глаз. — Я не просил тащить меня в ваш сраный вертолет.

— Сынок, — сурово сказал Динар. — Этот сраный вертолет мой, и ору здесь только я. Понял?

— Дайте воды... — попросил Ставр.

3

Боль. Страшная боль пронизывала мозг. Голова разбухла от боли, и Шуракену хотелось разбить ее о стену. Но когда он попытался подняться, его повело и отбросило назад. К горлу подкатилась тошнота.

Шуракен инстинктивно свесил голову вниз, изо рта и из носа у него хлынула кровь. Он давился, блевал кровью и желчью. Зрелище было страшное, но кровотечение спасло его от непоправимой беды. Способный выдерживать запредельные нагрузки, организм сумел защитить себя. Кровеносные сосуды в носу и горле порвало прежде, чем это произошло бы в головном мозге. Кровотечение спасло Шуракена от смерти в лучшем случае, а в худшем — от паралича.

Через некоторое время боль стала терпимой. По-прежнему следуя только инстинкту, заставлявшему его, как раненое животное, встать на ноги, Шуракен поднялся с койки, со сбитого в ком солдатского одеяла, испачканного кровью и желчью. Ничего не соображая, он сделал два шага и уткнулся в стену, тупо повернулся, сделал пять шагов и уперся в закрытую дверь, снова повернулся и пошел обратно к стене. Так он кружил около двух часов, потом остановился в углу. Стены дали ему ощущение безопасности, Шуракен опустился на пол и прижался к ним спиной. Сознание застилал мрак отчаяния и тоски. Мир рассыпался как головоломка. Шуракен, как сквозь амбразуру, видел только то, что оказывалось прямо перед глазами. Стоило повернуть голову или перевести взгляд, и картинка становилась другой. Никакой логической связи между дробящимися картинками Шуракен установить не пытался. Он не понимал, где находится, не узнавал камеры, из которой его вывел «сталкер», не помнил ничего, что за этим последовало. Шуракен вообще ничего не помнил, потому что в его голове не возникало ни одной мысли. Были только хаос и отчаяние.

Щелчок замка ударил по нервам, как разряд тока.

В камеру вошел дежурный прапорщик с подносом, на котором стояли тарелки. Он выматерился, увидев Шуракена, сидящего на полу в углу камеры. Лицо и майка у него были в засохшей крови.

— Ты только посмотри, что этот придурок с собой сделал, — сказал прапорщик оставшемуся у двери напарнику. — Он весь в кровище.

Прапорщик поставил поднос на стол и всего

лишь сделал шаг к Шуракену. В следующий миг он грохнулся на пол, подсеченный ударом ног. Шуракен бросился на него сверху и оседлал, придавив к полу. Ударом в челюсть он отбросил назад притянутую к груди голову прапорщика и заставил его открыть шею. Следующий, смертельный удар был бы нацелен в горло. Мускулы работали автоматически, подчиняясь вписанному в подкорку стереотипу боевых действий. Шуракен не бил, он убивал.

Прапорщика спасло только то, что его напарник оказался человеком достаточно решительным, а у Шуракена сейчас отсутствовала объемность восприятия, называемая видением поля боя. В нормальном состоянии он не выпустил бы из внимания второго противника и не пропустил бы страшный удар ногой в голову. На несколько секунд Шуракен вылетел в нокаут, а второй прапорщик схватил своего напарника за шиворот, волоком вытащил в коридор и захлопнул дверь камеры.

Через несколько минут пострадавший прапорщик был отправлен в санчасть со сломанной челюстью, а его напарник давал объяснения дежурному офицеру по поводу происшествия.

— Да он невменяемый отморозок, — заявил прапорщик. — Если бы я не сшиб ему башню, он бы просто размазал Мамонова по полу.

Дальнейшие наблюдения показали, что Шуракен действительно невменяем. Он часами кружил по камере или сидел в углу, прижавшись спиной к стенам. Желающих входить к нему в камеру не находилось, слишком очевидно было, чем этот эксперимент кончится. О невменяемости капитана Ярцева было доложено начальству, и Профессору предложили дать объяснения по этому поводу.

— Я предупреждал о возможных тяжелых последствиях допроса под психотропными препаратами, — заявил Профессор. — У Ярцева отсутствует социальная мотивация поведения, другими словами, разрушена личность. Он подчиняется только базовым инстинктам. Он постоянно чувствует себя окруженным опасностью, а так как он сотрудник специального боевого подразделения, обученный убивать своих врагов, то он действительно очень опасен.

— С этим можно что-нибудь сделать?

— Самосознание может восстановиться в любой момент, может не восстановиться вообще или восстановиться частично с шизофреническими деформациями.

— В таком случае им должны заниматься специалисты.

Желая как можно быстрее избавиться от никому не нужного, к тому же опасного человека, начальство велело готовить приказ об отправке капитана Ярцева в госпиталь.

Шуракен не подозревал, какая страшная беда надвигается на него, но вряд ли его состояние можно было назвать блаженным неведением. Он кружил и кружил, инстинктивно ища выход из железобетонной клетки, или забивался в угол от смертельной тоски. Миски с едой ему ставили на пол у порога. За те несколько дней, в течение которых начальство переваривало ситуацию и принимало решение, Шуракен совершенно утратил человеческий облик, но животный инстинкт заставлял его находить пищу и отправлять естественные надобности в определенном месте камеры, где стояла параша.

Услышав щелчок замка, сидящий в углу Шуракен поднял голову и угрожающе посмотрел на открывающуюся дверь. Как в сильном и свирепом звере, страх пробуждал в нем ярость и готовность убивать. Но вместо озлобляющих его фигур, мелтешащих на пороге и быстро исчезающих за дверью, в камеру шагнул крупный мужчина в черных джинсах и дубленой куртке с меховым воротником. Он сильно хромал и опирался на трость. Увидев засевшее в углу звероподобное существо, он крепко выматерился.

В душе Шуракена вдруг шевельнулась тревога узнавания. Это было первое человеческое чувство с того момента, как он оказался в этой камере. Чувства Шуракена мучительно напряглись, но все усилия зацепиться за проблеск самосознания пока напоминали попытку немого заговорить.

Человек с худощавым ястребиным лицом, обширной плешью, окруженной плотно прилегающими к черепу седыми волосами, и жесткой щеткой таких же коротких, пробитых сединой усов, с отвращением осмотрел камеру: кровь, объедки, зловонная параша. В его холодных серо-голубых глазах сверкнула вспышка гнева. Но когда он снова повернул голову к Шуракену, твердый взгляд гостя, направленный прямо в зрачки капитана Ярцева, был спокойным и властным.

— Встань, — приказал он.

В его голосе прозвучал волевой посыл такой силы, что ему нельзя было не подчиниться. Шуракен машинально поднялся на ноги.

— Следуй за мной.

Шуракен много раз слышал этот приказ, и всегда он означал конкретное целенаправленное действие, осмысленные усилия и достижение цели. И сейчас в его сознании возник ответный волевой импульс, который, как проблесковый маяк, прорезал царящий там хаос.

— Командор...

Все, слово было произнесено, имя названо. Разрозненные куски головоломки сложились, Шуракен осознал, кто он, увидел себя в омерзительной, загаженной клетке и почуял отвратительное зловоние. Он не представлял, что такого человека, как он, можно довести до подобного позорного состояния. Шуракен был уверен, что его можно убить, но нельзя унизить. Оказалось, что это не так.

Следом за Командором Шуракен вышел из камеры. За дверью их ждал адъютант Командора Костя, везде сопровождавший его и исполнявший различные поручения. В руках он держал такую же, как на шефе, летную куртку на натуральном меху.

— Помоги капитану одеться, — приказал Командор.

Адъютант невозмутимо подал Шуракену куртку. Точно такую куртку и черный комбинезон Шуракену выдали, когда он был зачислен в элитное боевое подразделение и прибыл на учебную базу. Ощущение на плечах тяжести одежды, согревавшей когда-то в любую погоду, дало еще один ориентир для возвращения к себе такому, каким он был до того, как его сломали.

Теперь Шуракен понимал, что с головой у него очень плохо. Память и самосознание начали как бы оттаивать, возникли слова, обрывки мыслей. Но все пока оставалось сумбурным. Разум лихорадило от противоречивых чувств, и единственное, за что Шуракен мог зацепиться, было безграничное доверие к Командору, благородная преданность учителю, жестко и честно, без поблажек и снисхождения обучившего жестокому ремеслу.

Случайно или нет, но, пока шли по переходам, напоминающим лабиринт, они не встретили ни одного человека. Тут следует уточнить, что когда Командор явился за своим сотрудником, его предупредили, что Шуракен опасен, и предложили надеть на него наручники, прежде чем вывести из камеры. Ответ Командора по форме далеко превосходил все известные образцы общеупотребительного мата, а по смыслу сводился к предупреждению, что если по пути на глаза Шуракену попадется хоть один человек, с которым ему захочется расквитаться, то Командор ему в этом мешать не станет. Наконец шагавший впереди Командор открыл тяжелую бронированную дверь. Шуракен увидел мягкий пасмурный свет зимнего дня и почувствовал на губах ни с чем не сравнимый вкус свежего морозного воздуха.

Буквально два дня назад повалил густой снег, и землю укрыл настоящий зимний покров. И сейчас в полном безветрии пушистые белые хлопья медленно опускались в колодец внутреннего двора, со всех сторон замкнутого железобетонными плоскостями с рядами стандартных казенных окон. Невесомые холодные хлопья ложились на жесткую щетку коротких волос Шуракена, на его дикую щетину и продубленную свирепым чужим солнцем кожу.

Шуракен чувствовал, как вместе с холодным воздухом в грудь входит сила и пьянящее счастье. Все-таки он вернулся.

4

Судя по тому, что после сигнала к подъему народ хоть и зашевелился, но не спешил вскакивать с коек, строгой дисциплины в этом заведении не придерживались.

Готовый в любую минуту вступить в драку за свою жизнь или честь, Ставр лег спать одетым, поэтому ритуал утреннего облачения был предельно лаконичным — он просто застегнул пряжку на поясе. Даже ботинки надевать не пришлось. Зная, что хорошая обувь всегда представляет практическую ценность, он лег не разуваясь. Ботинки и пояс были его собственные, все остальное ему выдали с армейского склада.

Вертолет Динара доставил Ставра на американскую военную базу за пределами Сантильяны.

Ставр увидел вертолетную площадку, обнесенную капитальным забором из железобетонных панелей, обложенную мешками с песком сторожевую вышку и маленький звездно-полосатый флажок на капоте подъехавшего джипа.

«Америкосы... интересно, что вы делали в Сантильяне?» — машинально подумал Ставр, хотя теперь его это уже не должно было интересовать.

— Вы хотите что-нибудь сообщить о себе? — спросил Ставра сержант, вылезший из джипа.

— Нет, — ответил Ставр.

Больше вопросов ему задавать не стали, он был настолько в плохом состоянии, что разбираться с его личностью не имело никакого смысла. Сержант доставил его в госпиталь.

Когда санитары сняли с него одежду и отодрали присохшие к ране на спине лоскутья распоротой острыми сучьями ткани, они обнаружили, что в загноившейся рванине копошатся мелкие белые черви. Пожалуй, Ставру повезло, что он этого видеть не мог.

Ставр все еще стоял на ногах и был способен двигаться только благодаря самолюбию. Голый, как Адам, он сам вошел в операционную. Армейский хирург сунул широкую, короткопалую клешню в подставленную ассистентом перчатку и, поворачиваясь к столу, сказал:

— Считай, что тебе повезло с этими червями, парень. Могу сказать наверняка: они спасли тебя от гангрены. Черви, как известно, живого мяса не едят.

От этого заявления Ставра повело, пол начал уходить из-под ног.

— Ложись на стол брюхом вниз, — как из-под воды услышал он голос хирурга.

Потерять сознание, уже лежа на операционном столе, было менее позорно, чем грохнуться в обморок при слове «черви» и валяться на полу, откуда санитарам придется подбирать его, как падаль. Ставр схватился за край стола и неловко завалился боком на холодную металлическую плоскость, покрытую зеленовато-серой эмалью. Санитар и ассистент повернули его на живот. Прикосновение к холодному металлу прояснило сознание, но Ставра это не обрадовало. Он смертельно устал и хотел отключиться, чтобы уже ничего не видеть, не слышать, не чувствовать.

«Ничего, — подумал он, — сейчас дадут наркоз...»

— Так, посмотрим. — Хирург склонился над Ставром и начал осматривать рану. — Отлично поработали, ребята, — пробормотал он, очевидно обращаясь к червям. — Но у меня для вас плохие новости: обжорка закрывается. Как тебя зовут, парень?

— Ставр.

— Ситуация такая, Ставр, эта царапина не кажется мне достаточным основанием для общего наркоза. Думаю, под общим наркозом ты побываешь еще не раз, так что давай сэкономим ресурс организма. Я сделаю тебе укол, но это, конечно, совсем не то, что общий наркоз. Ничего, потерпишь. Извини, но тебя привяжут.

— Не надо... — пробормотал Ставр.

Ему казалось, что в венах у него не кровь, а огненная лава. Он опустил пылающую голову на скрещенные перед собой руки.

— Я сделаю все очень быстро, — пообещал хирург.

После укола наркотика Ставр «улетел», но он слышал голоса хирурга и ассистента, звон инструментов и чувствовал адскую боль, когда выскребали зараженную рану. Боль существовала отдельно от него и имела вид безумной багровой звезды.

Когда все было кончено, ассистент, прижимавший голову Ставра к столу, разжал ему челюсти и вытащил свернутый из марлевых салфеток жгут, который его заставили зажать в зубах, чтобы, стиснув, он не раскрошил их.

За три недели в госпитале Ставра добросовестно привели в порядок. Один раз его спросили, кто он, но Ставр отказался сообщить о себе какие-либо сведения, кроме псевдонима, своего боевого прозвища, выгравированного на медальоне вместе с группой крови. Когда врачи решили, что они в полной мере выполнили свой долг по отношению к нему, Ставру выдали камуфляжные штаны и куртку, на этот раз песочно-коричневые — в цветах пустыни, и вернули все имевшиеся при нем вещи, разумеется, кроме оружия. Особенно Ставра обрадовали его собственные ботинки. Разношенные и севшие по ноге, как вторая кожа, только более прочная, они хорошо фиксировали голеностопные суставы, страхуя их от случайных вывихов. А специальный протектор с грунтозацепами гарантировал прочный контакт с землей во время резких и стремительных движений в бою. Для человека его образа жизни обувь имела в буквальном смысле жизненно важное значение. Второй вещью, порадовавшей Ставра не меньше, чем ботинки, был пояс. Хитрая пряжка на нем расстегивалась одним движением пальцев, в критический момент пояс в его руках превращался в оружие.

Полковник, командир гарнизона базы, которому предстояло решить его дальнейшую судьбу, носил на лацкане безупречного кителя значок выпускника престижной военной академии и курил толстые вонючие сигары по три доллара штука. За его спиной стояло звездно-полосатое знамя, на стене в застекленных рамках висели грамоты, полученные его подразделением, на столе растопырил крылья бронзовый орлан-белохвост. «Офицер и джентльмен» оценил независимую стойку Ставра и его прямой ненапряженный взгляд, в котором не было ни тени беспокойства. Но он нюхом чуял, что Ставр не армейский человек. Несмотря на то что он встал точно там, где ему следовало стоять в кабинете офицера, занимающего здесь высшую должность, в нем явно угадывалось презрение к субординации. Полковник понял, что Ставр чувствует себя на равных с ним. По всем признакам полковник принял Ставра за наемника.

Человек порядка и дисциплины, он терпеть не мог этих псов войны, однако вынужден был признавать, что иногда автономно действующий индивидуал решает некоторые задачи эффективней и с меньшими потерями, чем взвод пехотинцев.

— Я предоставляю вам выбор, — заявил полковник. — Вы называете свое подлинное имя, звание, если оно у вас имеется, и страну, гражданином которой являетесь. Тогда вас передадут представителям вашей страны. В противном случае я отправлю вас в фильтрационный лагерь.

— Что это за заведение? — спросил Ставр.

— Обращаясь ко мне, вы должны говорить «сэр», — резко сказал полковник.

— Да, сэр. Что такое фильтрационный лагерь, сэр? — повторил вопрос Ставр.

— Место, куда собирают разный сброд, промышляющий грязной работой с оружием в руках.

— И там этих плохих парней перевоспитывают в духе христианской морали, сэр?

— Ими занимается следственная комиссия. А по результатам их или принудительно высылают на родину, или передают в руки закона, если человек объявлен военным преступником в каком-нибудь из государств западной Африки. Случается, дело кончается расстрелом.

Ни при каких обстоятельствах Ставр не имел права заявить о своей принадлежности к спецподразделению внешней разведки КГБ. Поэтому он сказал, что не имеет ничего против отправки в лагерь. Он был уверен, что нет такого места, откуда нельзя бежать. Очевидно, полковник понял ход его мысли.

— Желаю удачи, — усмехнулся он на прощанье.

Перелет оказался долгим. Уже на закате вертолет приземлился на каменистую площадку на дне обширного каньона, который представлял собой глубокую трещину в гранитном основании безжизненного, как необитаемая планета, плато. Ставр увидел несколько плоских железобетонных строений, обнесенных ржавой сеткой и колючей проволокой. Ни вышек, ни пулеметных гнезд, ни сторожевых собак не было.

— Капитан Хиттнер. Я начальник этого чертового заведения, — представился Ставру низкорослый, сильно нетрезвый человек в кителе американской военной полиции.

Весь его облик, а особенно физиономия с блекло-голубыми глазками откровенно заявляли о полном отсутствии порядочности и привычках мелкого злодейства. Это был тип совершенно противоположный «офицеру и джентльмену» — командиру базы, с которым Ставр имел дело утром. Ставр решил, что пора наконец четко выяснить свой статус.

— Ты арестован военной полицией и будешь задержан до установления личности и выяснения, чем ты, черт тебя побери, занимался там, где попался нашим парням, — ответил Хиттнер.

— Я никому не попадался. Я просто оказался в их вертолете.

— Наверно, это была твоя ошибка.

— Это смотря с какой стороны посмотреть.

— Во всяком случае, пока на тебя распространяется весь свод законов о правах личности, но даже не представляю, какую пользу ты сможешь из этого извлечь. А, да, тебя будут кормить и не заставят работать — вот, собственно, и все, счастливчик, добро пожаловать в чистилище. Давай раздевайся.

— Зачем?

— Я обыщу твое барахло на предмет оружия и наркотиков.

Пока Ставр раздевался, Хиттнер достал из ящика канцелярского стола регистрационный журнал, дактилоскопический бланк и железную коробочку с типографской краской. Корявым почерком вписал псевдоним Ставра в регистрационный журнал, на страницах которого было полно кличек на всех европейских языках, и снял отпечатки пальцев. Капитан обыскал и вернул Ставру его одежду, затем послал одного из своих подчиненных за человеком, который должен был сфотографировать нового «клиента». Но фотографа так и не смогли привести в дееспособное состояние.

— Ну и черт с ним, — решил Хиттнер, — пусть дрыхнет. Если его даже удастся поднять, негодяй морду от жопы не отличит. Ну все, иди пока. Охранник Купер покажет тебе твое место.

Над каньоном висел Южный Крест. Два прожектора освещали плац, на котором здоровые парни драли глотки и пытались переломать друг другу ребра, играя в американский футбол.

Показывая дорогу, охранник шел впереди, безрассудно подставив пленнику спину. Ставр подумал, что на месте этого Купера он не оставил бы у себя в тылу самого опасного на этом континенте хищника — белого человека.

Судя по расположению и виду плоских железобетонных строений, раньше здесь была мелкая военная база. Барак, в который Ставр вошел следом за охранником, внутри представлял собой обычную казарму. Короткий коридор привел в нищее казенное помещение, обозначенное в качестве жилого рядами армейских коек.

С заходом солнца обитатели лагеря выползали из душной казармы, под крышей которой они отлеживались весь долгий, невыносимо жаркий день, поэтому сейчас в помещении никого не было. Охранник показал Ставру на одну из свободных коек и ушел.

Через затянутые москитной сеткой окна и гулкие стены в казарму проникал бешеный рев и свист игроков и болельщиков, доносившийся с плаца. Но Ставр решил туда не ходить. Он считал, что не имеет смысла знакомиться с товарищами по несчастью, потому что завтра же он постарается удрать из этого заведения. А раз так, то чем меньше людей его увидят, тем больше шансов не нарваться на неприятности.

На следующий день, разбуженный сигналом к подъему, Ставр открыл глаза, увидел дневной свет, с трудом просачивавшийся сквозь плотную сетку на окнах, и удивился, что ночь прошла без происшествий.

Он поднялся и, не обращая ни на кого внимания, пошел к выходу.

При дневном освещении вся убогость и проклятость этой дыры предстали во всей своей очевидности. Гранитный фундамент плато покрывал тощий слой бесплодной глины, смешанной с крупным песком. От жары он спекся в кору, по прочности не уступающую асфальту. Казарма, столовая и административное здание образовывали каре, в котором был замкнут сухой и пыльный плац. Разрисованные похабными картинками и надписями на разных языках, стены казармы и столовой служили скрижалями, на которых утверждали себя непримиримость и дерзость духа, гнусность и низменность воображения.

Увидев колонку артезианской скважины, Ставр направился к ней, предвкушая удовольствие облиться холодной водой. Но он понимал, что в этом забытом Богом месте, где бесплодная глина от зноя спеклась в асфальт, скважина является одной из самых напряженных точек. Поэтому Ставр не спешил и готов был продемонстрировать вежливость и прочие хорошие манеры тем старожилам лагеря, которые уже подтянулись к колонке. Среди них он заметил здорового парня, похожего на кинотипаж головореза из американской морской пехоты: мощный, при этом стройный корпус и правильной арийской формы голова с бритым затылком и висками. Издали он даже напоминал Шуракена, собственно, поэтому Ставр и выделил его среди других, а вовсе не потому, что увидел здоровый, натренированный кусок мяса. Но когда они сошлись у колонки, Ставр почувствовал, что в парне нет ни великодушия, ни спокойного дружелюбия Шуракена. Особенно его насторожили маленькие хрящеватые уши, слишком плотно, как у бультерьера, прижатые к черепу. Ничего случайного во внешности человека не бывает. Эта черта могла быть знаком, предупреждающим о соответствующих свойствах натуры обладателя бультерьерьих ушей — например, тупой и упорной злобности.

Однако парень первый приветствовал новичка, и Ставр засчитал это в его пользу.

— Здесь меня зовут Буффало, потому что я один из них, — сказал парень и, согнув в локте руку, продемонстрировал наколку на мощно взбугрившемся под загорелой шкурой бицепсе.

Очевидно, наколка удостоверяла его принадлежность к некоему военизированному сообществу.

— О.К., я понял, — ответил Ставр; он обозначил свою лояльность улыбкой и прямым ненапряженным взглядом, хотя понятия не имел, кто такие «буффало». — Я Ставр.

Буффало стянул с себя майку и, показав на рычаг колонки, небрежно сказал:

— Покачай-ка, приятель, я умоюсь.

Ставр не усмотрел в его просьбе ничего оскорбительного. Почему нет?

Он взялся за рычаг, но как когда-то на горной дороге спинным мозгом почувствовал мину, так и сейчас у него возникло вполне отчетливое чувство, что он ошибся, сделав это. Не нажимая на рычаг, Ставр повернул голову и внимательно посмотрел на лица нескольких арестантов, собравшихся возле колонки. Среди прочих лиц его взгляд выхватил одну очень неприятную, худую, давно не бритую физиономию. Глаза на ней мигнули, но уже не успели скрыть выражения отчаянного ожидания: «Ну, давай, давай, нажми! Нажми. Сделай это!» Станет или не станет Ставр качать для Буффало воду, по-видимому, имело для этого типа особое значение. Прочие арестанты наблюдали за развитием отношений Ставра и Буффало без особых эмоций.

Ставр выпустил рычаг и перевел взгляд на Буффало. Небрежно, с рисовочкой нагнувшись к крану колонки, тот так старательно изображал вполне невинное ожидание, что у Ставра не осталось ни малейших сомнений: за всем этим кроется провокация.

— Знаешь что, парень из «буффало», давай я первый помоюсь, а ты качай, — сказал Ставр, еще не разобравшись, в чем тут фокус.

Буффало ухмыльнулся. «На этот раз ты вывернулся, но я все равно тебя прищучу» — так следовало понимать его ухмылку.

— Первым ты тут мыться не будешь, новичок. А воду качать у нас есть специально обученная обезьяна. Дренковски! — заорал Буффало. — Давай живо приступай к своими обязанностям.

Тот арестант, физиономия которого насторожила Ставра, подошел к колонке, нехотя взялся за рычаг и начал качать воду.

Буффало влез под струю воды голым, бугрящимся мускулами торсом и принялся плескаться, фыркая и гогоча во всю глотку. Но Ставра не убедила демонстрация чудовищной мускулатуры. Среди тех, кто спокойно ждал своей очереди у колонки, он отметил нескольких мужиков, явно не уступивших бы Буффало ни в силе, ни в жестокости, если бы дошло до серьезной разборки. Просто им неохота с ним связываться, пока он достаточно осторожен, чтобы случайно не наступить кому-нибудь из них на ногу.

С подчеркнутой вежливостью соблюдая очередность, арестанты подходили к воде, умывались или мылись столько времени, сколько требовала их чистоплотность. Никто и не подумал сменить Дренковски, хотя его работа требовала изрядных усилий и с него ручьями лил пот. Теперь Ставр понял, в чем заключался фокус с колонкой: попробовать обломать новичка — дело святое, если бы он ошибся и оказал Буффало услугу, у него были бы все шансы сменить Дренковски на его посту. Ставр подумал, что качать воду для всего лагеря его никакой силой не заставили бы, но у Буффало и его приятелей появился бы повод задать ему жестокую трепку. А здоровье было сейчас его единственной ценностью, и не стоило им рисковать.

Почти всех своих товарищей по несчастью Ставр увидел в столовой. Арестантов в лагере было немного: человек пятьдесят профессиональных искателей приключений, одетых в разнообразное армейское обмундирование. У некоторых имелись нашивки и знаки отличия каких-то африканских национальных армий. Но все они были белые парни, исколесившие мировое пространство в погоне за свободой и призрачной наживой.

После завтрака Ставр занялся обследованием территории. Он обнаружил шлагбаум, перекрывавший дыру в ржавой сетке. За шлагбаумом начиналась колея, проложенная колесами машин вдоль сухого русла мертвой реки. В пулеметном гнезде, сложенном из мешков с песком и закрытом от солнца маскировочной сеткой, валялся одуревший от безделья охранник. При виде Ставра он проявил признаки оживления.

— Решил размяться? — с сочувствием и даже явным поощрением спросил он. — Ну давай, давай, сходи прогуляйся. Только смотри, приятель, не заблудись.

Ставр поднырнул под шлагбаум и оглянулся на охранника, стоя уже по другую сторону. Охранник даже пальцем не шевельнул, чтобы остановить его.

— Не уходи далеко, — посоветовал он. — Искать тебя никто не пойдет.

Ставр кивнул в знак того, что все понял, и пошел по следу колес. Если не оборачиваться назад, на лагерь, то пейзаж впереди был вполне марсианский: гигантская трещина в гранитном панцире планеты, уходящие ввысь скалистые склоны и неглубокое русло мертвой реки. След колес скоро утратил четкость и совсем исчез.

Зной становился нестерпимым. От бешено яркого света перед глазами поплыли круги. Ставр надвинул панаму на лоб, но жидкая тень от полей мало что изменила, оставалось только жалеть о потерянных защитных очках.

Ставр остановился и оглянулся. Ржавая колючая проволока и унылые железобетонные бараки, казалось, навсегда исчезли за выступом скалы. Он медленно повернул голову и посмотрел вдаль. Прорезанное морщиной мертвой реки дно каньона и однообразные бесплодные склоны, на которых не было ни клочка растительности, уходили в бесконечную головокружительную перспективу. В сознании Ставра вдруг возникло отчетливое понимание своего окончательного одиночества и свободы. Он почувствовал возбуждение, бешеный прилив силы и двинулся вперед размеренным неутомимым шагом. Он был уверен, что назад не повернет.

Сколько он прошагал, Ставр не знал. Незаметно он утратил представление о времени и чувство дистанции. Сознание по-прежнему пребывало в эйфории действия, но тело начало подавать сигналы тревоги. Солнце жгло, раскаляя горло, дыхание стало обжигающим. Вены вздулись. Сдавило сердце. С самоубийственным упорством Ставр шел до тех пор, пока не понял наконец, что здесь нет пощады для живого существа. На что можно рассчитывать, оказавшись здесь? На силу духа? Да. Но вопрос — на сколько ее хватит? На железное здоровье? Тоже да. Но ведь и здоровье не безгранично.

Если он хочет выжить, придется укротить свою гордость, свой инстинкт действия и не вступать в борьбу с тем, что победить невозможно. Нужно смириться и терпеливо ждать, когда обстоятельства изменятся, и быть готовым использовать свой шанс.

Ставр повернул назад.

Но зол он был неимоверно. Ярость клокотала, как кипяток в котле. Если бы охранник у шлагбаума позволил себе удовольствие отпустить какое-нибудь замечание по поводу его возвращения, Ставр перегрыз бы ему горло. На свое счастье, охранник храпел, развалившись на мешках с песком.

Когда, едва переставляя ноги и думая лишь о том, чтобы дотащиться наконец до душной, вонючей казармы и упасть на койку, Ставр проходил мимо конторы начальника лагеря, Хиттнер окликнул его:

— Добрый день, Ставр.

— Добрый день, сэр.

Начальник лагеря стоял, привалившись к косяку двери. На нем были сивая от пыли широкополая фетровая шляпа с витым шнуром вокруг тульи и черные очки. Спереди под переваливающимся через брючный ремень животом висела кобура, из которой торчала рукоятка здоровенного кольта, или «смит-и-вессона», или чего-то в таком же духе — и эта деревянная рукоятка была отполирована, как ручка лопаты.

— Иди сюда, — приказал Хиттнер.

Ставр подошел и остановился перед крыльцом. Он чувствовал, как из-за непроницаемых линз круглые злодейские глазки Хиттнера изучают его обожженное лицо.

— Так, я понял, — усмехнулся он. — Ты, значит, из тех, кто не успокоится, пока сам все дерьмо на зуб не перепробует. Заруби себе на носу, счастливчик: сюда можно только прилететь и, следовательно, отсюда можно только улететь. Ну и конечно, еще можно оказаться между стенкой и стрелковым взводом. Вчера, когда ты прибыл, ребята уже начали играть в футбол, и мне неохота было тратить время на то, чтобы рассказывать тебе про наши порядки. Мы здесь никому не мешаем делать то, что ему хочется, но все последствия, само собой, за свой счет. Ты не хочешь сказать, кто ты, назвать друзей, которым я мог бы сообщить о тебе?

— Нет.

— Ну и черт с тобой. Все равно про тебя все выяснят. Ни у кого из моих клиентов нет желания рассказывать о своих делишках, но в конце концов со всеми разбираются. На всякий случай имей в виду, Ставр, старина Хиттнер может помочь выпутаться из самой вонючей истории.

— Каким образом? — спросил Ставр.

— А вот об этом пока рановато говорить.

«Этот тип совсем не такой придурок и растяпа, как показалось вчера, — подумал Ставр. — Похоже, он из тех, кто очень хорошо знает, с какой стороны бутерброда намазано масло».

5

Сидевший за рулем «уазика» адъютант Командора прапорщик Костя свернул с шоссе на дорогу, в начале которой на столбе висел запрещающий знак — «кирпич». С обеих сторон вплотную к дороге стоял запорошенный снегом лес. «Уазик» въехал в ворота воинской части. Машина миновала жилой городок, хозяйственные постройки, казармы. Дальше дорога шла краем обширного поля — стрельбища или полигона. Вдали темнела стена леса. Въезд в лес был перегорожен шлагбаумом. Поблекший, давно не обновлявшийся транспарант предупреждал: «Въезд только по пропускам». Но будка КПП пустовала и шлагбаум был поднят. «Уазик» прошел под шлагбаумом и углубился в лес. Минут через пятнадцать он въехал на территорию учебного центра.

Комплекс центра был старой, довоенной постройки. Офицерское общежитие смахивало на небольшой уютный пансионат: трехэтажное кирпичное здание, два флигеля и полукруглое крыльцо с четырьмя колоннами, поддерживающими крышу над ним. В таком же стиле были построены учебный корпус и спортзал, между которыми уже в более позднее время был сооружен портивший вид ансамбля переход. За открытыми спортивными площадками в лесу свободно расположились неогороженные деревянные дачи. Это было жилье для комсостава, старших офицеров, преподавателей и их семей. Но обитаемой осталась только дача, в которой жил Командор.

Учебный центр прекратил свое существование в связи с ликвидацией силового неструктурного подразделения специальной разведки. После того как сотрудники подразделения отказались применить свои профессиональные навыки внутри страны, оно было объявлено нелояльным к новой власти и вышедшим из-под контроля. Ненужные и даже опасные суперпрофессионалы подали рапорты об увольнении и разбрелись искать иной судьбы, уже не под знаменами. Некоторые перешли на службу в другие ведомства. Но Командор и несколько из его могущественных друзей, уцелевших после этой «гибели Помпеи», понимали, что придет время восстанавливать разрушенное — подобное уже случалось.

«Уазик» въехал во двор дачи и остановился.

— Вылезай, Ярцев, приехали, — сказал Командор.

Шуракен вылез из машины. Перед ним были заснеженный лес и знакомая дача Командора, но ему казалось, что стоит оглянуться, и он увидит силуэты вертолетов в желтом мареве, поднимающемся от раскаленной бетонки аэродрома, и в ноздри ударит запах горячей пыли, смешанный с пороховой и бензиновой гарью. Два мира не разделяло ни время, ни пространство — они были как две стороны одной монетки. И только от Шуракена зависело, какую из сторон повернуть к себе.

С помощью Кости Командор раздел гостя. Все, что они с него сняли, прапорщик собрал в узел, отнес в котельную и бросил в печь. Затем они вымыли Шуракена под душем и одели в спортивный костюм и кроссовки Командора.

— Теперь другое дело, — сказал Командор. — Теперь тебя людям показать не стыдно. Сейчас поедем в нашу санчасть. Я позвонил ребятам, нас ждут.

При слове «санчасть» в памяти Шуракена возникли белый халат и шприц. Сейчас они означали предательство, боль, ужас.

— Нет, — злобно сказал Шуракен. — Я убью того, кто дотронется до меня!

Командор был знаком с процедурой допроса под психотропными препаратами, он знал, что его ученику сделали инъекции мощных транквилизаторов. Командор понял, что ошибся, произнеся слово «санчасть», и что надо быстро переключить Шуракена, пока им с Костей не пришлось валить парня всерьез.

— Саша, — жестко сказал Командор, фиксируя свой взгляд не на глазах Шуракена, а в точке между бровями. — Что произошло с Олегом?

Вопрос подсек Шуракена. В его памяти начали вспыхивать, исчезать, монтироваться без всякой логики и последовательности огонь, взрывы, удивление и смех в глазах Ставра... Снова все рассыпалось как головоломка, и если бы Шуракен попытался что-нибудь объяснить, его речь напоминала бы такой же бред, как на допросе.

210

— Идем, ты мне по дороге все расскажешь, — сказал Командор.

Шуракен пошел следом и залез в «уазик», как ему приказали.

Командор опасался, что вид врачей снова приведет парня в неуправляемое состояние, но этого не случилось. Санчасть не вызвала у Шуракена беспокойства, она была местом хорошо знакомым. Здесь они со Ставром проходили систематический медицинский контроль — требования к здоровью были предельно жесткими. В учебном корпусе с ними проводили занятия по медицине. Здесь им делали прививки перед боевыми рейдами в Афганистан. Война тогда уже закончилась, но секретные реализации проводились группами специальной разведки Комитета госбезопасности. Целью рейдов, как правило, был захват караванов с оружием, наркотиками и фальшивыми долларами, которые через Таджикистан перебрасывались главарям национальных бандформирований в среднеазиатские и кавказские республики. Перед командировкой в Сантильяну они со Ставром даже отсидели здесь пару недель на карантине, пока им сделали все довольно неприятные прививки, положенные перед отправкой в Африку.

Раньше санчасть была засекречена, так же как и все подразделение внешней разведки. Теперь, чтобы сохранить уникальных специалистов и персонал, при ней даже было открыто коммерческое отделение.

Командор передал Шуракена на попечение врачей.

— Пойдем ко мне, Николай Пантелеич, поговорим, — предложил Командору начальник санчасти.

Когда вошли в кабинет, хозяин достал бутылку коньяку, а секретарша нарезала и поставила на стол закуску.

— Как нога? — спросил начальник санчасти.

— Болит, как и полагается. Да ты все про мою ногу знаешь, давай лучше поговорим о моем парне. Что скажешь, Алексей Петрович?

— Я не ясновидящий, пока ничего. Откуда он вернулся?

— Из Африки.

— Понятно... Ему так и так месяц на карантине отсидеть положено.

— Вот и отлично. Будем считать, что он у вас на карантине отсиживает. Ты же понимаешь, Алексей Петрович, Ярцев сотрудник исключительной ценности, ему, может, еще поработать придется и запись о психической ненадежности ему в личном деле ни к чему.

— Хорошо, пусть будет карантин, а обращение к психиатрам — по поводу посттравматического стрессового расстройства. ПТСР — обычное дело. Повышенная тревожность, ретроспекции. Насчет записи решим, но о его реальном состоянии и возможности дальнейшего использования я тебе дам объективную информацию.

— Это само собой. Я надеюсь, особых проблем у вас с Ярцевым не будет. Вы и не таких, как он, восстанавливали.

— Ну, давай за то, чтоб у него все было хорошо. — Начальник санчасти поднял рюмку.

Они выпили и закусили настоящей отечественной сырокопченой колбасой.

6

После разговора с Хиттнером Ставр весь день провалялся в казарме. Почти за три года жизни в Африке он привык к жаре. Но все связанные с климатом неприятности значительно уменьшались благодаря комфортабельным условиям, которые обеспечивали ценным специалистам в резиденции президента. Сейчас Ставр мог только с сожалени-

212

ем вспоминать их с Шуракеном коттедж, по европейскому стандарту оборудованный кондиционерами и душем.

В железобетонной коробке казармы стояла одуряющая духота, наполненная испарениями потных человеческих тел. Тяжелая, тягучая тишина нарушалась бредовым бормотанием и невнятными выкриками новых товарищей Ставра — этих ландскнехтов двадцатого века, во сне переживающих перипетии своих прошлых похождений.

Ставр вытянулся на спине, расслабил мышцы, закрыл глаза и сфокусировал внутренний взгляд в середине лба между бровями. Через некоторое время он перестал ощущать свое тело, слышать бормотание и тяжелое дыхание людей на соседних койках. В мысленно обозначенной им точке в середине лба возникло красное свечение. Ставр предельно активизировал свои внутренние радары и начал искать Шуракена. Он искал его так, как один затерянный в океане корабль ищет другой, посылая в пространство радиосигналы. Ставр напрягал воображение, пытаясь увидеть Шуракена, материализовать его в своем сознании. Он хотел послать сигнал, что жив, и получить весть, как с Шуракеном — хорошо или плохо.

Никакого ответа Ставр не получил. Трассы его энергетических посылов уходили в пустоту и не возвращались.

Ставр вышел из медитации уставшим и разочарованным. В минуты опасности связь между ними возникала сама собой: они понимали друг друга мгновенно и действовали как единая система. Они превращались в одно, как тетива, напряженное целое. Все мысли и намерения становились ясны для обоих: подобно волкам или собакам, они понимали друг друга на телепатическом уровне. Но когда он волевым образом попытался сделать это сейчас, ничего не получилось.

Тогда стал думать, что надо как можно скорее

213

найти способ удрать из лагеря и начинать пробиваться в Россию. Он не сомневался, что Шуракена уже нет в Сантильяне. Его просто не могло там быть после того, что они сделали с базой «Стюарт».

Казалось бы, проще всего было сообщить свое имя и заявить о российском гражданстве, но... Этих проклятых «но» было несколько. Во-первых, легально вернуться в Россию Ставр мог только под конвоем, а это означало потерю свободы действий. Если он хотел разобраться в том, что случилось, и помочь Шуракену, в Россию надо возвращаться нелегально. Второе «но» было служебной инструкцией, запрещавшей сотруднику секретного спецподразделения заявлять о своем российском гражданстве. С той минуты, как они с Шуракеном прилетели в Сантильяну, их документы хранились в сейфе у Ширяева. А третьим «но» был весьма предусмотрительный принцип: попался — выгребай сам, не ставь на уши руководство.

Когда раскаленный шар солнца скатился к горизонту, на дно расщелины легла густая тень. Обитатели лагеря зашевелились.

Кормили здесь два раза в день. Так же, как утром, заключенные умывались или обливались водой у колонки и шли в столовую. Теперь, когда Ставр понял, что в ближайшее время удрать ему не удастся, он начал присматриваться к своей новой компании. Молодые мужчины, заключенные в фильтровочном лагере, не были уголовниками в обычном смысле: профессиональные наемники, они зарабатывали на жизнь умением воевать. Война кормила их и предоставляла неограниченные возможности для самых безрассудных авантюр. Преступление большинства из них заключалось в том, что, воюя за деньги, они становились участниками грязных дел тех, кто их нанимал. Но зачастую разница между бандитом и солдатом удачи зависит от того, как обернется дело. Среди «клиентов» Хиттнера попадались отпетые мерзавцы, за которыми тянулся след кровавых расправ, бесчинств и грабежей.

Особенно устрашающее впечатление производили кубинцы. Их было трое. Держались они особняком, никого близко к себе не подпуская. Ходили, как тигры, — мягко, бесшумно, настороженно поглядывая по сторонам. Один из них был бородатый гигант под два метра ростом. В его лице сильно ощущалась негроидность, а тело было сплошь покрыто цветными татуировками. Кроме кубинцев, поражали своим экзотическим видом и другие личности, но, возможно, они-то как раз были не самыми опасными здесь.

Для того чтобы обеспечить себе сносное существование в лагере, Ставру предстояло выбрать среди этих людей возможных друзей и вычислить потенциальных врагов. Поэтому после ужина он пошел на плац играть в американский футбол. Игра была лучшим способом быстро со всеми перезнакомиться, показать себя и присмотреться к другим.

Она напоминала битву диких жеребцов. В свалке запросто могли вдавить пару ребер, сломать руку или ногу. Обычно игроки в американский футбол надевают такое количество защитных приспособлений, что оно делает их похожими на пластмассовых роботов-трансформеров. Естественно, здесь ничего подобного в помине не было, но никто не делал скидки на отсутствие шлемов, щитков на плечах, налокотников, наколенников и прикрывающих пах раковин. Боль и раны считались неотъемлемой частью игры. На плац выходили, чтобы продемонстрировать отличительные знаки самца — презрение к боли, владение собственным телом, фанатичную агрессивность и безжалостность в соперничестве.

Отлично скоординированный и от природы одаренный способностью к резкому, почти с места, набору скорости, Ставр был словно создан для этой игры. Он мог, не теряя темпа, мгновенно, одним прыжком, менять направление, уходя от столкновений, попыток сбить его с ног, взяв на корпус. Среди других игроков увальней тоже не наблюдалось, но в план Ставра и не входило доказывать, что у него тут «самые большие яйца». Он хотел найти друзей. Поэтому именно его чертовски удачная передача бывшему рейнджеру по имени Текс принесла победу команде, за которую Ставр играл.

Текс забил победный мяч и пришел в дикий восторг от парня, с подачи которого ему удалось это сделать. Высоко подпрыгивая, тряся руками над головой и завывая, как бабуин в брачный период, он бросился к Ставру, обнял его и хлопнул по спине так, что у того загудело в груди. Ставр не остался в долгу: ребра рейнджера затрещали от его ответного объятия. В общем, они прилично помяли друг друга. Прочие члены команды бесновались и орали, выражая свою радость, хлопали друг друга по здоровым спинам.

С плаца Ставр и Текс пошли к колонке. Они остудили артезианской водой разгоряченные тела, смыли пыль, которая, смешавшись с потом, превратилась в липкую грязь, и постирали футболки. Повесив их сушиться на ферму прожектора, мужчины опустились на корточки. Это самая удобная поза для отдыха и разговора. Им не хватало сейчас только по банке холодного пива, а полпачки сигарет имелось у Ставра в кармане куртки. Текс оценил его щедрость, когда Ставр предложил закурить.

— Послушай, что это за комиссия, которая тут с вами разбирается? — спросил Ставр.

— А-а, дерьмо, — дал исчерпывающий ответ рейнджер.

— Долго они возятся?

— По-разному. Пока они по своим каналам про

216

тебя что-нибудь не выяснят, они с тобой вообще разговаривать не будут. Ну а когда выяснят, то быстро решат, куда тебя пристроить.

— Хиттнер намекнул мне, что может помочь. Но я не знаю, стоит ли иметь с ним дело.

Текс окинул Ставра оценивающим взглядом.

— Хиттнер похож на придурка, но на самом деле он здесь, может быть, умнее всех, — спокойно сказал он. — Да, он может кое-что сделать. Но только это недешево обойдется, запросто можешь потерять шкуру. Хиттнер — это последний шанс. Тут был один конченый парень, они круто развлеклись с черными да еще нафотографировали на память. Этот придурок таскал эти картинки с собой и показывал их, когда напивался. Его приговорили к расстрелу. Так вот Хиттнер устроил ему контракт, и он исчез, вроде бежал. Но я тебе точно могу сказать, дела, для которых отсюда нанимают людей, всегда дерьмово кончаются. Даже если тебе повезет и ты останешься жив, тебя все равно прикончат. А вот если у тебя есть друзья и они готовы хорошо за тебя заплатить, то ты можешь попробовать договориться с Хиттнером.

— У меня есть друг, — ответил Ставр. — Но я сам должен ему помочь, потому что сейчас ему наверняка приходится отдуваться за одно дерьмовое дело, в которое мы с ним влипли.

— Да, у меня тоже был друг, — задумчиво сказал Текс, затянулся и медленно выпустил дым тонкой струйкой.

Ставр приготовился выслушать рассказ о том, о чем можно поведать парню, с подачи которого ты только что забил решающий мяч, и к тому же куришь его сигарету.

— Отличный был парень, — действительно начал Текс, — он меня раз двадцать спасал от смерти. Однажды несколько дней тащил, раненого, через пустыню, всю воду отдал мне, а сам пил мочу и от этого покрылся прыщами. В другой раз зага-

217

сил меня, накрыв собственным телом, когда я выскочил из горящего вертолета. Из-за ожогов у него на лице остались такие шрамы, что проститутки соглашались трахаться с ним только за двойную плату. Но больше всего я ему благодарен за то, что он отбил меня у оравы черных, которые собрались меня изнасиловать.

Ставр с интересом смотрел на Текса.

— Да... — протянул Текс, грустно глядя в землю. — Отличный, отличный был парень Джек.

— Ну и где теперь твой друг? — спросил Ставр.

— Понимаешь. — Текс бодро плюнул, сбрасывая груз трагических воспоминаний. — Однажды бедняга сломал ногу, и мне пришлось пристрелить его, чтоб не мучился.

— Я понял, — засмеялся Ставр, оценив этот образчик ковбойского юмора.

Он увидел небольшую компанию из четырех человек и инстинктивно почувствовал, что они направляются именно к нему. Одного из этих парней звали Буч, имен двух других Ставр не знал, а четвертым участником делегации был Дренковски.

Ставр забычковал остаток сигареты и сунул его в карман. Затем не спеша разогнул колени, поднялся с корточек и встал во весь рост, положив обе руки на поясной ремень возле пряжки.

Текс тоже поднялся на ноги. По его позе и тому, как он развернулся чуть боком к приближающимся парням, Ставр понял, что в принципе Текс на его стороне, но пока окончательно не решил, стоит ли ему наживать себе неприятности.

Буч подошел и остановился против Ставра. Двое других встали по разные стороны от него. Дренковски держался позади всех и с любопытством следил за развитием событий.

Ставр ждал, когда Буч заговорит первым. Раз у них к нему разговор, пусть они и начинают.

Буч и его приятели оценивающе разглядывали Ставра.

— Буффало вызывает тебя на бой, — наконец заявил Буч.

— С какой стати?

— Мы здесь устраиваем такие бои, чтоб поддержать дух, чтоб не закиснуть, значит. Хиттнер объявил, что победитель получит сто долларов.

— Вот уж не мечтал драться за сто долларов.

— Положим, сто долларов здесь совсем не плохие деньги. На них можно купить у Хиттнера сигареты и выпивку.

— Я тему просек, — усмехнулся Ставр. — Хиттнер в любом случае ничего не теряет.

— Ну да, Хиттнер выставляет приз, но не о том сейчас речь. Вызов тебе посылает Буффало.

— Ребята, мне жаль расстраивать вас, но драться я не буду.

Один из приятелей Буча разочарованно присвистнул, остальные выразили свое отношение к такому обороту дела презрительными гримасами. Дренковски зыркал глазами, наблюдая за реакцией обеих сторон.

— Тебе посылают вызов, — надавил Буч. — Мужчина не может отказать, если с ним хотят драться.

— Я так не думаю. Если Буффало хочет драться, это его проблема. Мне это надо, как рыбе презерватив.

— Да все с ним ясно, — сказал один из приятелей Буча. — Против такой машины, как Буффало, он и рядом не встанет.

— А я думаю, что Ставр прав, — вступил в разговор Текс. — Он не идиот, чтобы связываться с одним из этих психованных буффало.

— Черт возьми, может, вы наконец объясните, что за священные животные эти буффало? — спросил Ставр.

— Юаровское спецподразделение, — ответил Текс. — Туда брали таких парней, по которым даже не тюряга, а виселица плачет. Их использовали в секретных операциях против террористов черных прокоммунистических правительств и русских военных специалистов. Но времена изменились, и ребята оказались не у дел.

— Выходит, их натаскивали специально против русских? — спросил Ставр.

— Вроде того.

Ставр задумался. По его мнению, Буффало был просто здоровый кусок дерьма, и у Ставра не было никакого желания связываться с ним. Но то, что сказал Текс, меняло дело.

— Интересно, этот козлина хоть одного русского в своей жизни видел? — спросил Ставр. — Готов спорить, вся доблесть заключалась в том, чтобы гонять черножопых. Ладно, можете передать ему, я буду драться.

Так как активность в лагере начиналась после захода солнца, бой был назначен на следующую ночь. Хиттнер вывел на плац армейский джип, и его фары, включенные на полную мощность, залили предназначенную для боя площадку резким боковым светом.

«А-а, вот и та машина, следы которой я видел», — отметил Ставр.

Раз в лагере была машина, значит, отсюда можно все-таки куда-то добраться и без вертолета. Об этом стоило подумать, но не сейчас. При первой же стычке у колонки Ставр понял, что за нрав у этого Буффало. Один из придурков, лезущих из кожи вон, чтобы доказать всему миру, что круче них никого нет. Он попрет как танк, и вряд ли его удовлетворит просто спортивный поединок. Драться предстоит всерьез.

Это нормально.

Но если кто действительно раздражал Ставра, то это Дренковски. Он постоянно крутился где-то поблизости и, хотя ни с чем не навязывался, похоже, не прочь был разными мелкими услугами заслужить расположение. Он явно хотел стать секундантом Ставра, но эту роль взял на себя Текс. Ставра вполне устраивал такой расклад: если бы Текс или кто-нибудь другой не захотел стать секундантом новичка, то ему пришлось бы принять услуги Дренковски, а он предпочитал, чтобы этот тип держался от него подальше.

Возбужденные предстоящим развлечением, обитатели лагеря собрались на плацу. Они обсуждали возможности противников и заключали пари на мелкие деньги, сигареты и прочие полезные предметы, имевшиеся в их карманах.

Секунданты предложили противникам раздеться. Ставр и Буффало сняли куртки, майки, пояса и ботинки.

Разувшись, Ставр поскреб ногами землю и попрыгал, приучая ступни к твердому шершавому грунту плаца. Затем он снял с шеи цепочку с медальоном и охотничьим амулетом и отдал ее Тексу. Цепочка из нержавеющей стали являлась достаточно прочной для того, чтобы ее можно было затянуть на горле. Ставр не хотел доставлять Буффало такое удовольствие.

На плацу появился Хиттнер. Два охранника тащили за ним старое ободранное кресло. Хиттнер указал, где поставить кресло, сел и дал знак охранникам. Те подошли к обоим бойцам, обыскали карманы их штанов и провели ладонями по ногам. Ставр машинально отметил, что штаны Буффало стянуты у щиколоток не резинками, как у него, а шнуровкой, продетой в три пары матерчатых петель.

— Парень, называющий себя Буффало, против парня, называющего себя Ставром, — объявил Хиттнер. — Бык против... — Он оценивающе посмотрел на Ставра.

— Питбуля, — подсказал Текс.

— О.К., бык против питбуля. Давайте ребята, начинайте. Надеюсь, вы нас не разочаруете.

Бойцы вышли в средину. Они были хорошо освещены прожектором сверху и фарами джипа сбоку. Буффало себя тут уже проявил, а Ставр был новичок, темная лошадка. Сейчас полсотни опытных глаз ощупали его мускулатуру, прикидывая, чего он стоит.

Чувствуя предбоевую лихорадку — незаметную со стороны дрожь и раздражающую легкость во всем теле, Ставр остановился в нейтральной позе. Вызов бросил Буффало — пусть он начинает.

Тот и начал:

— Ну давай, иди сюда. Я готов, у меня уже на тебя стоит. Смотри, как мне уже невтерпеж. — Буффало ухватил себя за известное место.

Ставр фыркнул:

— Ты меня не убедил. Зажать яйца в кулак любой придурок сумеет.

Толпа жаждала зрелища, выкрики и свист прервали обмен дипломатическими заявлениями.

Буффало сделал стремительный бросок вперед и нанес неожиданно высокий удар — ногой в голову.

Удар был, что называется, красиво нарисован, но слишком длинный, ему не хватало неотразимой скорости. Каким бы наглым сукиным сыном ни был Буффало, он, конечно, не рассчитывал, что Ставр эту «хореографию» пропустит. Да и не начал бы он со своих коронных приемов, тех, которыми валил противника наверняка.

— Я понял этот сюжет, — усмехнулся Ставр. — Балетом, значит, заниматься будем. — Но он смотрел в темные, опасные провалы глаз Буффало и понимал, что «хореографией» дело не завершится.

Бойцы пока только испытывали друг друга, пытались угадать слабые места в защите, определить скорость и резкость ударов, силу взрывных реакций в мускулах. Тела покрылись блестящей, маслянистой пленкой пота. Под кожей играли тугие струны сухожилий и упругие выпуклости мускулатуры.

Предбоевая лихорадка сменилась жестоким и трезвым азартом. Он обострял зрение Ставра и заряжал мускулы энергией действия. Внутренние радары включились на полную мощность. Ставр спинным мозгом чувствовал посылы Буффало, угадывал его намерения еще до того, как они конкретно обозначались в жесте или движении.

«Веди его, — думал Ставр. — Танцуй с ним. Пори ему мозги, как бабе».

Ставр перемещался по кругу, вынуждая противника двигаться в темпе с ним, старался приковать Буффало к себе невидимой цепью и подстерегал мгновение, чтобы вдруг сломать ритм и ударить туда, где не ждут. Ноздри раздувались от острого, едкого запаха пота Буффало. Ставр начал свирепеть от собственной силы и этого запаха другого самца.

Теперь их было уже не развести — против каждого понадобилось бы десятеро, чтобы оттащить их друг от друга. Толпа орала, свистела и оскорбляла бойцов словами, бьющими как клюв в печень.

Пот смешался с кровью и пылью.

Пропустив удар в уже рассеченную левую бровь, Ставр на миг ослеп и поймал следующий — в подбородок. Голова отлетела назад, Ставр отступил. Не давая ему возможности разорвать дистанцию и прийти в себя, Буффало мощно, от бедра, лягнул в солнечное сплетение. Дыхание у Ставра заклинило от боли и сознание сколлапсировало. Отлетев на несколько метров, он упал. Падение было сгруппированным и даже ловким — никому в голову не пришло, что Ставр уже ничего не соображает. Отдрессированное тело работало, повинуясь вписанным в мышечную память рефлексам боевых действий.

Одним броском Буффало догнал его и прыгнул, рассчитывая всем весом обрушиться сверху и проломить грудную клетку противника. Но, продолжая работать на «автопилоте», Ставр рывком откатился, и Буффало приземлился туда, где его уже не было.

Текс схватил ведро и окатил Ставра водой.

Тело Олега сложилось, как растянутая до предела и вдруг освободившаяся пружина. Он вскочил на ноги и частыми резкими вдохами-выдохами попытался восстановить сбитое дыхание. В логике действия, в ритме движения был какой-то провал, как будто оборвалась кинолента — несколько мгновений выпали из сознания.

Ставр увидел, как Буффало отводит ногу. Опережая удар, он сделал шаг вперед. Упругая, как литая резина, мускулатура пресса приняла на себя удар не в конечной точке, где его силы хватило бы, чтобы проломить кирпичную стену, а на середине дистанции, где энергия еще не достигла предельной концентрации. Ставр поймал ногу Буффало и, рванув ее вверх, ударом в голень выбил из-под него вторую — опорную ногу. Падая, Буффало вывернулся из опасного положения и сумел подсечь противника. В клубах пыли они бились уже на земле, ломая друг друга. Но через мгновение рывки и все видимые усилия борьбы прекратились: каждому из борцов удалось захватить врага так, что любое движение причиняло невыносимую боль. Ставр и Буффало замерли, только тяжелое, свистящее дыхание и дрожь мускулов выдавали предельное напряжение.

— Растащите их! — приказал Хиттнер. — А то они тут будут валяться, пока не сдохнут.

Дело было небезопасное. С угрозой для собственного здоровья секунданты и добровольцы выдрали Ставра и Буффало из лап друг друга и окатили холодной водой.

Ребра и живот Ставра ходили ходуном, как у жеребца после призового финиша. Отплевываясь от воды и крови, он повернул голову и посмотрел на Буффало. Он увидел, как рука юаровца опустилась к голеностопу и дернула узел шнурка, стягивающего внизу штанину.

Вспышка пронзила мозг Ставра. Он с самого начала заметил эту шнуровку, ничего не подумал по ее поводу, просто заметил, и все. Интуиция предупредила об опасности, но он не понял.

Сложенный в несколько раз, шнурок был продет в петли таким хитрым способом, чтобы можно было выдернуть одним рывком. Мощным толчком спины и ног Буффало поднялся с земли и рывком растянул шнур-удавку между кулаками. Толпа заревела, приветствуя этот неожиданный поворот. Никто не требовал прервать бой и восстановить справедливость. Раз Буффало сумел спрятать оружие — удача на его стороне.

Ставр так не думал. Но ему подвернулся хороший шанс объяснить Буффало, как он не прав. На такой случай в репертуаре Ставра имелся отличный трюк.

Отражая первые пристрелочные атаки, Ставр постарался внушить, что он уже почти сломался.

— Давай, Буффало! Удави его! — Толпа, как всегда, была на стороне победителя.

Глаза Ставра и Буффало столкнулись зрачок в зрачок. Между ними проскочила невидимая молния, оба поняли, что момент истины — вот он! Бойцы прыгнули друг на друга, сцепились. В следующий миг Ставр отскочил от Буффало.

Толпа взорвалась от возмущения. Почему Буффало не довел дело до конца? Какого черта он изображает из себя Пизанскую башню, которая и не стоит, и не падает? Наконец все поняли, почему поза Буффало казалась странной: его запястья были обмотаны шнуром и притянуты к шее.

— Хо-хо! — захохотал Хиттнер. — Бычок-то стреножен что надо! Ставр, похоже, ты брал призы на родео?

— Нет, у меня была лицензия на отлов бродячих собак.

Толпа в свое удовольствие потешалась над побежденным. Буффало пинками отбивался от тех, кто с издевательским сочувствием пытался проверить, не слишком ли туго затянута петля на его шее.

— Ладно, хватит! Распеленайте нашего малыша, — приказал Хиттнер, — пусть разомнет ручонки и вытрет сопли.

Вытащив из кармана кителя растрепанную пачку мелких купюр, Хиттнер подошел к Ставру.

— Твои сто долларов, Ставр, — сказал он. — Все по-честному, как обещал. Ты понял? Хиттнер держит слово.

Ставр понял, что еще имеет в виду начальник кроме приза за бой. Он явно намекал на свои возможности вербовщика. Но пока Ставр не знал, как он может воспользоваться честностью Хиттнера. Он взял деньги, перегнул пачку пополам и сунул в боковой карман штанов.

Один из охранников подошел к Буффало, раскрыл нож с выкидным лезвием и перерезал петлю на его мощной шее со вздувшимися от напряжения венами.

Буффало зубами сорвал обрезки шнура с запястий и бросился на охранника. Повалив его, вырвал из кобуры револьвер. Клацнул взведенный курок.

— Хиттнер, отойди от него!

Хиттнер оглянулся и увидел налитые кровью бешеные глаза Буффало и черную дыру ствола армейского кольта.

— Я убью его! — орал Буффало. — Убирайся, Хиттнер, а то я прострелю и тебя заодно!

Хиттнер не заставил долго себя уговаривать. Его снесло, как сбитого плевком жука.

Ставр стоял в семи-восьми шагах, и у Буффало не было шансов промахнуться по нему.

Все, кто оказался на директории огня — за спиной Ставра, справа и слева от него, — шарахнулись прочь, не дожидаясь, пока Буффало нажмет на спуск. И в тот же миг лучи ослепительного белого света ударили Буффало в глаза. Это были включенные на полную мощность фары джипа — до этого их просто заслоняла толпа.

Буффало спустил курок. Выстрелив, он уже не мог остановиться. Держа револьвер обеими руками, он стрелял по фарам и между ними, надеясь, что какая-нибудь пуля все же попадет в цель. Грохот выстрелов слился в сплошную пальбу, как будто стрелял целый взвод.

Основной закон искусства выживания: услышал выстрел — падай. Ставр мгновенно распластался на земле.

Разлетелась одна фара, затем вторая.

Грохот оборвался. Стало слышно, как клацает вхолостую курок.

Ставр поднялся с земли и со злой улыбкой в глазах посмотрел на Буффало. Лицевые мускулы у него дергало, правый угол рта тянуло вверх, так что усмешка получилась кривой.

— Ублюдок! Мать твою, грязный ублюдок, мать твою! Тебе повезло, что патроны кончились. — Буффало швырнул револьвер охраннику.

— Как говорили в старом добром Техасе, не хватило шести — не хватит и тридцати шести. — Ставр оскалил белые, как у волка, клыки, и Буффало наверняка пожалел, что ему не удалось выбить их.

Из радиатора джипа текли струи кипятка. Простреленный двигатель бухал и скрежетал, содрогаясь в механических судорогах. Из-под капота полыхнули острые язычки багрового пламени.

День был серенький. В просвет между вершинами матерых елей сыпала снежная пыль. Бежать по сухому, мерзлому асфальту было легко. Как полагается на тренировочной базе, форма для утренней пробежки в любое время года, в любую погоду была одна — голый по пояс, только штаны и кроссовки. На руках Шуракена были шерстяные перчатки, голову плотно обтягивала шапка-чулок. Снежная пыль испарялась еще на подлете к блестевшим от пота плечам и груди. Шуракен двигался по лесному шоссе размеренным, вроде небыстрым бегом, но этим ходом десять километров он делал за тридцать пять минут. Он бежал по глухому шоссе потому, что никто не расчищал тренировочные маршруты в лесу и на полигоне и их завалило снегом по пояс. Каждый метр этих маршрутов был когда-то избеган и исползан на брюхе бок о бок со Ставром. На одном из этих маршрутов они в первый раз испытали друг друга на прочность.

Накануне оба прибыли на базу учебного центра, и Командор заявил, что им следует как можно быстрее найти общий язык, потому что тренироваться, а затем работать они будут в паре.

— Выбросьте из головы все, чему вас учили раньше. Вы должны знать, что можете рассчитывать только на себя и друг на друга. Учтите, если один из вас не выдержит тренировок и обучения и сойдет с дистанции, то другой тоже автоматически вылетает из игры. Так что у вас нет другого выхода, кроме как снюхаться, и как можно быстрее.

Вот такая получилась история: они преодолели все, снюхались, стали напарниками, но из их последней командировки Шуракен вернулся один.

За месяц, официально отпущенный на карантин после возвращения из таких стран, как Африка, его психику привели в порядок. Получив разрешение покинуть стационар санчасти, Шуракен сказал Командору, что хотел бы съездить домой.

— Не спеши, — ответил Командор. — Еще надо разобраться с твоими делами, а пока поживи у меня на даче.

Перебравшись на дачу, Шуракен оказался предоставлен самому себе. Командор уезжал рано, иногда возвращался только на следующий день, иногда — через несколько дней. Чем он занимался, Шуракен не спрашивал. Этого не полагалось.

Командор дал ключи от спортивного зала, и Шуракен сам установил для себя режим тренировок. Физическая форма восстанавливалась быстро, но он понимал, что сейчас это не главное. Главное то, что сломалась линия судьбы. Утратилась цель.

Когда-то он, Сашка Ярцев, пошел в военное училище потому, что для него это был единственный шанс вырваться из свинства и беспросветного пьянства родной деревни. Он чуял в себе силу, хотел увидеть мир, мечтал о настоящем деле, о хорошем мужском ремесле. Все сложилось так, как он хотел. Даже лучше. Он стал сотрудником элитного силового подразделения внешней разведки. Ему почти тридцать лет, через десять лет он мог бы стать таким же суперпрофессионалом, как Командор, перейти из разряда исполнителей в разряд организаторов. Но для этого надо, чтобы Россия оставалась тем, чем она была с петровских времен — сильнейшей державой мира, империей, имеющей свои интересы на всех континентах. В такой стране Шуракен знал свое место. Пять лет подготовки, три года реальных действий — он вооруженный профессионал, разведчик особого назначения.

Ну и кому это все теперь нужно в этой разваленной стране? Родина, твою мать, за говенные бабки, к которым он и отношения-то не имел, долбанула психотропами так, что едва очухался. Чтоб с этим народом жить, надо быть или крысой, для которой все средства выживания хороши, или глистом, который известно где живет и чем питается.

Как дальше жить? Где новая цель, новый фарватер?

От отчаяния и растерянности Шуракену хотелось то запить по-черному, то пойти крушить всю сволочь, какая подвернется, то послать все к черту, забраться в тайгу, вкопать в землю забор из цельных бревен в два человеческих роста и жить за ним как Бог на душу положит. Прав был Командор, что не отпустил его домой. Не готов он еще к тому, чтобы вернуться.

Перегоняя обиду и ярость в элементарную созидательную энергию, Шуракен до ломоты в костях загружал себя физической работой. Расчистил двор, и, глядя на снежный вал, который он наворотил вокруг дачи, можно было решить, что тут поработал бульдозер. Расчищая двор, Шуракен обнаружил сваленные за баней бревна. Котел парового отопления в доме был на газе, но для бани Командор заготавливал дрова. Шуракен вытащил из подсобки бензопилу «Дружба» и взялся разделывать бревна на ловкие чурбаки, которые затем раскалывались с одного удара топора.

Подъезжая к даче, Командор увидел дым над крышей бани.

— Глядите-ка, Николай Пантелеич, капитан баню затопил, — оживился Костя.

Командор вылез из машины, поднял меховой воротник летной куртки. Он был без шапки, лоб плавно переходил в плешь на макушке, четко обведенную границей еще довольно густых седых волос. Отвечая на рукопожатие Шуракена, Командор отметил, что лицо у парня отмякло, а раньше было как сжатый кулак. Глаза прояснились.

«Ничего, Ярцев молодец, прорвется», — подумал Командор.

— Красота-то какая была, — сказал он, —

снег белый, нетронутый, как девичья постелька. Нагородил сугробов, весь парадиз испоганил. А что баню затопил, это кстати.

Командор открыл заднюю дверь «уазика» и вытащил большую сумку.

— Тут у ребят сука ощенилась. Я для тебя взял одного пацана.

Командор присел над сумкой, запустил в нее руки и вытащил дымчато-серого мохнатого щенка кавказской овчарки.

Поставленный на снег, щенок тут же пустил под себя лужу и на коротких толстеньких лапах подкатился под ноги Шуракену. Но не потому, что сразу признал хозяина: просто пара старых кроссовок были единственным родным, пахнущим человеком объектом, оказавшимся в поле зрения и обоняния.

— Е-мое! — Шуракен поднял щенка на руки, тот рявкнул, как плюшевый медвежонок.

Щенок был еще пуховый, но увесистый, от его тяжести возникало приятное ощущение теплого, здорового. Судя по всем признакам, пес из него должен был вырасти отличный.

— Спасибо, — сказал Шуракен. — Как его зовут?

— Не спросил. Сам назовешь как-нибудь.

К вечеру баня натопилась в самый раз. Парились втроем, но в нужный момент Костя накрыл, как полагается, стол и дипломатично исчез.

— Знаешь, чего я больше всего боюсь, Николай Пантелеич? — В бане они были на «ты».

— Да, знаю.

— Он мог не сразу погибнуть, — продолжил Шуракен, — там всего-то было метров сорок и джунгли. В училище у нас на прыжках парень разбился, так он еще минут десять жил, а ведь он на голую землю упал. Кости бедер в грудную клетку вошли, легкие пропороли. Изо рта кровища хлещет, а он глазами... А если Олег не сразу погиб и черные до него добрались, когда он еще жив был? Там всего-то было метров сорок, а мы по фалу с пятидесяти десантировались.

— Послушай, Саня, нельзя об этом думать. Так многие сломались. Не могут забыть, начинают пить, чтобы полегчало. Сначала вроде действительно легче, а потом хуже становится. После Афгана такими отморозками все центры реабилитации полны. Но они были мальчишками, а ты зрелый человек, профессионал.

— Ты прав, Николай Пантелеич. Но дело не в том, что Олег погиб, к потере напарника нас психологи готовили. Я никогда не прощу себе, что не нашел Олега и не вытащил из джунглей.

— Каяться, Саня, будешь, когда придет твое время. А сейчас найди в себе мужество и закрой тему. Думай о том, как жить дальше.

— Я еще числюсь в личном составе?

— Никакого личного состава больше нет. Дела такие, что ни словом сказать, ни матом сформулировать. Подразделение ликвидировано, и об этом даже в газетах пропечатали.

— В газетах напечатали? Не может быть! Мы ведь не футбольная команда ЦСКА?

— Теперь все может быть. Новые господа-товарищи на любое предательство готовы, лишь бы доказать, какие они сильные руководители. Весь разгром Комитета был организован по сценарию заокеанских менеджеров, но исполнители наши. Люди, которые сейчас пришли к власти, понимают, что если разрушить спецслужбы и уничтожить армию, в стране не будет силы, способной с ними справиться. А народ можно задавить налогами, поборами, инфляцией, чтобы каждый думал только о том, где достать кусок хлеба. Ладно, время покажет.

— Так что мне теперь делать?

— Пиши рапорт об увольнении по состоянию здоровья, остальное я все сам сделаю.

— Значит, все кончено?

— Нет, надо ждать. Подразделение предназначалось для завоевания и укрепления сфер влияния великой державы, Империи. Но державы больше нет, а сферы влияния сейчас делят бандюки. Значит, надо залегать на дно и ждать.

— А пока что делать?

— Просто жить. На тебя сейчас посыплются предложения со всех сторон. Могут подвалить даже вербовщики из-за океана. Они сразу появились, как только стало известно о ликвидации подразделения. Даже приятно — значит, ценят. Предлагали ребятам хорошие деньги, обещали в контрактах особо оговорить, что не будут использовать против своей страны. Если ты тоже получишь такое предложение, воля твоя, теперь каждый сам за себя решает. Но никто из наших согласия не дал.

— Я думаю, прежде мной не коллеги из ЦРУ заинтересуются, а свои родные бандиты.

— Саша, ты правила знаешь. Если замараешь себя, связавшись с бандитами, с тобой свои разберутся. А боссы из высших сфер — я думаю, тебе не надо напоминать — после серьезной акции киллера ликвидируют.

— Да знаю я все, Николай Пантелеевич, знаю. Вот и выходит, куда ни кинь — везде клин. Придется переквалифицироваться обратно в колхозники.

8

После боя с Буффало Ставр провалялся три дня, хотя серьезных травм вроде не было. Он ничего не ел и отпивался джином, которым его снабдил Хиттнер за деньги, естественно.

Время от времени возле койки с сочувствующим и заинтересованным видом возникал Дренковски. Он настойчиво искал случай оказать какую-нибудь услугу и установить дружеские отношения. Поляк вежливо показывал, что хочет сблизиться, но Ставр чувствовал, что у него есть какая-то своя цель и все его маневры небескорыстны. В его глазах Ставр иногда ловил выражение, точно Дренковски знал что-то такое, что их связывает.

Это раздражало.

На четвертый день утром, когда все арестанты поползли в столовую, Дренковски заскочил в казарму и спросил, не надо ли принести Ставру чего-нибудь поесть.

Ставр с усилием разлепил все еще запухшие веки.

— Отойди от меня, — сказал он. — Отойди далеко.

Он повернулся на бок, спиной к Дренковски. Пользуясь тем, что Ставр не видит его лица, поляк усмехнулся так, словно припрятал в рукаве пятого туза.

После завтрака появился Текс.

Ставр приподнялся, засунув тощую подушку повыше под спину. Убедившись, что он не против пообщаться, Текс присел на койку.

— Какого черта вонючка Дренковски крутится возле тебя? — спросил он. — Чего ему от тебя надо?

— Не знаю. Он не говорит, ждет, наверное, пока сам догадаюсь.

— Может быть, он хочет отсосать у тебя?

— А он к кому-нибудь с этими делами приставал?

— Вроде нет. Я, во всяком случае, не знаю.

— Тогда у него что-то другое на уме. Он смотрит на меня так, будто видел, как я стащил пирожок из буфета. Такие преданные глаза бывают у того, кто на тебя настучал.

— Ну и черт с ним. Ты вообще как?

— Нормально. Джин здорово помогает.

Ставр нагнулся и взял с пола из-под койки бутылку.

— Спирт, — продолжил он, — оттягивает на себя воду и подсушивает. Видишь, с морды отеки уже почти сошли.

Он поднес бутылку к губам, отпил немного и протянул Тексу:

— Хлебни.

Рейнджер приложился к бутылке без лишней скромности.

— Там бабы пришли, — деланно небрежно проговорил он, но зрачки прыгали, как у человека, который долго сдерживался, приберегая свой сюрприз, и наконец выложил его.

Ставр изумленно уставился на Текса:

— Какие бабы? Что ты вешаешь? Какие здесь могут быть бабы?

— Черные, конечно, как обезьяны. Не рассчитывай, это тебе не гастролирующий бордель для офицеров.

— Нет, я не о том. Как они здесь вообще оказались?

— Пришли. Они иногда приходят. Видишь, ребят до сих пор нет. Все пошли смотреть на баб.

Женщины появились на рассвете. Обитатели лагеря к тому времени уже завалились спать, поэтому никто не видел этого фантастического, почти библейского зрелища. Утомленные путешествием, женщины шли караваном, одна за другой. Каждая несла на голове тюк, завернутый в травяную циновку, а в руке — глиняный кувшин для воды. Кувшины уже были пусты, и для того, чтобы женщины смогли проделать обратный путь, мужчины, к которым они пришли, должны были наполнить их водой из скважины. Развязав тюки, женщины достали острые каменные скребки и принялись рыть в спекшейся глине длинные неглубокие ямки. Каждая застелила свое ложе тряпками и на принесенных с собой бамбуковых колышках натянула

235

низкий полог из циновки, под которым можно было только лежать. Утром кто-то заметил их стоянку за колючей проволокой. Новость пронеслась по столовой как степной пожар.

Обитатели лагеря собрались за бараком, разглядывая женщин по другую сторону колючей проволоки. Одни негритянки еще спали под пологами, защищавшими их от солнца, другие сидели возле своих гнезд или медленно прохаживались, колыхая короткими юбочками, сделанными, казалось, из полосок ткани. На самом деле это была не ткань, а кора дерева, выскобленная и размятая таким образом, что стала похожа на тонкую, мягкую замшу. Сшитые только наверху, на уровне бедер, полоски оставляли открытыми гладкие, как полированное черное дерево, округло выступающие животы. Груди, по обычаю африканских женщин, оставались обнаженными. У одних они были маленькие и торчащие, как у девочек, у других — зрелые, тяжелые, но еще не отвисшие. Шеи, запястья и щиколотки украшали ожерелья и браслеты из ракушек, камешков, цветных бусинок, птичьих перьев, рыбьих зубов и семян причудливых форм. Тела женщин без выраженной талии и бедер были глубоко прогнуты в поясницах. Прямые стройные ноги заканчивались грубыми, широкими и плоскими ступнями. От хождения босиком по раскаленной, как угли, земле на подошвах образовались сплошные мозоли, толстые, как подметка сапога.

Ставр и Текс обошли барак и увидели толпу мужчин. Они стояли или сидели на корточках и смотрели на женщин горящими глазами.

Буффало, с мордой, помятой не меньше, чем у Ставра, с багровым рубцом на здоровенной шее, набычась, бросил на своего врага угрожающий взгляд. Ставр считал, что юаровец просто получил то, на что сам напросился. Он не собирался унижать противника, выставлять на посмешище и стреножил его потому, что Буффало затеял эту подлянку с удавкой.

Но сейчас их распря никого не интересовала. Мужчины смотрели на женщин за колючей проволокой и свирепо косились друг на друга. Черных самок было мало, а каждый хотел удовлетворить свой голод первым.

С точки зрения европейца, женщины были далеко не красавицы, но от них шел бешеный сексуальный призыв.

— Смотри, у той сиськи торчат, как у козы. — Текс показал на одну из женщин. — И такой маленький животик. Так бы и съел ее животик. Нужно оставить ей немного еды и наполнить водой кувшин, и можешь драть ее, сколько захочешь. После тебя ее еще на целый взвод хватит.

— Интересно, в лавочке у Хиттнера есть презервативы? — спросил Ставр.

Текс воззрился на него, как на идиота:

— Ты что, дурак? С презервативом они с тобой трахаться не станут.

— Почему?

— А зачем они, по-твоему, сюда притащились? Им забеременеть надо.

— А куда у них мужики подевались?

— Никуда, просто они от своих плохо беременеют. Ты ничего не слышал про близкородственное скрещивание и вырождение племен?

— Выходит, они сюда посылают своих баб, чтобы улучшить породу?

— Я думаю, их никто не посылает, они сами приходят. Этих диких баб, как верблюдиц, хоть привязывай, хоть убивай, — если ей надо, все равно уйдет.

— Честно говоря, меня не радует, что в этом проклятом месте может родиться ребенок с моей наследственностью. Будет жить в этом аду, вечно дохнуть с голоду, и я буду об этом знать.

Текс расхохотался:

— Откуда ты знаешь, кто попадет в цель — ты, я или, например, Дренковски? И из-за каких-то там сраных генов ты откажешь себе в законном удовольствии? В жизни не слышал ничего глупей!

Одна из женщин подошла к колючей проволоке и просунула между рядами пустой кувшин для воды. Сразу несколько мужчин бросились вперед, чтобы схватить его. Тут же раздались первые удары и бешеная брань. Пыль поднялась столбом над дерущимися.

— Может, ты и прав насчет генов, может, это действительно гнилая идея, зато утешает. — Ставр задумчиво наблюдал за потасовкой. — Драться за право первой ночи я сейчас все равно не могу.

Текс фыркнул и рассмеялся:

— Вот это понятно. Извини, друг, но в таком деле каждый за себя.

С невинно-безразличным выражением на физиономии Текс каким-то неконкретным, вроде бы прогуливающимся шагом двинулся к выходу из лагеря. Но его маневр засекли. Несколько человек бросились следом. Чтобы сохранить отрыв, Текс принял спринтерский старт.

Ставр вернулся в барак и растянулся на койке. Ему было душно, жарко, от грязного матраса невыносимо воняло. В воображении Ставра всплывали картинки одна забористей другой. Но он боролся со своими порнографическими фантазиями с упорством отшельника, искушаемого в пустыне. Воздержание Ставр предпочел не совсем по той причине, о которой сказал Тексу. Настоящий герой был проще и практичней. Ставр боялся подцепить какую-нибудь гадость, без презерватива занимаясь сексом с чернокожей девкой, черт знает откуда взявшейся в этой раскаленной, как адский крематорий, дыре.

Вырабатывая у своих парней привычку держать эмоции под контролем и умение отказываться от самых естественных, даже жизненно необходимых желаний, Командор не возлагал особых надежд на воспитательные беседы. Он показал им фото- и видеоматериалы с картинами неизвестных европейской медицине специфических болезней, встречающихся в глубине не освоенных цивилизацией районов Африки, Южной Америки и Юго-Восточной Азии. Особенно убедительной была съемка, запечатлевшая последнюю стадию неизвестного заболевания. Мужской член, раздутый до невероятных размеров, вдруг лопался вдоль, как перезрелый плод, и раскрывался четырьмя кровавыми ломтями. При виде этих кадров мужикам, способным пройти сквозь огонь и воду, становилось дурно, как слабонервным дамочкам.

Лагерь стоял на ушах. Порядок и организованное существование в резервации для искателей наживы и приключений, как и следовало ожидать, оказались весьма непрочными. Драки вспыхивали по любому поводу, все ходили с побитыми мордами и ободранными кулаками. Хиттнер и охранники ни во что не вмешивались и твердо держали оборону только в одном пункте: женщинам запрещалось входить на территорию лагеря. Поэтому бо́льшая часть разборок происходила за колючей проволокой.

Выползавшие с заходом солнца из-под циновок женщины стали похожи на грязных, похотливых обезьян, от запаха и вида которых могло стошнить. В душе Ставр жалел, что с самого начала не проявил достаточной решительности и не отбил себе юную, относительно чистенькую самочку в нарядных браслетах и ожерельях, вроде той, на которую показал ему Текс. Но потом ему в голову пришла другая, гораздо более интересная мысль. Женщины появились в лагере не случайно, они знали дорогу и, судя по их пустым кувшинам, несколько дней были в пути. Значит, из лагеря можно добраться куда-то и без помощи вертолета.

Только куда? По вполне понятным соображениям Ставр все же решил, что безопасней узнать, откуда пришли женщины, спросив у них самих.

За ужином он отделил половину своей порции риса и тушенки. Пока он оставался единственным, кто не отметился в стане чернокожих вакханок, поэтому дележ пайки был замечен и прокомментирован соседями по столу. Ставр не поскупился на сдачу, так что местные юмористы ему слегка задолжали.

Острота страстей вокруг женщин уже заметно спала. Иерархия была восстановлена с помощью кулаков. Таким образом произошел раздел и установился порядок. Ставр не собирался нарушать его, влезая не в очередь и нарываясь на то, чтобы его тут взялись учить хорошим манерам. Женщина, которую он наметил, была не самой удачливой в смысле успеха у мужчин. Черная юбочка указывала на то, что ей больше двадцати пяти лет (Ставру объяснили, что на тех, кто моложе двадцати пяти, юбочки красные). Но, судя по тому, как обходились с ней соплеменницы, она была у них в авторитете, что называется, «старшая кобыла в косяке». А для получения оперативной информации и нужна была женщина поумней и поопытней.

Туземка невозмутимо приняла подношение Ставра и спрятала еду в своих тряпках. Может, она была неголодна, а может, обычай запрещал ей есть, пока она не удовлетворит желание мужчины. Слова не требовались, откровенными жестами негритянка показала, что, выражаясь языком европейцев, «готова делать любовь». Боковым зрением Ставр видел у соседней лунки в земле две задранных черных ноги и дергающийся белый зад, выскользнувший из спущенных штанов. Зрелище было безобразное и возбуждающее до сумасшествия, к тому же сопровождавшееся соответствующими звуками. Ставр почувствовал, как кровь подкатила под сердце, злые пульсы забились в разных точках, напряглись мускулы в низу живота. Жестом приказав негритянке следовать за ним, Ставр быстро пошел прочь от становища. Усилием воли он подавил возбуждение и переключил мозги на то дело, ради которого пришел сюда.

Бесшумно ступая босыми ногами, негритянка шла следом за ним.

«Интересно, — подумал Ставр, — как долго она будет идти за мной, не возражая и ни о чем не спрашивая?»

Отойдя подальше от становища, Ставр нашел место, хорошо освещенное луной. Глина казалась белой, каждый камешек на ней был виден, как на листе бумаги. Ставр сел на землю. Стараясь не смотреть на зрелые груди с торчащими сосками, Ставр достал из кармана заранее найденную острую щепочку. В стиле наскальной живописи изобразил человеческую фигуру с признаком мужественности и показал: это «я». Рядом он нарисовал фигурку поменьше с двумя окружностями в верхней части, — показал: «ты».

Женщина рассматривала рисунки. По ее неподвижному лицу трудно было угадать, что она думает и чувствует. Но вот она взяла у него щепочку, очертила трапецией бедра женской фигуры, обозначив таким образом юбку, и поставила точку там, где должен быть пуп. Усовершенствовав свое изображение, негритянка принялась за другое — мужское. Она провела горизонтальную линию в верхней части головы, пристроила на ней треугольник — действительно, на Ставре была панама.

Ставр выразил восхищение.

Но затем негритянка невозмутимо стерла гордо нарисованный признак мужества.

Это вызвало у Ставра шок. Что она имела в виду? Может, ему следует понять это как дерзкий упрек в том, что он не проявляет подобающей мужчине сексуальной агрессивности? Но он успокоился, увидев, как негритянка провела тонкие линии по талии и щиколоткам. Бесстрастная художница показала, что он в штанах.

Установив таким образом некоторое взаимопонимание, Ставр с помощью рисунков и жестов попытался объяснить негритянке, что он хочет узнать, откуда она пришла.

Ее рисунок получился очень живым и выразительным. Глядя на него, Ставр представил затерянное в пустыне озеро, наверно питающееся подземными ключами, больших рыб, плавающих в толще воды, мужчин, охотящихся за ними с дротиками или острогами, женщин и детей, ожидающих их на берегу. Ставр понял и то, что уходить с женщинами к их озеру не имеет смысла, потому что оттуда идти некуда.

Он разочарованно вздохнул, поднялся на ноги, собираясь стереть рисунки подошвой ботинка, но напоследок взглянул на них сверху и увидел, что все, нарисованное негритянкой, каким-то непостижимым образом обрело реальный, повествовательный смысл — стало мифом. Если бы рисунок был сделан на материале более прочном, чем глина, и сохранился, то через тысячу лет археологи спорили бы о том, кто был пришелец, явившийся в селение рыбаков, — космонавт или пророк? А это был московский парень, офицер секретного подразделения безопасности, вместе с бандой солдат фортуны пристроенный до выяснения обстоятельств в такое место, где он начисто был лишен возможности доставлять неприятности законопослушному обществу.

Обстановка в лагере стала взрывоопасной, как гремучая смесь. Женщины исчезли так же внезапно, как и появились, но их кратковременные гастроли активизировали в и без того не самых кротких парнях всю их агрессивность. Ставр слышал, как Текс сказал одному приятелю:

— В воздухе пахнет кровью. Я этот запах хорошо знаю. Вот увидишь, кончится тем, что кого-нибудь убьют.

— Да многие уже вцепились бы друг другу в глотки, если бы Хиттнер не предупредил, что расстреляет того, кто жив останется, — ответил приятель.

Ставр тоже был напряжен так, словно внутри у него был спрятан арбалет и невидимая рука закручивает и закручивает винт, натягивая тетиву. От злости он отощал. Казалось, остались одни сухожилия и нервы. Кожа обтянула заострившиеся скулы, в глазах зажегся желтый волчий огонь. Волосы отросли, и щетина на щеках начала уже курчавиться. Бритвы не разрешалось иметь никому, время от времени всех желающих брил и стриг один из охранников. Но, боясь заражения крови и СПИДа, большинство обитателей лагеря предпочитали не пользоваться этой услугой.

Даже простое перемещение по территории лагеря превратилось в прогулку по минному полю. Ставр постоянно был начеку и следил, чтобы случайно не задеть кого-нибудь из тех, кто косо на него поглядывал. Периферийным зрением он постоянно отслеживал Буффало, хребтом чувствуя, где находится враг номер один. Зато Дренковски совершенно утратил свой непонятный интерес к Ставру. У него был вид человека, который терпеливо ждет чего-то и озабочен только тем, чтобы сохранить в целости шкуру.

Время от времени в лагерь прилетал вертолет с сотрудниками следственной комиссии. Обычно это были два человека, они располагались в кабинете Хиттнера и вызывали кого-нибудь из арестованных для допроса. Иногда после этого очередной счастливчик покидал лагерь. В день прилета комиссии все, несмотря на невыносимый зной, выползали из казармы, собирались возле конторы Хиттнера и ждали вызова. Не для всех отлет из лагеря означал

243

свободу, но любые неприятности были предпочтительней дальнейшему пребыванию здесь.

О Ставре сотрудники комиссии словно забыли. Вначале это почти не вызывало у него эмоций, теперь приводило в бешенство. Для того чтобы держать себя в руках, требовалось предельное напряжение воли.

Когда комиссия прилетела в очередной раз, среди прочих вызвали Текса. Из конторы Хиттнера он вышел, сияя от счастья.

— Все, — заявил он, — они наконец решили, что единственное обвинение, которое можно мне предъявить, — это нарушение законов США о нейтралитете. В ближайшее время меня отправят домой!

— Ну отправят домой, а что дальше? — спросил Ставр.

— Будут судить, — ответил Текс. — Один мой приятель уже прошел через это. Его выпустили из тюряги через семьдесят пять дней после приговора. Надеюсь, то же будет и со мной. Погуляю с девочками, отдохну, а потом опять подпишу контракт и поеду куда-нибудь.

Отклонив приглашение Хиттнера пообедать с ним, сотрудники военной полиции забрались в вертолет и весьма резво отбыли в направлении мест, где пообедать можно было с большим комфортом. Обитатели лагеря с тоской проследили, как вертолет взмыл над ущельем и скрылся из вида. Впереди был бесконечный день в вонючей духоте казармы, сосущая сердце тоска и одурь безделья.

Толпа арестантов потащилась в казарму.

Вдруг Ставр увидел Буффало буквально в трех шагах от себя. Юаровец шел на него. Встретив его взгляд одержимого, Ставр понял, что это — атака. В глазах Буффало — Ставр четко видел их — словно полыхало синеватое пламя. Мозг Ставра мгновенно превратился в компьютер, управляю-

244

щий боевой машиной. Исчезло сознание своего «я» и все прочие ощущения, мешающие действию систем защиты и нападения. Как будто невидимый луч радара вонзился в черные дыры зрачков противника, и Ставр так отчетливо понял, что в руке Буффало нож, как будто ребристую рукоятку сжимала его собственная ладонь.

Ни Текс, ни остальные, кто оказался поблизости, ножа у Буффало не видели, потому что клинок был плотно прижат к руке с внутренней стороны запястья.

Атака Буффало была стремительна, как бросок кобры, а дистанция так коротка, что у Ставра не оставалось ни одного шанса уклониться или парировать удар.

Отведя руку назад, Буффало одним движением кисти перебросил нож клинком вперед. Сверкнула полированная сталь. Короткий, почти в упор удар был неотразим.

Все, кто был поблизости, увидели, как Ставр согнулся. У всех возникла одна мысль — нож вошел ему в живот по самую рукоятку.

Но Буффало чувствовал, как нож свободно уходил в пустоту, словно он промахнулся, чего не могло быть. Руки Ставра намертво, словно капканы, сжали его запястье и локоть. Резко согнувшись, Ставр рванул руку с ножом на себя, направляя клинок параллельно своему корпусу. Нож скользнул, не задев его. Уходя с директории удара, Ставр переломил руку Буффало в локтевом суставе, повернул назад кисть, сжимающую нож, и вогнал клинок в грудь врага.

Из глотки Буффало вырвался дикий рык. Его рука все еще сжимала рукоятку. Он конвульсивно дернул нож, но клинок на всю длину вошел в его тело и застрял, Буффало не смог его вытащить. На лице Буффало появилось смешанное выражение изумления и бешеной злобы. Колени согнулись, он осел и тяжело завалился на землю.

Все произошло настолько быстро, что даже сознание самого Ставра четко зафиксировало только начало атаки и конечный результат. Теперь, выйдя из боевого транса, он с ужасом смотрел на Буффало. Юаровец часто судорожно дышал — на одних вдохах, почти не делая выдохов. Нож плотно засел в ране, крови не было. Судя по тому, под каким углом торчала рукоятка, клинок перерубил одно из нижних ребер и снизу вверх вошел под сердце. Возможно, он даже надсек сердце. Рана была смертельна. Но в теле Буффало еще имелся большой запас жизненной силы.

Ставр поднял голову, посмотрел на тех, кто стоял вокруг, и понял, чего от него ждут. Чтобы прекратить муки Буффало, достаточно было только выдернуть из раны нож.

Ставр наклонился над умирающим. Буффало с усилием оторвал от земли голову и с безрассудной яростью посмотрел на Ставра. Он не верил, что все уже кончено.

Когда Ставр взялся за рукоятку ножа, пальцы Буффало вцепились ему в руку, казалось, если бы юаровец смог дотянуться, то впился бы зубами. Ставр выдернул клинок. Кровь хлынула из широкой раны. Глаза Буффало вылезли из орбит, как у человека, срывающегося в пропасть. Тело задергалось в последних конвульсиях.

— Что происходит, дьявол вас всех возьми? — На месте происшествия появился Хиттнер. — А ну, прочь с дороги! Что? Кто, мать вашу, прикончил этого идиота?

Его взгляд натолкнулся на нож в руках Ставра.

— Ты?! Где, мать твою, ты взял нож?

— Вытащил из него, — ответил Ставр, указав на труп Буффало.

Охранник схватил Ставра сзади за воротник и вывернул за спину руку с ножом. Налетевший сбоку другой страж порядка ударил кулаком в живот и вывернул за спину вторую руку. Нож полетел на землю. На запястьях защелкнулись наручники. На Ставра обрушился град изощренных, подлых ударов, какие обычно практикуют конвоиры и надзиратели тюрем. Однако даже со скованными за спиной руками он был далеко не так безопасен, как казалось охранникам. Одного из двух он наверняка смог бы завалить. Но Ставр понимал, что, искалечив кого-то из людей Хиттнера, он уже не сможет рассчитывать ни на какую справедливость со стороны начальника лагеря.

— Хиттнер! — заорал Ставр, пытаясь устоять на ногах под градом беспощадных ударов. — Я не виноват! Твою мать, останови их!

— Ладно, все, хватит с него. Дай сюда нож, Мейнс.

Один из охранников поднял выпавший из руки Ставра нож и подал Хиттнеру.

— «Ка-бар», боевой нож морского пехотинца, — пробормотал Хиттнер, рассматривая орудие убийства. — Еще раз спрашиваю: где ты его взял?

— Я уже сказал, что вытащил его из тела Буффало, до этого я до ножа не дотрагивался. Буффало пытался выпустить мне кишки, это точно. Но я отбил удар, и он напоролся на свой нож.

— Мистер Хиттнер, сэр, — вдруг нервно вмешался Дренковски, — Ставр говорит чистую правду. Я был рядом и видел, как все было. Буффало первый бросился на Ставра.

— Но ножа у него не было, — воинственно заявил Буч, тот парень, который передавал Ставру вызов Буффало.

— Он держал нож вот так. — Дренковски прижал левую ладонь ребром к запястью правой руки. — Никто ножа не видел, пока он не перебросил его клинком вперед. — Поляк совершенно точно повторил движение Буффало.

Ставра удивило, что Дренковски защищает его так решительно и с такой горячностью.

— Да, я это видел, — подтвердил Текс. —

247

Клинок сверкнул на солнце. И вообще все видели, что когда Буффало упал, он еще сжимал рукоятку. Ставр действительно не дотрагивался до ножа.

— Ставр убил Буффало, — сказал Буч. — Все видели, что он выдернул нож из раны, и Буффало умер.

— Я выдернул нож, потому что не хотел, чтобы он зря мучился.

— Да, но перед этим ты всадил в него «ка-бар» по самую рукоятку, — уточнил Буч, — и ты должен был довести дело до конца. Никто не стал бы за тебя этого делать. Мистер Хиттнер, вы поклялись, что если кто-нибудь кого-нибудь убьет, то вы расстреляете того, кто останется в живых.

Хиттнер вплотную подошел к Ставру и, задрав голову, посмотрел из-под полей своей черной пыльной шляпы:

— Какого черта ты вытаскивал нож из этого бешеного придурка?

Судя по тону и выражению глаз Хиттнера, ему совсем не хотелось выполнять свою клятву.

— Это твоя вторая ошибка, счастливчик.

В толпе арестантов раздались злобные выкрики. За ними последовал уже настоящий рев. Большинство требовало немедленной казни. Дело не в том, что у Буффало было столько друзей или многие не любили Ставра. В общем, здесь каждый был за себя и всем было наплевать друг на друга. Но обстановка в лагере уже так накалилась, что какое-то событие должно было наконец разрядить атмосферу. Ставру просто не повезло, что именно ему выпало стать козлом отпущения.

Вот когда Ставр вспомнил Герхарда — наемника, расстрелянного генералом Агильерой. Очевидно, настал его час, когда, как сказал Герхард, надо иметь мужество рассмеяться. Ставр высоко поднял голову и расправил плечи. Золотистые, как у тигра, глаза сощурились. Единственное, что выдавало его, — это пот. Крупные капли выступили на лбу, поползли по скулам, исчезая в темной, сильно отросшей щетине.

К месту происшествия уже сбежались все охранники. Размахивая оружием, они удерживали толпу на расстоянии от Хиттнера и Ставра. Текс и еще несколько парней пытались переорать остальных, требуя справедливого решения дела. Хиттнер оглянулся и посмотрел на кого-то в беснующейся толпе. Ставр машинально посмотрел в том же направлении и увидел физиономию Дренковски, такую же потную, как его собственная, и такую отчаянную, как будто расстрел угрожал самому поляку.

«Будь я проклят, — мгновенно пронеслось в голове Ставра, — Хиттнер и вонючий поляк заодно, эти суки о чем-то договорились. Дренковски смотрит на меня как на козыря, на которого поставил собственную шкуру. Он боится, что его карта бита».

— Кончайте драть глотки! — заорал Хиттнер, силясь переорать толпу. — Тот, кто сейчас не заткнется, пожалеет об этом! Ставра расстреляют. Я обещал, значит, так и будет.

Толпа смолкла и напряглась в ожидании.

— Но прежде я должен узнать, у кого он или Буффало достали нож, — продолжил Хиттнер. — Пока я это не выясню, Ставр посидит в карцере.

Решение Хиттнера вызвало у Ставра сумасшедшую радость и одновременно трезвое понимание, что отсрочка приговора иногда много хуже его немедленного приведения в исполнение. Но все же главное — он будет жить еще один день, а может, и два.

9

Черная «Волга» главы местной администрации с трудом втиснулась во двор и заняла все свободное пространство. Поэтому принадлежащий начальнику районного отделения внутренних дел белый космический «Форд» с «елкой» на крыше и «вольвешник» директора леспаркхоза приткнулись в распахнутых воротах. Власть съехалась на большую поселковую гулянку по случаю возвращения Шуракена.

Клавка, мать Шуракена, выставила на стол все достояние своего погреба и, конечно, самогон. В поселковом магазине «Колосок» она отоварилась изрядным количеством отечественной и зарубежной выпивки, но знала, что казенная продукция пойдет в оборот, когда уже станет все равно что пить, потому как натуральный продукт — он всегда лучше.

На одно из почетных мест посадили недавно появившегося при начавшей ремонтироваться церкви молодого батюшку с лицом аспиранта МГУ и русыми кудрями до плеч. Местная власть расположилась в верхнем конце стола рядом с виновником торжества. Справа от Шуракена присела мать. А место слева почему-то оставалось свободным.

Вчера Костя привез Шуракена домой на «уазике» Командора. Из своих странствий Шуракен вернулся налегке: в руках он держал спортивную сумку, в которой ворочался Дуст — щенок, подаренный Командором на прощание. На подъезде к леспаркхозовскому поселку Шуракен увидел то, чего и в помине не было, когда три года назад он приезжал навестить мать перед отбытием в Сантилья-ну. Нелепые сооружения из красного кирпича, сомкнувшись в тесные стаи, подгрызали лес с разных сторон. Это удивило Шуракена, потому что он помнил прежние порядки леспаркхоза, охранявшие буквально каждое дерево. Поселок остался прежним, только некоторые дома заметно похорошели. А другие — заметно поплохели, в том числе и дом матери.

Гулянка набирала обороты. Место слева от Шуракена по-прежнему пустовало, и кое-кто из холостых бабенок поглядывали на него уже с явным вожделением. Но ни одна не решалась встать и пересесть туда. Причина их робости заключалась в том, что они знали, кому оно предназначено.

Гости радостно загомонили при виде огромной дымящейся кастрюли, доверху полной вареников, которую Клавка внесла с кухни.

— Ты к нам надолго? — спросил Шуракена бывший школьный приятель Славка Морозов, ныне глава местной администрации.

— Получается, вроде надолго, — уклончиво ответил Шуракен.

— Давайте, тетя Клава, валите, валите больше, я уж давно домашнего не ел, — отвлекся Морозов, которому хозяйка начала накладывать на тарелку вареники. — Слушай, — он опять повернулся к Шуракену, — че я тебе скажу, пока трезвый. Зайди завтра ко мне, подумаем, куда тебя пристроить.

— Разберемся...

Шуракен поднял голову и вдруг увидел Нинку. Она вошла в комнату. Среди звуков застолья раздался уверенный стук каблуков. Голоса начали стихать, и постепенно в комнате наступила тишина.

Надменно откинув голову в пышно взбитых кудрях, хозяйка местного магазина «Колосок» направилась к ожидавшему ее месту рядом с Шуракеном. По поселковым понятиям, Нинка была баба манкая, но в таком парадизе ее давно уже никто не видел. Наверное, прежде не для кого было выставлять товар лицом. Бабы вытаращили завистливые глаза на неописуемой красоты бирюзовое платье из турецкой ангоры с гипюровыми врезками на груди и рукавах. Мужичье заволновалось, всем нутром почувствовав то, чем платье было наполнено. Грудь Нинки, высоко задранная бесстыжим заграничным лифчиком, так и лезла наружу, распирая гипюровые загогулины.

Первыми очухались холостые бабенки. Они разом возобновили болтовню, давая понять, что ничего особо интересного не произошло. Ну накрутила крашеные космы, ну обтянула лошадиный зад турецкой ангорой — любая так может.

Молодой батюшка улыбнулся нежными губами и откинул упавшую на лоб прядь. В голубых глазах засветилось интеллигентское поэтическое восхищение натуральной русской женщиной.

Самоуверенная физиономия главы местной администрации полыхнула жаром. Он поспешно уткнулся носом в тарелку с варениками. В девятом классе он уговорил Нинку пойти погулять под яблони и там, мелко дрожа всем телом, бросился ее целовать. Она вроде не возражала, но как только он неумелой рукой полез под юбку, вырвалась и дала здоровую плюху.

Клавка окинула Нинку особенным взглядом.

— Проходи, Нина, — сказала она. — Садись, вон рядом с Сашей как раз место есть.

Нинка села. От нее шел густой запах духов. Замысловатые узоры гипюровой вставки на груди были обильно расшиты стеклянными блескушками. Из-за их алмазного мерцания и душного запаха крепких духов Шуракен как будто ослеп. Он смотрел, но не узнавал Нинку.

— Ну здравствуй, Саша, давно не виделись, — сказала Нинка.

— Здравствуй, Нина, а ты изменилась, просто не узнать.

— Ты тоже. Где это ты так загорел? На югах, что ли, был?

— Где был, там меня уже нет.

Правильными чертами лица и всей статью, повадкой Шуракен отличался от прочих мужиков за столом, как обработанная мастером стальная деталь в груде сырых заготовок. По случаю гулянки все были при параде, он же оделся просто: черные джинсы и тонкий шерстяной джемпер с закатанными до локтей рукавами. Шуракен выглядел массивным, потому что над столом были видны только его тяжелые плечи и широкая грудь. Сквозь дырки гипюровой вставки на рукаве на Нинкину голую кожу несло жарким сквознячком от его тела. Она чуть переместилась на стуле и мягко, будто случайно, прижалась к Шуракену плечом.

Незаметным для окружающих движением Шуракен отстранился. Нинка увидела холодок в его глазах, усмехнулась и подняла рюмку.

— Славка, — с вызовом сказала она, обращаясь к главе администрации, — налей-ка мне, а то иностранец наш совсем разучился баб обхаживать.

Уже пьяный Морозов с радостной готовностью схватил бутылку водки и стал лить в подставленную рюмку, косясь на заманчивые стати соседки. Водка лилась через край.

— Ой, Славик, как ты меня любишь, — играя голосом, сказала Нинка.

Славик даже вспотел от таких слов, дал косяка на Шуракена и в конце концов решил, что лучшим выходом для него сейчас будет произнести речь. Он встал, солидно поправил скособочившийся галстук и стал говорить, как по телевизору, о надеждах, которые возлагает новая Россия на таких людей, как он сам и его школьный друган Сашка Ярцев, отборный, можно сказать, представитель народа. Под конец он выразил уверенность, что теперь, кончив шляться по заграницам, Сашка сядет на землю и займется наконец хозяйством. При этом мент, начальник районного ОВД, усмехнулся в усы, давая понять, что он человек более просвещенный насчет личности Шуракена.

Дело пошло. Речь главы вдохновила батюшку. Он поднялся, покачиваясь, отбросил с лица влажные локоны и сказал, что вера и крестьянство испокон веков спасали Россию. Старый, сурово пьющий скептик Кутенков высказался по этому случаю в том смысле, что испокон века на Руси два слова были главные и оба из трех букв — одно «Бог», второе вы сами знаете.

После того как батюшка простился с хозяевами и, загребая бутсами, побрел восвояси, дым пошел коромыслом. Кутенков извлек ненаглядную свою гармонь и для затравки выдал гражданам матерную частушку. Задетые за живое бабы переглянулись, и одна в ответ проголосила такое, что Кутенков только крякнул и, чтоб замять эту тему, заиграл душевное: «Ты ждешь, Лизавета, от друга привета...»

Совершенно трезвый Шуракен холодно и неприязненно наблюдал, как напиваются гости.

— Что ты смотришь на нас, как на неродных? — вдруг спросил Кутенков. — Не нравимся мы тебе? Внук фронтового дружка Алешки Ярцева даже пить с нами брезгует, словно не к себе домой вернулся. Во дела!

— Ничего, дед, все нормально.

Шуракен вылез из-за стола, аккуратно обошел Нинку. В прихожей он накинул свою летную куртку, вышел на крыльцо и достал сигареты.

«От чего ушел, к тому и вернулся. По уши в дерьме сидят, жопа сгнила. Славка Морозов им вешает, они уши развесили, слушают...» Шуракен почувствовал, как к сердцу подкатила волна злобы и тоски. Прямо завтра уехать бы отсюда, да некуда.

Из дома неслись пьяное пение и отвратительные взвизги гармони.

Шуракену захотелось сгрести все пьяные хари за шиворот и выкинуть за ворота. Может, и здорово было бы вышвырнуть всех к чертовой матери, но нельзя — с ними теперь жить. Да и не виноваты они ни ухом ни рылом в том, что с ним случилось. Это его судьба сломалась, а они как хотят, так и живут.

Шуракен бросил окурок в снег и пошел в сарай.

Как только он открыл дверь, Дуст, повизгивая, мохнатым клубком подкатился под ноги. Шуракен запер его в сарай, чтобы по пьяни гости не затоптали щенка.

— Ну как ты тут, маленький? Соскучился? Пойдем погуляем.

Шуракен сунул щенка под куртку и до половины застегнул молнию. Большая круглая голова Дуста с коротко обрезанными ушами и одна толстая лапа торчали у него из-за пазухи. Выйдя из сарая, Шуракен увидел Нинку. В дубленке и белом пуховом платке, она стояла на крыльце и ждала его.

— Пойдем, Саша, проводишь меня.

Они вышли за ворота. Улица была освещена фонарями, в окнах некоторых домов еще горел свет. Снег поскрипывал под каблуками Нинкиных модных сапог.

Шуракен никогда не забывал своей первой любви. Уходя в училище, он рассчитывал, что станет офицером и женится на Нинке, но ей некогда было его ждать. Она была красивая девка в самой поре, от ухажеров отбоя не было, но по-серьезному замуж звал только один. Нинка погуляла в невестах два года, прикинула, что пока желанных парней-одноклассников домой дождешься — состаришься, и пошла замуж. В течение десяти лет Шуракен видел Нинку от случая к случаю во время коротких наездов к матери. Семейная жизнь ее не сложилась — мужик пил по-черному. Под конец, когда Нинка стала уже полновластной хозяйкой «Колоска», семейные отношения превратились в великое противостояние по разные стороны прилавка. Водку в своем магазине Нинка мужу не продавала, а он требовал. Она гнала его из торговой точки — он со злости пинал ногами дверь и орал, что натравит на жену ОБХСС. Однажды его и двоих приятелей нашли уже холодными под козырьком автобусной остановки, где они имели обыкновение выпивать. Там же была обнаружена бутылка с остатками спиртосодержащей жидкости неизвестного происхождения.

Шуракен и Нинка молча дошли до Нинкиного двора. Шуракен остановился. Нинка открыла калитку и взглянула на него приглашающим взглядом. Ночью у калитки с запорошенными снегом кустами сирени ей удивительно к лицу была белая кружевная шаль.

— Заходи, — сказала она.

— Поздно уже, и пьяных гостей полон дом.

— Ничего, они и без тебя обойдутся. Заходи, раз приглашаю.

— Да нет, пожалуй, видишь, со мной щенок. Маленький еще и глупый, нагадит в доме.

— Возишься с собакой, как с ребенком. На веранде его оставь, не пропадет, — сказала Нинка и пошла к дому.

Шуракен вроде бы двинулся следом, но Нинка с удивлением заметила, что он принял ее приглашение без особой радости. Обычно мужики иначе реагировали на подобную милость. Но если сказать честно, то после гибели мужа гости редко переступали порог ее дома. Нинка была женщина с характером, ей бы не всякий подошел. Как и Шуракену, Нинке было двадцать восемь лет. Зрелое тело гуляло. Груди по ночам наливались огнем, твердели так, что торчали холмиками, даже когда она лежала на спине. Ей не хватало не только любви, но даже просто тепла мужского тела в постели.

По темным ступеням Шуракен поднялся на веранду. Нинка оставила дверь в комнаты открытой. На нетопленой веранде поскрипывали промерзшие половицы.

— Заходи же скорей, не студи дом, — крикнула Нинка.

256

8*

Шуракен расстегнул молнию на куртке, вытащил щенка и пустил на пол.

— Подожди здесь, Дуст, я недолго.

Давая понять, что он не намерен задерживаться, Шуракен не снял в прихожей куртку. Так и вошел в комнату.

За последние два года Нинка разбогатела. Перестроила дом, купила дорогую мягкую мебель. Сейчас она гордилась тем, что комната выглядит как городская. Она зажгла шелковый торшер у дивана. Он, как маяк, указал направление движения.

Но Шуракен, переступив порог, так и стоял с тем отчужденным, официальным выражением на лице, с каким он сидел за столом. Нинка подошла вплотную и, просунув руки в нагретое его теплом меховое нутро куртки, обхватила, прильнула грудью. Она была под стать ему, крупная, рослая. Когда они стояли так, прижавшись друг к другу, желанные части их тел находились в самом убедительном соответствии: ее женское против его мужского, его мужское против ее женского.

Но Нинка вдруг почувствовала, как мускулатура под его свитером пришла в какое-то осторожное и непокорное движение. Шуракен мягко освободился от ее объятий, как будто вежливо разомкнул захват противника.

— Почему? — удивилась Нинка.

— Ладно, я пойду, — невнятно проговорил Шуракен.

— Да брось, куда ты пойдешь. Успеешь, там у тебя до утра гулять будут.

Закрыв глаза, Нинка снова прижалась к Шуракену. Настойчивым лисьим движением запустила руку под свитер. Гладя гладкую, пока прохладную кожу, лаская тело, от которого шло ощущение силы, она потянула молнию на джинсах.

Шуракен вдруг резко перехватил Нинкину руку. Нинка вздрогнула всем телом, жест Шуракена обжег ее обидой. Она ни черта не поняла и взвилась от злости, увидев непробиваемую невозмутимость и вдумчивую серьезность, как всегда нарисованные на физиономии Шуракена. Женщина ударила бы его, если бы Шуракен не держал ее за руки. Она дернулась, чтобы вырваться.

Шуракен без усилия притянул ее к себе. Голова у Нинки пошла кругом. Веки отяжелели и опустились сами собой. Губы Шуракена оказались горячими и горькими от табака.

Готовая ответить на поцелуй, Нинка вдруг с удивлением и неудовольствием почувствовала, что объятия Шуракена разжались, и, открыв глаза, увидела только, как его спина исчезает в проеме двери.

«Баба у него есть, что ли, или натаскался по свету, насмотрелся блядей?! Нос от своих воротит». — Нинка со злости укусила себя за кулак.

Пред взором оскорбленной Нинки так и замелькали кадры американских видеофильмов. Прямо строем пошли, играя накачанными задами и сиськами, Шерон Стоун, Мадонна и прочие секс-агрессорши.

Стало обидно до слез.

Не в обычае Шуракена было обижать женщин. Но пока он не мог поступить иначе.

Перед тем как Шуракен покинул санчасть и перебрался на дачу Командора, он получил всю необходимую информацию о состоянии своего организма.

— Обязан предупредить тебя, — сказал врач, — что применение транквилизаторов ослабляет потенцию...

— Знаю, грамотный.

— Ну тогда ты понимаешь, что твой вариант может оказаться похуже. Аппарат может какое-то время вообще не работать. Если это случится, не паникуй. Приезжай ко мне, я постараюсь помочь.

Имелся один, самый простой способ выяснить этот вопрос: съездить в Москву и снять проститутку. Но пока Шуракен не мог перешагнуть через гордость, не позволявшую ему выглядеть жалким даже перед такой женщиной.

10

Ставр уже не соображал, сколько времени он сидит в карцере. Может, сутки, а может, неделю. Когда лагерь был военной базой, это помещение использовалось как арестантское, соответственно оно и было оборудовано: ничего, кроме серых бетонных стен в зловонных потеках мочи. Под низким потолком имелось узкое отверстие, позволявшее просачиваться внутрь скудным порциям дневного света. Воздух оно почти не пропускало. От духоты и жары Ставр все время был в поту. Голова разламывалась от боли. Временами он отключался, проваливался в тяжелую бредовую сумятицу.

Когда охранники привели его сюда и Хиттнер сам открыл дверь, Ставр заглянул в вонючую душегубку и заявил, что не войдет туда.

— Нет, войдешь, — ответил Хиттнер. — Войдешь, потому что у тебя нет другого выхода. От тебя кровью пахнет, и если ты вернешься в казарму, они порвут тебя на куски. Ты кишки свои с пола собирать будешь, понял?

Сейчас Ставр думал, что лучше бы Хиттнер его сразу расстрелял или позволил вернуться в казарму, тогда все кончилось бы быстрее и не столь омерзительно.

Ночью, сидя на полу в кромешной тьме, Ставр услышал, как поворачивается в замке ключ и гремит засов.

«Все! — вспыхнуло в голове. — Но почему ночью? А-а... здесь все происходит ночью».

Взметнулась бешеная ярость. Если бы его поставили к стенке сразу после того, как он убил Буффало и был еще пьян от крови, высокомерия и злости, а гордость его не была унижена скотским пленом, Ставр спокойно принял бы смерть, и у него нашлось бы мужество засмеяться. Но теперь в нем накопилось столько ненависти, что он уже не мог покориться обстоятельствам.

Дверь открылась. Сразу вспыхнул луч фонарика. Метнулся по стенам, нащупывая Ставра, и ослепил его.

— Давай выходи, — произнес голос Хиттнера.

Защищая глаза от яркого света, Ставр тяжело поднялся с пола. Пролезая в дверь, он намеренно горбился и шатался. Но Хиттнер, очевидно, уже слишком хорошо представлял, с кем имеет дело.

— Давай без глупостей, — предупредил он. — Не в твоих интересах сейчас устраивать шум.

Хиттнер погасил фонарь. Осмотревшись в темноте, Ставр с удивлением обнаружил, что, кроме Хиттнера, больше никого нет. Странно, человек с его репутацией, кажется, заслуживает эскорт по крайней мере из пяти охранников с автоматами.

— Спокойно, Ставр, отдышись пока, я закрою дверь. На вот, глотни джину. Это здорово успокаивает нервы.

Хиттнер сунул Ставру флягу и преспокойно повернул ключ в замке арестантской.

— Идем, — сказал он.

— Куда? Меня расстреляют?

— Тебя это беспокоит? — рассмеялся Хиттнер, похоже, он был в очень хорошем настроении. — Ты видел, как расстреливают? Самое неприятное в этом деле, что человек дьявольски живучая скотина. В нем сидит десять-двенадцать пуль, а он корчится, весь в крови, и скребет ногтями землю. Иногда это продолжается довольно долго. Но ты не нервничай, обычно я ставлю поблизости когонибудь из моих парней с пистолетом, чтоб сразу выстрелил в затылок. Вот только похорон с воинскими почестями я тебе обещать не могу. Ты же так и не сказал, кто ты. А теперь у меня есть основания думать, что никаких воинских почестей тебе вообще не полагается, потому что таких, как ты, сжигают в полиэтиленовом мешке в крематории для животных.

— Ты или спятил здесь, Хиттнер, или намеренно выводишь меня из себя.

— Не угадал, просто хотел поболтать с тобой напоследок. Может, тебя и расстреляют, но не здесь и не сейчас. Ты улетаешь из лагеря, за тобой прислали вертолет.

— Какой вертолет? Хиттнер, не пори мне мозги, я зол, и мне не до шуток. Кто, мать твою, прислал за мной вертолет?

— Этого я не знаю. За тебя заплатили, остальное меня не касается, не имею привычки задавать лишние вопросы.

— Я знаю, что ты вербовщик, Хиттнер. Ты продал меня?

— Да, а что?

— Кому, черт возьми?

— Пораскинь мозгами, может, сам догадаешься, кто мог выложить за тебя денежки. А мне так на это наплевать.

За конторой Хиттнера стоял тот самый джип, радиатор которого Буффало продырявил, стреляя в Ставра. С тех пор машину починили.

— Садись, — приказал Хиттнер. — До того места, где ждет вертолет, нам еще ехать полчаса.

Залезая в джип, Ставр вдруг заметил, что на заднем сиденье кто-то есть. Присмотревшись, Ставр узнал Дренковски.

— Что это значит, твою мать, — повернулся он к Хиттнеру. — За него тоже заплатили?

— Нет, за него не платили. Но он сказал мне о тебе одну вещь, благодаря которой я выгодно сбыл тебя с рук. Поэтому Дренковски может убираться к чертовой матери. Таков бы уговор.

— Ребята, с вами становится все интересней. — Ставр снова повернулся к поляку. — Ну давай, Дренковски, объясни, что же ты сказал обо мне Хиттнеру?

— Потом, — категорично заявил Хиттнер. — В вертолете у вас будет сколько угодно времени для выяснения отношений.

Он завел двигатель и, не зажигая фар, вывел джип из лагеря. Оставив шлагбаум позади, начальник лагеря включил дальний свет. Ставр не испытывал ни малейшей признательности к Хиттнеру: да, он не расстрелял его, но лишь потому, что это было ему невыгодно, зато, похоже, продал вербовщикам. Встречный поток холодного ночного ветра обдувал лицо и грудь под расстегнутой курткой. Ставр решил на время отвлечься от всех проблем и глубоко дышал, стараясь выгнать из легких зловонный, гнилой воздух карцера.

Впереди вдруг возник свет. Когда они подъехали ближе, Ставр увидел, что это прожектор вертолета. Во мраке вертолет выглядел загадочно, как НЛО: луч прожектора, свет в кабине пилотов и рубиновый огонек под днищем.

Хиттнер остановил машину.

— Все, парни, предупредите телеграммой, если запланируете вернуться ко мне в ближайшее время.

— О.К., Хиттнер, — ответил Ставр, — я запомню адрес и пришлю открытку на Рождество.

Вертолет был небольшой, типа российского Ми-24. Его экипаж состоял из двух пилотов. Один из них закрыл за Ставром и Дренковски дверь и уселся в свое кресло, не произнеся ни слова, кроме обычного приветствия.

Когда вертолет поднялся над каньоном, Ставр посмотрел в иллюминатор и увидел светлую полоску на горизонте. Там вставало солнце. Сориентировавшись, он прикинул, что вертолет взял курс на северо-запад.

— Дренковски, — Ставр уселся напротив поляка, — честно говоря, мне почти все равно, но все-таки, что ты сказал про меня Хиттнеру?

— Я всего лишь сказал ему, что вы русский, пан Ставр.

— С чего ты это взял?

— Я учился в России и много общался с русскими. Я заподозрил, что вы русский, когда вы изменили свое решение и согласились драться с Буффало. Вы сделали это после того, как вам сказали, что он из подразделения, предназначенного для уничтожения русских военных специалистов. Я хорошо помню, как вы еще спросили: видел ли Буффало хоть одного русского? Я наблюдал за вами во время боя. Поверьте, я могу отличить практикующееся в американском спецназе джиу-джитсу от боевого самбо. Потом, когда вы отлеживались, переживая в забытьи этот бой, то пробормотали пару соответствующих фраз, а я свободно говорю по-русски.

Ставр с нескрываемым удивлением слушал Дренковски. Он не ожидал от поляка такой наблюдательности, и его удивило, что человек, ни разу до этого не произнесший двух фраз подряд, вдруг заговорил так свободно и убедительно. Здесь было о чем подумать.

— Я сказал об этом Хиттнеру и договорился с ним, что если мои сведения окажутся полезными для следственной комиссии, то и я получу некоторые поблажки, но я даже не мечтал, что все сложится так удачно.

— Я так и думал, что ты стукач, Дренковски, но ты здорово прокололся. — Ставр посмотрел в иллюминатор, бурая пустыня внизу уже была видна. — Русских вроде меня чертова уйма по всему миру. Я читал где-то, что даже у Шварценеггера мать русская и Сталлоне из Одессы. Так что не знаю, как повернется дело, когда те, кто заплатил за меня деньги, выяснят, что купились на полную чушь.

— Вам видней, пан Ставр, — ответил Дренковски, тоном давая понять, что остался при своем мнении.

Больше они не разговаривали. Ставр прикрыл глаза и погрузился в обдумывание ситуации. Судя по тому, что сказал поляк, вербовщики тут были ни при чем.

«Черт возьми, похоже, меня выкупили свои. А что, вполне возможно, что меня все-таки искали». — Нельзя сказать, что эта мысль привела Ставра в восторг, скорей вызвала тревогу.

Вертолет пошел на посадку. Внизу был какой-то Богом забытый аэродром: пара собранных из готовых конструкций сараев и взлетно-посадочная полоса. Возле одного из сараев стояла какая-то армейская машина. Из нее вылезли двое парней. Оба были одеты в изрядно потрепанный камуфляж, на поясах обоих ловко и привычно сидели набедренные боевые ранцы с множеством подсумков для патронов и прочих предметов джентльменского набора наемников. На одном была панама с загнутыми с боков полями, на другом — кепи с длинным козырьком. Мрачная, худая физиономия Дренковски просияла при виде этих головорезов.

— Йо-хо-хо! — издал он боевой клич, выпрыгивая из вертолета.

Он обнял своих друзей, до Ставра долетели несколько слов, сказанных по-польски. Он тоже вылез из вертолета и огляделся. Больше на летном поле никого не было. Дренковски вместе со своими друзьями зашагал по бетонке в направлении машины у сарая.

Ставр остался стоять на месте.

Экипаж вертолета, очевидно, нашел этот аэродром не самым подходящим местом для парковки. Работавший на холостом ходу двигатель завыл, винт набирал обороты. Вертолет оторвался от взлетной площадки, повернулся, становясь на нужный курс, и понесся куда-то.

Оставшийся в одиночестве, Ставр выглядел как человек, высаженный на необитаемый остров. Но такой оборот дела как раз устраивал его. Ставров почувствовал огромное облегчение, не увидев на аэродроме делегации соотечественников в составе, скажем, троих вежливых мужчин, в пиджаках, слегка оттопыривающихся слева под мышкой.

Ставр решил, что пока все складывается для него лучшим образом. От приза Хиттнера еще осталось около восьмидесяти долларов. Возле ангаров наверняка имелась какая-нибудь забегаловка, где можно получить бутылку пива и порцию сосисок, а затем подцепить грузовик или легковушку попаршивей и договориться, чтобы подбросили до города. С этой идеей Ставр двинулся в направлении ангаров. От вертолетной площадки туда вела рулежная дорожка, выложенная из сцепленных между собой тонких стальных панелей. Грунтозацепы на протекторах ботинок Ставра прочно хватались за рельеф этих пластин. Ставр прошагал примерно половину дистанции, когда увидел вырулистый из-за ангаров плоский широкий автомобиль, покативший навстречу.

Ставр остановился.

Он не испытывал особой тревоги, скорей — любопытство. Если человека выкупают из фильтровочного лагеря, значит, имеют к нему предложение. А предложение всегда можно обсудить.

Машина приблизилась настолько, что уже появилась возможность рассмотреть не только общие очертания, но и детали конструкции. Это был «Хаммер», американская машина для войск особого назначения.

«Черт возьми, "Хаммер", — подумал Ставр. — Похоже, старине Хиттнеру за меня заплатили америкосы. Это интересно».

Он знал, что где бы и против кого бы ему ни пришлось воевать, реальными его противниками будут американцы, они же будут и союзниками — в определенных обстоятельствах.

Железо рулежной дорожки лязгало под пуленепробиваемыми шинами. За водительским сектором лобового стекла Ставр видел абрис головы и плеч водителя, второе место было свободно. «Хаммер» остановился, обдав Ставра горячим духом работающего двигателя, бензина и масел — запахом бешеных скоростей и действия.

Водительская дверь открылась, и из машины вылез крепкий, даже несколько коренастый мужчина лет тридцати—тридцати пяти. Под стать своему автомобилю он был одет в агрессивно-милитаристском стиле: армейские ботинки, свободные черные штаны и майка с короткими рукавами, черный же нейлоновый жилет с объемными карманами, вмещающими множество таких вещей, которые всегда должны быть под рукой. Над клапаном левого верхнего кармана Ставр заметил звездно-полосатую нашивку.

— Хай, я Джек Кейт. А вы один из русских парней, натаскивавших в Сантильяне диверсантов и охрану тамошнего вождя.

— Нет, мать твою, я Индиана Джонс.

Кейт отодрал «репейник» на клапане с нашивкой, вытащил из кармана фотографию и показал Ставру.

— Прекрасное патриотическое фото, — заметил он при этом.

На фотографии президент Агильера цеплял на куртку вытянувшегося по стойке «смирно» Ставра «Серебряный крест», будь он неладен, — награду за «выдающуюся храбрость» и так далее. Рядом со Ставром стоял Советник.

Ставр почуял, что в ноздри потянуло паленым.

— Очень красиво. — Кейт кивнул на фотографию. — Ей-богу, моя мамочка прослезилась бы от счастья, если бы я послал ей такой снимок для семейного альбома.

— Кто вы? — спросил Ставр, возвращая фотографию. — И что вам, собственно, от меня надо?

— Я предоставлю информацию о своей персоне, само собой, в разумных пределах. Но прежде давайте уберемся отсюда.

У Ставра не было возражений против такого предложения.

Кейт съехал с рулежной дорожки и напрямик попер к ангарам. Ставр развалился на кожаной подушке железного сиденья, похожего на пилотское кресло вертолета. Свободный, бородатый, в пропотевшем камуфляже, в котором он и спал, и играл в футбол, и дрался и на котором наверняка где-то среди выгоревших коричневых пятен были брызги крови Буффало, Ставр отлично чувствовал себя в кабине «Хаммера». Гораздо хуже было бы в протокольном «Мерседесе» сотрудников российского консульства. Там он оказался бы тем, кем, собственно, и являлся с точки зрения своих: вышедшим из-под контроля сотрудником, которому предстоит экстренная эвакуация на родину. А на родину Ставр намеревался вернуться без их помощи.

— Я знаю тут недалеко одно тихое местечко, там мы сможем спокойно обсудить наши дела, — сказал Кейт.

— Нет проблем.

По сторонам шоссе тянулась красноватая каменистая земля. Горы тоже были красноватого цвета. Только господствующие пики светились тусклым золотом.

«Хаммер» свернул к автозаправке, при которой имелась закусочная.

— Здесь мы можем поговорить, — сказал Кейт, вылезая из машины. — Полный бак, — бросил он молодому стройному мулату, появившемуся возле автомобиля.

Между парой ржавых бензоколонок и навесом росло дерево с раскидистой кроной. На дереве в развилке ветвей стояла лохматая черная коза. Она

267

отрывала узкие жесткие листья и задумчиво жевала их.

Ставр и Кейт уселись на дешевые пластмассовые кресла, которые, похоже, заполонили уже весь мир. Возле них появился хозяин заведения.

— Извините, — сказал Ставр Кейту, — но я голоден и намерен пожрать. После этого будем говорить.

— Что вам заказать?

— Я сам закажу. Денег у меня мало, но я думаю, хватит, чтобы расплатиться за порцию жареного мяса и пиво.

Хозяин принес поднос со специями и несколько бутылок пива. Затем он ушел и вернулся с двумя глиняными мисками, накрытыми куполообразными крышками. Миски были только что вынуты из печи, отверстия в их середине курились паром, распространяя ни с чем не сравнимый аромат запеченного со специями мяса. Поставив миску перед Ставром, владелец заведения снял крышку: в глиняном кратере, еще сохранившем жар огня, шкварчали сочные куски баранины.

— Меня бешено интересует, кто вы, Кейт, и почему вы выкупили меня из лагеря, — сказал Ставр, энергично хватаясь за вилку. — Но боюсь, что, когда я это узнаю, у меня пропадет аппетит. Так что, если вы не против, нашу конференцию мы начнем со жратвы, а закончим деловыми переговорами.

— Откровенно говоря, вы не похожи на слабонервного, и я думаю, что мое предложение вряд ли способно серьезно испортить вам пищеварение хотя бы потому, что оно не выходит за рамки вашей профессиональной деятельности.

— Вот это я и имел в виду. Я ведь не учитель ботаники.

— Ешьте, Ставр, и получайте удовольствие. После риса и тушенки это блюдо, по-моему, как раз то, что нужно.

— Это точно.

Ледяное пиво и жирное, шипящее мясо — что может быть восхитительнее? Ставр бешено изголодался по острым чувственным ощущениям. Кейт с сочувствующей усмешкой смотрел, как он безрассудно приправляет мясо самой свирепой приправой из тех, что нашлась на столе. Отложив вилку, Ставр ел руками — очень ловко — и получал при этом особое удовольствие. Когда он закончил, услужливый хозяин принес миску с водой и полотенце, чтобы он вымыл руки.

Закурив, Ставр погрузился в созерцание жизни козы на дереве. Густо разветвленная крона с узкими жесткими листьями давала ей и пищу, и защиту от солнца. На черной морде козы глаз сверкал как стеклянная бусина — золотая с черной сердцевиной.

Созерцанию козы Ставр предавался вовсе не потому, что его не интересовало предложение Кейта. Американец, конечно, не случайно предъявил фотографию, где Ставр стоит рядом с Советником. Наверняка предложение будет связано с персоной Советника или с какими-то делами русской военной миссии в Сантильяне. Нет информации — Ставр ничего не знает о том, что произошло после гибели базы «Стюарт». Не имея фактов, чтобы заранее просчитать возможные способы защиты и нападения, Ставр решил, что ни на какие действия против своих Кейт его ни при каких обстоятельствах не поднимет, а по всем другим вариантам у американца есть шанс с ним договориться.

Хозяин унес грязную посуду и поставил на стол еще несколько бутылок пива и тарелку с солеными орешками.

— Для начала я попытаюсь убедить вас в том, что я не намерен давить на вас и хочу только сотрудничества, — сказал Кейт.

Ставр с любопытством посмотрел на Кейта.

У американца было широкое, крупное лицо, резкое и самоуверенное. Формально Кейта можно было признать красивым, но при этом он явно относился в той категории мужчин, которым трудно устанавливать длительные отношения с женщинами. Нежный пол отпугивают напористость и агрессивность стопроцентного мужчины, принципиально не желающего вникать в противоречивый мир тонких чувств. Ставр определил в Кейте охотника: в нем были четко обозначены признаки человека, активно реализующего свой поисковый инстинкт.

«Что бы ты сейчас ни наплел мне, Джек Кейт, — подумал Ставр, — я нюхом чую, что ты нашего поля ягодица. А это значит, что ты — ЦРУ».

— О'кей, Кейт, — сказал он, — можете грузить меня. Я готов принять информацию.

— Прежде всего, я частное лицо.

Взгляд Ставра выразил сомнение и намек на готовность принять такие правила игры, если Кейт сумеет его убедить.

— Я владелец компании «J.K. Kombat Sistems». Главный офис в Соединенных Штатах, город Пафкипси, штат Нью-Йорк, если вас это интересует. Я торгую предметами снаряжения и спецтехникой для коммандос и спецподразделений по борьбе с терроризмом. Кроме того, у меня есть небольшое предприятие по изготовлению снаряжения для пейнтбола. Если вы не в курсе, то это такая игра для больших мальчиков. Позволяет довольно реалистично имитировать боевые ситуации. Оружие стреляет желатиновыми шариками, наполненными краской.

— Я немного в курсе, — прервал Ставр. — Поздравляю, у вас отлично налаженный бизнес, сэр, но ближе к делу. Чем я могу быть вам полезен?

— Если бы я предложил вам убить одного человека, как бы вы на это прореагировали?

— Отрицательно. Я не наемный стрелок.

— Правильно. Я рассказываю вам о своем бизнесе потому, что хочу, чтобы вы поняли: я не пытаюсь нанять вас для ликвидации некоей персоны. Я ищу партнера или, если вам больше нравится, союзника для операции, в которой у нас с вами общий интерес.

— Звучит увлекательно. К сожалению, в данный момент я располагаю неограниченным количеством свободного времени, поэтому готов выслушать про все проблемы вашего бизнеса. Должны же вы получить за свои деньги хотя бы уши.

— Пожалуйста, вы имеете право не верить, но я действительно честный торговец оружием. У меня имеется федеральная лицензия, и я готов вам ее продемонстрировать.

— Честное слово, Кейт, за всю свою жизнь я не продал никому даже шнурков для ботинок. А как покупатель, в данный момент я некредитоспособен. Извините, но честному торговцу и фабриканту пейнтбола я абсолютно не нужен.

Ставр повел носом, как охотничий пес, который берет след верхним чутьем.

— Здесь пахнет ЦРУ. А что, разве нет?

— Отлично! — ухмыльнулся Кейт. — Я убедился, что местные острые приправы не отбили вам нюх.

— Рад, что доставил вам маленькое удовольствие. Но давайте пойдем дальше. Между нами есть один деликатный вопрос — деньги, которые получил за меня проныра Хиттнер. Это не были деньги честного торговца и фабриканта. Мы с вами уже выяснили, что моя интересная, с определенной точки зрения, личность не представляет никакой практической ценности для честного торговца и фабриканта. Это были деньги налогоплательщиков Соединенных Штатов Америки.

— Ну, насчет денег вы, возможно, и правы. Что же касается меня, то я не являюсь агентом

ЦРУ. Я бывший сержант сил специального назначения США и бизнесмен, который сам платит налоги. Но я, не хвастаясь, скажу, что доставил моим дружкам из Разведывательного управления столько полезных сведений, что если бы это было делом рук какого-нибудь структурного подразделения, то им добавили бы денег из бюджета и разрешили увеличить численность личного состава. А что здесь плохого? Я должен помогать своим друзьям, если хочу успешно заниматься бизнесом. В начале нашей беседы, кажется, было замечено, что вы не учитель пения...

— Ботаники, — уточнил Ставр.

— Но ведь и я не продавец розовых зайчиков. Я должен заботиться о том, чтобы на территории моего бизнеса не могла процветать никакая деятельность, наносящая ущерб моей стране.

— Как я вас понимаю, Кейт! — Ставр поднес к губам бутылку и глотнул пива. — Ну давайте наконец разберемся, кто тут наносит ущерб интересам Соединенных Штатов?

Кейт вытащил из того же верхнего кармана жилета несколько фотографий и через стол протянул Ставру.

— Для начала поиграем в игру «кого мы видим на этой картинке?» — сказал он.

Ставр изобразил на лице вежливую заинтересованность, давая понять, что имеющийся в прикупе у Кейта компромат вряд ли способен выбить его из седла.

Но это был не компромат, во всяком случае, компромат не на него. «Покер фейс» Ставра моментально исчезло, на его отменно породистой сухой физиономии напряглась сеть лицевых мускулов, на впалых щеках под запущенной щетиной заиграли желваки.

— Мать твою, когда это было снято?

— На всех фотографиях автоматически проставлены даты.

— Да, точно... Эта фотография была сделана неделю назад, а эти... — Ставр просмотрел даты на фотографиях, — в течение последнего месяца.

— Вы узнаете персону, которая изображена на этих фотографиях?

— Все, Кейт, шутки в сторону. Вы отлично знаете, что это мой шеф полковник Ширяев.

— А вот и нет. Это бизнесмен Генрих Майер. Год назад он купил недостроенную военную базу на берегу залива. Ваши строили ее для президента Бенина, но после переворота новое руководство оказалось нелояльным к России. Базу бросили, и Майер приобрел ее через посредника. В Сантильяне ваш шеф возглавлял филиал российского базара стрелкового оружия. Эти сведения я получил от моих друзей из ЦРУ после того, как он появился на моей территории. Его деятельность не устраивает меня как торговца средней руки, бизнес которого не способен выдержать борьбу с таким сильным конкурентом. К счастью для меня, деятельность Майера не устраивает также и других, более важных, людей. Места на мировом рынке оружия давно поделены, и война за передел сфер влияния никому из нас не нужна. А моих друзей из ЦРУ беспокоит, что Майер торгует с несколькими мусульманскими государствами, которым запрещена продажа вооружения и военной техники, и снабжает оружием колумбийских наркоделов и террористические группировки. Как видите, Ставр, он весьма рьяно участвует в раскачивании лодки и напрашивается на то, чтобы ему крепко дали по рукам.

— Но это дело пахнет международным скандалом!

— Не преувеличивайте, Ставр. За последнюю пару лет ваша страна подарила миру не одного такого предпринимателя, и все, знаете ли, как-то обходится. Вонь поднимается, если журналисты пронюхают, а это случается, только если работа выполнена неквалифицированно.

— В любом случае эта работа, Кейт, как у нас говорят, не на мою зарплату. Тут должен быть контакт на уровне больших боссов.

— Я понимаю, вы человек, воспитанный при тоталитарном режиме, и привыкли действовать только по указаниям своих начальников.

— В государственных учреждениях Соединенных Штатов бюрократия и субординация развиты не меньше, чем у нас. Что дальше?

— Вы способны признать, что у человека могут быть свои личные интересы?

— Я уже кое-что понял, Кейт. Вы мне изложили цели явные, ну давайте выкладывайте теперь тайные. В чем ваш личный интерес в этом деле кроме устранения конкурента.

— Я не хочу, чтобы дело Майера приобрело официальный характер. Сюда набегут зубастые парни из ЦРУ, каждый вцепится в свой угол одеяла и потащит его на себя. Регион, который я контролирую, лакомый кусок, и я запросто могу его лишиться. Кроме того, в будущем году кончается моя лицензия, а у меня есть сильные враги, и мне не так-то просто будет ее продлить. Поэтому я хочу оказать важную услугу кое-кому из моих друзей. Я преподнесу им дело Майера как отлично испеченный блин.

— И по какому рецепту вы собираетесь печь этот блин? — поинтересовался Ставр.

— С Майером должны разобраться свои. С вашей точки зрения, он бывший чиновник, ограбивший свою страну и удравший с награбленным. Москва всегда была крута на расправу, но в данном случае могут возникнуть проблемы. У мерзавца наверняка есть очень мощное прикрытие. Ведь оружие по-прежнему идет из России. Меня устроит любой сценарий операции, лишь бы русские взяли на себя и исполнение, и ответственность.

Ставр задумался. Он сидел, положив ноги на соседнее кресло, и машинально смотрел на козу, перебравшуюся с развилки дерева выше. Переступая раздвоенными копытцами по толстой ветке, она паслась, как на лугу.

— Я видел места, где были только песок и камни, — сказал Ставр, — козы там жевали полиэтиленовые пакеты. Я ничего не обещаю вам сейчас, Кейт. Я должен увидеть его базу.

— О'кей, я организую вам возможность взглянуть на все собственными глазами, — ответил Кейт. — Вам наверняка не терпится добраться до удобств цивилизации.

— Это точно. — Ставр выразительно поскреб под подбородком.

Закат был фантастическим. Раскаленный шар солнца отвесно падал в море. Ставр тысячу лет не видел столько воды и такого безумия красок. Неширокое, но весьма благоустроенное шоссе с засаженной пальмами разделительной полосой бежало берегом моря. Впереди прояснялись очертания города. Синева моря. Корабли в порту. Торговые улицы и отели в цивилизованном центре, отличные шоссе и белые, утопающие в зелени виллы европейцев и преуспевающих местных дельцов. На окраинах — кривые узкие улочки, в окнах грязных лавок тускло мерцают керосиновые лампы.

Кейт снимал апартаменты под офис и жилье в одном из отелей. Он называл это своей штаб-квартирой.

Войдя в офис, Кейт сразу направился к факсу и погрузился в просмотр сообщений, полученных в его отсутствие. Через другую дверь в комнату вошел чернокожий слуга. Кейт молча показал ему два пальца. Слуга вышел и снова вернулся прежде, чем его хозяин успел закончить чтение. Он поставил перед Ставром и Кейтом по стакану виски со льдом.

— Считаю, что на сегодня все мои обязанности по отношению к вам выполнены, — сказал Кейт, подходя к столу, возле которого Ставр рухнул в мягкое кресло на колесиках.

Кейт сунул руку в один из своих многочисленных карманов, достал перегнутую пополам и стянутую резинкой пачку денег, отсчитал несколько купюр и положил на стол перед Ставром:

— Решите сами, как вам провести сегодняшний вечер. А мне надо заняться делами.

Ставр с интересом посмотрел на деньги.

— Будьте уверены, Кейт, — сказал он, — я потрачу ваши доллары с максимальным толком. Но я не уверен, что бармены, проститутки и водители такси предоставят мне чеки, которые вы сможете подколоть к отчету о расходовании наличных сумм.

— На этот счет можете не беспокоиться, — улыбнулся Кейт. — Вместо чеков я предоставлю фотоматериалы.

— В таком случае я хочу для начала вымыться, побриться и сменить одежду. Иначе репортаж не потянет на пятьсот долларов.

— Луиш поможет вам решить все проблемы. Он вас побреет и пострижет и даже вымоет. Дайте ему денег и объясните, что вы хотите из одежды, Луиш все купит.

Ощущение, которое испытал Ставр, погрузившись в ванну, было сравнимо только с оргазмом. Каждая пора засасывала воду, как насос. Ему даже показалось, что уровень воды в ванне понизился — тело впитывало ее, как кусок поролона. Через несколько минут мускулы расслабились. Он ушел в бездумное блаженство плода в утробе матери.

Прошла целая вечность, прежде чем Ставр пошевелил пальцами ног.

11

Слава Богу, кончились те времена, когда достать кирпич или доски для пола было неразрешимой проблемой. Нынче базы ломились от разнообразного строительного материала — только плати. А цены были ломовые. Для того чтобы отстроить заново усадьбу, Шуракену пришлось бы выложить бо́льшую часть денег, полученных за сантильянский контракт.

Правление леспаркхоза предложило Шуракену должность главного лесничего. Когда, по колено в снегу, Шуракен добрался до заброшенной «резиденции» своего предшественника, то увидел почерневший сруб без крыши, с проломами окон. На первый взгляд сруб казался крепким старичиной, которому сноса нет. Но, постучав по бревнам пяткой топора, его новый владелец понял, что сердцевина превратилась в труху.

Шуракен начал готовиться к строительству нового дома. Для деловых поездок он купил в Южном порту «Ниву».

Поселковые заметили, что каждый день эта заляпанная грязью темно-зеленая «Нива» ненадолго останавливается возле «Колоска».

Нинка не забыла обиды. Обслуживая Шуракена, она была с ним подчеркнуто официальна и жестоко неразговорчива. Поселковые тетки ужасно переживали, что Нинка гнобит хорошего мужика, и осуждали ее: Бог знает что о себе воображает. Факт ежедневной покупки Шуракеном батона хлеба и колбасы обсуждался поселковой общественностью наряду с перипетиями мексиканских сериалов.

Шуракен постепенно втягивался в новые дела и заботы. В лесу как раз между усадьбой и задними дворами поселка он наткнулся на вольер с пятнистыми оленями. Штук семь самок и два рогача-самца, один матерый, второй помоложе, лежали или, разрыв снег, ковыряли копытами мерзлую землю. Олени, рыжеватые, в белых пятнышках — будто в солнечных бликах, — сначала показались Шуракену очень красивыми, но, присмотревшись к ним, он понял, что животные истощены до предела. Они тихо стянулись к нему и стояли, отделенные сеткой, как покорные узники, утратившие надежду на милосердие. В их прекрасных темных глазах горел исступленный огонь голода.

Посреди вольера издевательски красовалась затейливая кормушка с резными коньками на крыше. Столбы и доски яслей были изглоданы. У Шуракена защемило сердце от жалости и гнева. В первый момент он собрался сбить с ворот вольера замок и выпустить оленей, чтобы сами нашли себе корм в лесу. Но затем решил разбираться с этой ситуацией иначе. От вольера он пошел прямо в правление леспаркхоза.

— Ты че, Ярцев, разошелся из-за этих козлов? — искренне удивился директор. — Пробовали мы их выпускать — не уходят они в лес, паразиты. Привыкли на всем готовом. Одна головная боль от них. А кормить их — в бюджете на них статьи нет. Вначале указание спустили охотхозяйство организовать, а тут перестройка. Слава Богу, кабанов привезти не успели.

— Но кормить все равно надо. Живые же твари!

— Живые, согласен. Вот ты этим и займись. Ты у нас главный лесничий? Значит, олени теперь твои.

Понятно. Шуракен зачалил к «Ниве» прицеп и поехал в Москву на ипподром за сеном. Заплатил наличными, привез. Набил кормушку, посмотрел, как олени накинулись на корм, и пошел рубить орешник и тонкую березовую молодь. Навязал из веток веников и развесил под крышей кормушки.

Через несколько дней Шуракен договорился, что на ипподроме ему продадут десять тонн некондиционного сена, выписал счет и явился с ним в правление. С директором столкнулся на крыльце. Тот торопился.

— Нет у меня сейчас времени заниматься твоими козлами, — заявил он Шуракену. — Иди к главбуху. Если она согласится оплатить, я подпишу.

Директор подхватил длинные полы своего недешевого кожаного пальто на меху, загрузился в «вольвешник» и с пробуксовкой стартанул за поворот мимо скульптуры оленя из раскрашенного гипса.

Главный бухгалтер Верка и директорская секретарша Райка обрадовались появлению Шуракена. На гулянке по случаю его возвращения Нинка их, можно сказать, умыла. Но теперь на своей территории они, особенно Верка, почувствовали себя хозяйками положения.

Улыбаясь приятному посетителю, Верка рассказала ему, как ей очень даже жаль бедных оленей. Но она не собиралась в ущерб своим интересам слишком быстро найти деньги на покупку сена. Шуракена пригласили зайти завтра.

Назавтра Верка улыбалась еще откровеннее. Стройная Райка впорхнула в бухгалтерию с горячим чайником. Обе были разодеты, как на Восьмое марта, а запах духов вился вокруг Шуракена даже тогда, когда он вышел на улицу.

Проблемы он не решил.

В следующий раз Верка посетовала на то, что вторые сутки без сна рассчитывает зарплату рабочим лесопилки. Уговаривая заглянуть завтра, она то и дело поглядывала на экран видеосистемы, где шла «Эммануэль», потом вновь переводила взгляд на Шуракена и опускала ресницы с каким-то сокровенным выражением.

Пытаясь оттянуть момент, когда снова придется ехать на ипподром и за наличняк покупать краденый корм, Шуракен каждое утро лез с топором в занесенный снегом орешник. Заготовка веников для оленей с успехом заменяла привычную физзарядку.

Очередной визит в бухгалтерию ознаменовался маленькой победой. Главбух изыскала возможность оплатить две тонны сена. Райка кому-то ехидно заметила по этому поводу, что к тому времени, когда Шуракен получит свои десять тонн, ему придется жениться на Верке.

Весть распространилась. Уже на следующий день поселковые тетки предупредили Нинку, что того и гляди стервы из «управы» уведут у нее мужика.

— С чего вы взяли, что он мой? — спросила Нинка.

— Ну твой или не твой, а каждый день у тебя колбасу покупает. Это что, просто так, что ли? — ответила баба Маня.

— Да у меня тут полпоселка каждый день за водкой толчется. Что мне теперь, за всех замуж выходить? Пусть Райка с Веркой хоть из трусов выскочат, мне наплевать.

Через пять минут на дверях «Колоска» висел замок.

Баба Маня увидела, как Нинка в своей импортной дубленке несется в направлении «управы», разбрызгивая каблуками мокрый снег на дороге.

Канитель с оплатой сена наконец сдвинулась с мертвой точки. За подписанным счетом Шуракен явился с тортом и бутылкой вина.

— Как это понимать? — надув губки, спросила Верка и посмотрела на него из-под старательно удлиненных особой тушью ресниц. — Нет, я не могу это принять. И так уж всякое болтают.

Шуракен уже знал про «вольвешник» директора, полученный от созидателей особняков из красного кирпича в благодарность за проданный под застройку лес. Поэтому он чуть было не пошутил, что даже следствие не признает взяткой торт и бутылку вина, но вовремя прикусил язык, заметив висящий на вешалке Веркин полушубок из черно-бурой лисицы.

Верка имела в виду совсем другое. Она взяла ножницы и — чик! — разрезала шпагатик на коробке с тортом.

— Чтобы про нас на поселке не болтали лишнего, — вздохнула она, — придется нам, Сашуля, пригласить на чай Райку.

Шуракен быстро прикинул, что раз женщин за столом будет двое, то, оставаясь пить чай, он ничем не рискует, а если от чаепития откажется, то определенно заплатит за остальные восемь тонн сена свои деньги.

Желтая штора на окне бухгалтерии была задернута. Горела настольная лампа. Верка и Райка разомлели от сладкого вина, кремового торта и душевного сердцебиения. Коленка главбуха прижималась к ноге Шуракена. Верка бросала на Райку гневные взгляды, но секретарша не спешила исчезать. Шуракен не забывал подливать ей вина, подносил огонь к сигарете, разговор складывался интересный, без неловких пауз. Она была на целых три года моложе Верки. Сознавая свое преимущество, молодая особа то натягивала сокровенными движениями на тощие бедра короткую юбку, то смотрела на Шуракена с девичьим восторгом — в общем, демонстрировала, что она еще совсем свежак.

До конца рабочего дня оставалось минут сорок. В это время никто в правление ни за каким делом уже не сунулся бы — поздно. Но дверь «предбанника» вдруг хлопнула, и гневно застучали каблуки.

Райка и Верка переглянулись, без слов мгновенно заключив договор о перемирии, дружбе и взаимопомощи против общего врага.

Дверь резко распахнулась. Через порог в бухгалтерию шагнула Нинка. Лицо у нее горело, выбившиеся из-под шали волосы завились кудрями, как после бани. Райка с Веркой сразу догадались, что она не на попутке подъехала, а проскакала полкилометра до правления на своих каблуках.

— Стучаться надо, — сказала Верка. — Здесь тебе не магазин, чтоб двери ногами открывать.

— А что такое? Помешала чаи гонять или винище пьянствовать? А-а, у вас дорогой гость в светелке.

— Тебе чего надо, Нин? — спросила Верка.

— Машина мне нужна на завтра на базу ехать.

— Ты что, с дуба рухнула? Не знаешь, что машину с утра надо заказывать? И вообще, рабочий день уже кончился.

— Полчаса еще до конца рабочего дня. Давай, Райка, бумагу, я заявку на машину напишу.

Райка вопросительно глянула на Верку и, получив поддержку, осталась сидеть на месте.

Нинка машинально уперла руки в бока.

— Ну, что, — спросила она, — работать будем или развратом заниматься?

Шуракен встал из-за стола:

— Спасибо, девочки. Хорошо с вами было, но мне пора.

Не глядя на Нинку, он вышел.

В воздухе остро пахло морозцем и хвоей. Из окна бухгалтерии на сугроб падал желтый прямоугольник света. Мирная картина — если б стекла не звенели от пронзительных женских голосов.

Шуракен спустился с крыльца, достал сигареты, закурил. Потом подошел к «Ниве», попинал баллоны и привалился к крылу.

Нинка решила руганью не особо увлекаться — не доставлять управленческим стервам лишнее удовольствие. Она ушла победительницей. Но в ней все еще клокотало от возмущения, когда она вышла на крыльцо и увидела Шуракена и его «Ниву».

— Ждешь? — бросила она. — Ну иди, возвращайся к своим... Нашел красавиц — у одной ноги как макаронины, у другой голос, как у кошки, и обе пробляди такие, что любому дадут, кто попросит.

— Садись. — Шуракен открыл дверь машины и бросил окурок в снег.

Нинка не заставила просить дважды. Она села в машину с достоинством высокой статной женщины и скинула с головы шаль. Закрыв ее дверь, Шуракен обошел «Ниву» и забрался за руль.

Овдовев, Нинка теперь самостоятельно выгребала на стрежень жизни. Уровень «Колоска» обидно не соответствовал ее размаху, но, чтобы начинать собственное дело, была нужна поддержка, защита, потому что в этом приспособленном под мужиков мире женщине в одиночку не пробиться. Когда в поселок вернулся Шуракен, Нинка решила, что дождалась наконец своей судьбы, но что-то между ними не складывалось. Судя по той сцене, которую она застала в правлении, разбираться с этим надо, не теряя времени, иначе она рискует потерять свое счастье.

Темное, уже совершенно ночное шоссе бежало через лес. На повороте Нинка сказала:

— Саша, мы с тобой вроде не чужие, да? Могу я напрямик спросить?

— Можешь.

Шуракен снизил скорость.

— Ты все еще обижаешься, что я не дождалась тебя, когда ты уехал в училище? Но это же было десять лет назад. Мы были такие дураки, ничего про жизнь не понимали. А ты даже не сказал, что хочешь, чтобы я тебя ждала.

На отрезке прямой дороги между поворотами Шуракен съехал на обочину и остановил машину.

— Нина, — сказал он, — я никогда не забывал тебя. Я скучал по тебе, а в последней командировке понял, что ты единственная женщина, которая нужна мне.

— Тогда почему...

Шуракен не знал, повернется ли у него язык сказать, что он не уверен в себе как мужчина.

Шуракен мог ничего Нинке не объяснять, отболтаться как-нибудь и отвезти ее домой. Но так же, как и Нинка, он чувствовал, что сейчас решается их жизнь. Нинка не из тех, кто будет скромно стоять в сторонке и ждать. Она или получит все, что ей надо, или закроет вопрос раз и навсегда. В то же время она честная и надежная.

— Нина, — сказал он, — ты знаешь, я не буду навешивать ни на кого те проблемы, с которыми должен справиться сам. Но я боюсь, что очень обидел тебя тогда. Да и сегодня нехорошо получилось. В общем, чтоб ты не брала себе в голову всякую муть, я тебе скажу все как есть.

У Нинки от такого предисловия возникли самые дурные предчувствия. Она испугалась. Сейчас Шуракен скажет, что он женат и, как только построит дом, привезет сюда другую женщину. Нинка приготовилась с достоинством выдержать крах своих надежд.

— В конце командировки мы с моим напарником случайно попали в зону военных действий.

— Как? — удивилась Нинка. — Я думала, что после Афганистана наши уже нигде на чужой земле не воюют.

— Я и не воевал. Мы готовили специалистов по антитеррористическим операциям и в зону боевых действий попали случайно. В общем, Олег, мой напарник, погиб.

Нинка была готова пожалеть этого незнакомого парня, друга Шуракена, но в то же время она испытывала огромное облегчение от того, что худшие предчувствия не оправдались. Никаких женщин на горизонте вроде не намечалось.

— Я получил серьезную контузию, — нехотя продолжил Шуракен, — а при этом так бывает, что...

— Что?

— Минздрав предупреждает, что контузии вредны для здоровья. От этого случаются заикание и проблемы в личной жизни.

— Господи, так... Вот в чем дело. Бедный мой...

Нинка попыталась обнять Шуракена, но он резко отстранился:

— Вот только соплей не надо. Ненавижу эти ваши бабские штучки. Тебе не калека нужен, а мужик. Только так у нас с тобой и будет. Наши лекари сказали, что если будут проблемы, я могу приехать в санчасть — помогут.

— Значит, ты не знаешь, так это или не так?

— Нет.

— Поехали домой.

Все оказалось не так уж плохо, хотя особых оснований гордиться собой у Шуракена не было. Он повернулся на спину. Нинка положила голову ему на плечо и обняла. Они лежали в темноте, привыкая к близости своих тел.

— Не понимаю, почему мы не занялись этим еще в десятом классе? — тихо сказала Нинка. — Такие были дураки... столько времени потеряно. Обидно, да?

«Смотря с какой стороны посмотреть, — мысленно ответил Шуракен. — Если бы мы с тобой тогда начали, ни в какое училище я бы не поступил, а пошел бы на срочную. Ты бы мне два года письма писала, я бы вернулся и женился на тебе — и все дальше было бы, как у всех здесь. Не было бы ни войны, ни Африки... ни Ставридаса».

Нинка почувствовала, что хоть Шуракен ничего не сказал, но подумал о чем-то своем, противопоставил ее законному простому бабьему счастью нечто непонятное и враждебное. Скрытая за завесой молчания прошлая жизнь по-прежнему имела над Шуракеном очень сильную власть. Вещее женское сердце говорило Нинке, что за свое счастье еще придется побороться.

— Радость моя, — прошептала Нинка, — как мне хорошо. Ты такой большой, с тобой так спокойно. Я хочу, чтобы ты был самым уважаемым человеком в поселке. Ты сильный, умный. Славка Морозов против тебя всегда был ноль.

— Ну уж нет! Сразу предупреждаю: на карьеру не рассчитывай, я повидал вождей и в это говно не полезу.

— Тебе видней. Я знаю, чем бы ты ни занялся, ты добьешься своего. А я буду любить тебя. Ты еще не знаешь, как я умею любить...

Рука Нинки скользнула вниз.

— Я во сне тебя видела со стоящим на меня членом, — шептала она. — Признайся, Сашка, у тебя француженки были?

Шуракен невольно засмеялся:

— Нет, француженок не было.

— А кто был?

— Ну... мулатки были.

— Мулатки — это такие смугленькие девочки-шоколадки, ужасно развратные, да? Куда бедной Нинке до них! Какие тут любовники? Сунул, вынул и побежал — вот и вся любовь. Давай, Ярцев, покажи, чему тебя мулатки научили.

Нинка поднялась на постели и перекинула ногу через бедра Шуракена. Ее соски щекотали его грудь. Нинка наклонилась ниже, нашла губы мужчины и стала целовать короткими дразнящими поцелуями. Ее горячая, влажная плоть то насаживалась на ствол Шуракена, жадно охватывала его навершье, то отступала, заставляя устремляться вверх, следом за ней. Шуракен обхватил Нинкины бедра и ягодицы. Он притягивал ее к себе, стараясь не дать ей ускользнуть, оторваться от него. Но хитрая Нинка играла с ним, как кошка с мышью: прихватит нежной и жестокой лапой — отпустит... Эта игра приводила Шуракена в дикое возбуждение.

Нинку вдруг подбросило вверх, как однажды,

когда в детстве она упала со вставшей на дыбы лошади. Вмиг она опрокинулась на спину, и сильное, страстное мужское тело накрыло ее. Узкие твердые бедра, как клин, развели ноги. Нинкины колени сжали бока Шуракена, пальцы вцепились ему в плечи. Нинка почувствовала, как тянущая пустота внутри нее заполнилась.

12

Мощный «Ренджровер» на хорошей скорости шел по обширной долине, пересеченной многочисленными следами колес. На месте высохших озер среди камней и причудливых глинистых гребней светлели грязно-серые клочья солончаков.

На покрытом плотным слоем пыли лобовом стекле отчетливо выделялся расчищенный «дворниками» сектор. Окна и люк были закрыты, кондиционер держал внутри кабины приятную прохладу.

Арисса сидела, откинув назад спинку кресла и упершись подошвами коротких сапожек в приборную доску. Боковым зрением Макс видел ее колени, на которых натянулась ткань свободных полотняных брюк. Слегка повернув голову, он мог наблюдать, как под тонкой черной майкой Ариссы прорисовываются тугие груди. Майка с узкими бретельками оставляла открытыми изящные плечи и длинные, гибкие руки. Воспоминания о том, как эти руки стимулировали его страсть, были еще очень свежи.

Прежде Арисса была порнозвездой, несколько месяцев назад хозяин Макса выкупил ее у импресарио и привез к себе в «Гранд Риф де Корай» в качестве безумно дорогого породистого животного. С прошлых времен у Ариссы сохранилась куча омерзительных привычек и полное отсутствие тормозов. Ее выходки действовали Максу на нервы.

Но эта проклятая сука распространяла вокруг себя заразные сексуальные флюиды такой концентрации, что рядом с ней любой мужчина начинал беситься, ощущая в себе суперсамца. Хозяин взял ее с собой на охоту, потому что там ему устроили встречу с нужными людьми и он рассчитывал, что присутствие Ариссы вызовет у них размягчение мозгов и они станут сговорчивее. Трудно сказать, какую роль сыграли чары Ариссы, но проект аферы с крупной партией оружия показался новым деловым знакомым хозяина настолько интересным, что они приняли приглашение продолжить переговоры в его резиденции на базе «Гранд Риф де Корай».

Когда боссы со своими телохранителями забрались в вертолет, обнаружилась перегрузка. Кто-то должен был покинуть борт. Макс сказал, что не имеет ничего против прогулки на машине.

— Меня уже тошнит от вертолетов, — вдруг заявила Арисса и залезла в машину Макса.

Таким образом, поездка на охоту сложилась для Макса исключительно удачно. Его трофеи — две головы воинов племени Ва-за-Банга — лежали в резиновых мешках в багажнике «Ренджровера». К тому же Арисса сочла, что из всех имеющихся в пределах досягаемости мужчин он является наиболее подходящим партнером для реализации сексуальной энергии, накопленной во время опасной и ни с чем не сравнимой по жестокости охоты на людей Ва-за-Банга, покрытых цветными рубцами магических татуировок и черных как дьяволы.

Макс вспоминал неожиданные позы, которые принимало гибкое тело Ариссы, давая ему возможность насладиться зрелищем входящего в нее члена, и самодовольно ощущал, что его дружок не успокоился и только ждет команды. Это возбуждало его мужское тщеславие. Макс подумывал, не показать ли еще раз наглой суке, что с Сибирью шутить не стоит. Он помнил, как пацаном в своем родном Омске ходил с отцом в баню и там мужики на спор поднимали членом чайник с водой; папаша был в этом деле непревзойденный чемпион.

Так и не решив, стоит или не стоит ему еще раз отодрать Ариссу, Макс вытащил из кармана зеленовато-серой кивларовой бронекуртки с короткими рукавами плоскую бутылку джина и, свинтив пробку, поднес к губам.

— Будешь? — глотнув, предложил он Ариссе.

— Я не пью солдатского пойла.

— Как хочешь.

Макс сделал еще глоток и убрал бутылку. Рука в черной кожаной перчатке с обрезанными пальцами решительно опустилась на бедро Ариссы.

— Убери свою поганую лапу! Не воображай, что тебе будет обламываться всякий раз, когда у тебя заторчит.

Не убирая руку, Макс ухмыльнулся — и получил хлесткий удар тыльной стороной ладони по глазам.

— Сука, блядь! — по-русски заорал Макс и невольно выпустил руль.

Машину бросило в сторону.

— Русская свинья! — огрызнулась Арисса.

— Никогда больше так не делай, — мрачно сказал Макс.

— Да пошел ты в задницу!

Арисса не ограничилась бы этим заявлением, если бы ее внимание не переключилось на стоящие впереди поперек дороги грузовик и легковую машину. Возле них двигались люди, но Макс и Арисса были еще слишком далеко, чтобы разглядеть, что там происходит.

— Лучше объехать, давай сворачивай, — приказала Арисса.

— Здесь я решаю, что делать.

Макс продолжал вести «Ренджровер» по наезженной колее. Приблизившись, они увидели человек семь африканцев в военной форме, обыскивавших троих белых, среди которых была женщина.

— Что происходит, мать твою? — спросила Арисса.

— Наверно, проверка документов.

Солдаты оттащили отчаянно сопротивляющихся белых от их машины и открыли по ним огонь из автоматов. Корчась от попадавших в них пуль, двое мужчин и женщина повалились на землю. Черные подошли к ним и добили выстрелами в упор.

— Посмотри, что эти гады сделали! — завизжала Арисса. — Они же убили их!.. Убили белых!

Солдаты стояли на дороге и смотрели на приближающийся «Ренджровер».

— Сейчас не будь идиоткой, — сказал Макс, — делай то, что я тебе прикажу.

— У меня есть револьвер.

— Не вздумай им пользоваться.

Макс вытащил из кобуры на бедре «Магнум-44», в барабане которого сидели шесть патронов, и положил револьвер между сиденьями. Затем он передвинул под руку ножны на поясе и до половины вытащил нож.

— Когда я прикажу «ложись», быстро пригнись под щиток.

Макс сбросил скорость и спокойно подъехал к солдатам. Казалось, его ничуть не волновало то, что у него на глазах они только что расстреляли людей из легковой машины. Двое черных с разных сторон подошли к «Ренджроверу».

Макс вдавил клавишу на приборной панели, стекло левого окна опустилось. Черный оперся на дверь «Ренджровера» и попытался заглянуть внутрь, его напарник наклонился к противоположному окну, во все глаза пялясь на Ариссу.

— Покажите документы.

Макс сделал вид, что лезет в боковой карман жилета. Левой рукой он выхватил нож и, коротко размахнувшись, всадил солдату в яремную впадину.

— Ложись!!! — заорал Макс.

Арисса нырнула вниз и обхватила руками голову.

Правой рукой Макс схватил лежащий между сиденьями револьвер и выстрелил в черную морду за стеклом противоположного окна.

На Ариссу обрушились осколки стекла и полетели брызги крови.

Макс распахнул дверь и выскочил из машины. Он даже не пытался укрыться за «Ренджровером». Стоя во весь свой под метр девяносто рост и держа револьвер полицейским способом — в обеих руках, — он сделал первые три выстрела. Все три попали в цель. Макс перевел прицел на следующего солдата. Тот попытался опередить его очередью из автомата, но пуля Макса разорвала ему грудь.

Последний оставшийся в живых черный в ужасе отбросил автомат и кинулся бежать. Ему казалось, что револьвер высокого белого человека уперся ему в спину. Он просто чувствовал ствол между лопаток.

Но Макс уже вернул «магнум» в кобуру, хотя в барабане оставался еще один патрон. Он спокойно смотрел, как солдат несется, прыгая из стороны в сторону, словно антилопа.

Не слыша больше стрельбы, Арисса подняла голову.

Макс открыл дверь багажника, достал кожаный чехол и расстегнул на нем молнию.

Черный почти перестал шарахаться. Он понимал, что дистанция уже слишком велика, чтобы попасть в него из револьвера.

Арисса вылезла из машины и наблюдала, как Макс быстро и точно собирает винтовку. Ствол был уже навинчен. Макс вытащил из чехла оптический прицел и вставил его в продольные парные бороздки на покрытом специальным матовым напылением корпусе оружия.

Почувствовав себя вне опасности, черный замедлил бег. Он задыхался от напряжения и ни с чем не сравнимой радости спасения.

Макс вложил в патронник один патрон, защелкнул затвор и поднял винтовку к плечу. Поведя стволом, он поймал черного в прицел. Оптика приблизила цель, и Макс увидел, как черный повернулся к нему лицом и сделал общепринятый оскорбительный жест. Палец Макса плавно нажал на спуск.

Крупнокалиберная пуля попала черному в середину груди и вышла через спину, вырвав кусок позвоночника. Фигура, едва различимая в желтовато-сером пространстве долины, рухнула и больше не поднималась.

— Хочешь присоединить его башку к своей коллекции, Макс? — спросила Арисса. — Интересно, зачем они тебе понадобились? А, поняла — два пальца в ноздри, и можно в кегельбан ходить.

Макс хмуро посмотрел на нее, разобрал винтовку и уложил в чехол. Он был серьезный человек, и чувство юмора у него напрочь отсутствовало.

Теперь путешествие стало менее комфортабельным: из-за разбитого стекла кондиционер не справлялся с жарой в салоне. Вскоре Арисса начала брезгливо принюхиваться.

— Что за дрянью от тебя несет? — спросила она.

— Это от тебя.

— Придурок, ты хочешь сказать, что от меня может так вонять?!

— Да.

— Совсем рехнулся? Даже если я год не буду мыться, от меня не пойдет такой вони! Что, мать твою, воняет?

— Мозги.

— Чьи мозги, твои? Ты что, не сдержался и случайно о чем-то подумал? Останови машину, скотина, надо посмотреть, наверно, развязался мешок, в котором ты везешь свои поганые головы.

— Это не головы. Воняют мозги того черножопого, которого я пристрелил возле машины. Его мозги попали тебе на волосы и майку.

Арисса мгновенно содрала с себя майку и вышвырнула в окно. Но это не успокоило ее. Она завизжала и начала биться, как будто сбрасывала с себя несуществующих насекомых. Никто не смог бы вести машину, имея рядом совершенно слетевшую с тормозов психопатку. Макс остановил «Ренджровер» и выволок брыкавшуюся Ариссу из салона, она успела его укусить. Макс дал ей пару затрещин — исключительно в терапевтических целях — и привел бывшую порнодиву в чувство, вылив ей на голову канистру драгоценной пресной воды.

Всю оставшуюся дорогу они молчали. Макс был рад, что, разрядившись, Арисса впала в мрачное оцепенение. Макс не любил трепаться, а сейчас вообще онемел, потому что любое слово могло спровоцировать Ариссу на возобновление истерики.

Наезженный машинами трек вывел на шоссе. По обеим сторонам появились низкие пальмы и густые заросли пыльной зелени. Вскоре Макс свернул с основной магистрали на узкое ответвление. В конце оно делало резкий зигзаг. Повороты были намеренно спланированы с таким расчетом, чтобы вынудить водителя сбросить скорость. После последнего поворота короткий отрезок шоссе упирался в глухую плиту ворот. Ни одна машина не сумела бы набрать на этой дистанции скорость, достаточную, чтобы протаранить их. Железобетонная стена с растянутой поверху спиралью колючей

проволоки, бронированные ворота и зигзагообраз-
ная дорога были первым оборонительным сооружением базы «Гранд Риф де Корай». Макс остановил «Ренджровер» и, нетерпеливо постукивая
пальцами по рулю, стал ждать, когда охрана
опознает его машину и откроет ворота.

— Может, дать тебе мою куртку или майку? —
хмуро спросил он, покосившись на обнаженную
грудь Ариссы.

— Пошел в задницу, — вяло огрызнулась та.

Тяжелая плита ворот отъехала в сторону. За ней
открылось абсолютно голое пространство, в дальней точке которого торчал небольшой стеклянный
павильон. Позади него синело море.

Проехав через ворота, Макс кивнул охраннику
в пятнистой униформе, вышедшему из двери дежурного помещения.

Солнце ослепляло, отражаясь от стеклянных
плоскостей павильона. Перед ним располагалась
выложенная бетонными плитами автостоянка. Когда Макс вынимал чехол с винтовкой, возле машины появился человек в светлых брюках и белой
рубашке с короткими рукавами. На кармане висела карточка с надписью «security». Макс отдал ему
ключи от автомобиля.

— Отгони машину в гараж, пусть вставят стекло. А мне подгони другую. Я поеду в город. —
Макс забросил на плечо лямку баула и направился к стеклянному павильону.

Ниже автостоянки располагалась круглая пло-
щадка для посадки вертолета. Сейчас там находился вертолет хозяина, он был того непередаваемо
роскошного, глубокого черного цвета, какой от-
личает обычно очень дорогие автомобили. С высоты автостоянки открывался вид на четко разделен-
ную на две зоны базу «Гранд Риф де Корай». Большую ее часть составляла утопающая в постоянно
орошаемой фонтанами зелени резиденция босса.
Центром последней являлся двухэтажный бело-ро-

зовый дом — сверху была видна его покрытая палевой черепицей кровля. Стена из глыб дикого камня отделяла резиденцию от второй, прибрежной зоны. Там стоял дом для обслуги, у самого причала были смонтированы два сборных металлических ангара того невыразительного серо-голубого цвета, который в каталогах красок обозначается как цвет «NASSA». От причала в глубину залива уходили два пирса. У одного из них покачивалась на ленивой волне яхта, к другому сейчас швартовался сторожевой катер.

Арисса догнала Макса у дверей павильона, и они вместе вошли в прохладное помещение, приятно затененное тонированными стеклами. Внутри павильона был лифт.

Макс и Арисса вошли в стеклянную кабину. Она бесшумно заскользила вниз по прозрачному элеватору, смонтированному на отвесном срезе скалы.

Обсаженная пальмами и непрерывно цветущими деревьями аллея вела к прекрасной вилле из бело-розового мрамора, гармоничной и весьма респектабельной архитектуры.

Дежуривший в вестибюле охранник в белой рубашке с короткими рукавами и узким черным галстуком внешне никак не прореагировал на появление полуголой Ариссы.

— Господин Карин, — обратился он к Максу, — господин Майер приказал вам явится к нему сразу, как только вы приедете.

— Я понял. — Макс сбросил с плеча баул и, опустив его на пол, положил сверху чехол с винтовкой. — Позаботьтесь, чтобы кто-нибудь отнес это ко мне.

Макс поднялся в офис.

— Фанхио, где хозяин? — спросил он высокомерного молодого человека в очках «лектор», исполняющего обязанности секретаря, но предпочитающего называть себя бизнес-организатором.

— Господин Майер в баре со своими гостями. Сейчас я сообщу ему о вашем приезде.

Выслушав по телефону ответ Майера, Фанхио важно сказал:

— Господин Майер приказал, чтобы вы подождали его, он сейчас подойдет.

Фанхио боялся Макса, но из-за самолюбия старался скрыть, что его бросает в дрожь при виде высокого, атлетически сложенного русского с малоподвижным мрачноватым лицом и жесткими серыми глазами.

Хозяин появился в офисе быстрее, чем Макс ожидал, услышав от Фанхио, что тот занят с гостями. Значит, дело не терпело отлагательства.

Едва открылась дверь, все преувеличенное высокомерие Фанхио как ветром сдуло. Он вскочил и замер в позе, выражающей одновременно угодливость и деловитость.

В офис вошел человек, еще месяц назад руководивший русской военной миссией в Сантильяне. За это время функционер КГБ полковник Ширяев стал независимым предпринимателем, владельцем одного из самых опасных и доходных бизнесов. После путча ГКЧП Советник окончательно убедился, что реставрация тоталитарного режима уже невозможна. Великая империя разваливалась, на глазах превращаясь в Великий Хаос. По Комитету госбезопасности был нанесен сокрушительный удар, и среди тех, кто пожал плоды победы над монстром, был и Советник: теперь Контора не могла контролировать каждое его движение. На подставное лицо он приобрел базу «Гранд Риф де Корай», которую русские специалисты строили в соседней республике для ее тогдашнего президента. База сооружалась как одна из секретных резиденций главы республики и была оборудована всем необходимым, чтобы отсидеться в случае мятежа или на худой конец бежать отсюда из страны. Однажды он так и сделал: тайно покинув страну, беглый «Великий Кормчий» обосновался в одном из замков, которых за время правления штук пять настроил в Европе. «Гранд Риф де Корай» перешел к Советнику со всем оборудованием, транспортом и даже русскими охранниками. Единственное, что он сделал, — это смонтировал на причале два ангара, которые были нужны ему под склады. Но «Гранд Риф» еще целый год ждал прибытия своего настоящего хозяина. В это время Советник развивал самостоятельные связи в сфере торговли оружием и прокладывал надежные банковские коммуникации. Он так ловко манипулировал банковскими счетами, что его российские боссы весь этот год были уверены, что деньги, полученные за проданное ими имущество бывшей Советской Армии, крутятся в европейском бизнесе и приносят им доход. Получив предупреждение о ревизии его деятельности в Сантильяне, Советник в один ход завершил тщательно подготовленную аферу. Во время бомбардировки резиденции президента Агильеры полковник КГБ Ширяев окончил свое существование под пылающими развалинами виллы и как Феникс возродился в крупном дельце Генрихе Майере.

Сегодня, вернувшись с охоты, Советник получил сообщение, которое привело его в бешенство. Он приказал прислать к нему Макса сразу, как только тот вернется на базу. Макс Карин был его собственной разведкой специального назначения и силой быстрого реагирования, но даже Макс, как и все на базе, не знал, что хозяин — русский.

— Пойдем в кабинет, — игнорируя выразительную позу Фанхио, бросил Советник Максу.

Кабинет Советника был обставлен в современном деловом стиле. Единственное, что выдавало индивидуальность хозяина, — это стеклянная стойка с коллекцией носовых автомобильных фигур. Центральное место занимала та крылатая девушка «Эмили» с радиатора «Роллс-ройса», которая стояла у него на столе в штаб-кваритире русской военной миссии в Сантильяне. Теперь коллекция была выставлена целиком. Золотой орел, изящная серебристая гончая, прыгающий ягуар, косолапая бульдожка, богиня Скорости, Триумфатор с лавровым венком и еще десяток статуэток были продуманно расставлены на полках. Примечательно, что ностальгический олень с капота «Волги» тоже обрел свое место среди этих дорогих талисманов, призванных заявить о благородной породе автомобилей.

Как всегда, лицо Советника не выдавало его эмоций — это уже давно стало профессиональным качеством и почти не зависело от его воли. Что же касается Макса, то он никогда не строил никаких предположений на основании таких ненадежных фактов, как выражение лица хозяина. Он просто ждал информации и приказа.

— Турецкая таможня арестовала шхуну Касагалиса. Какая-то сволочь сообщила им, что на судне везут компоненты зенитного комплекса. Я думаю, что это работа Кейта. На этот раз он перегнул палку, я понес довольно ощутимые убытки. Этот вонючий американец наверняка завербован ЦРУ и, похоже, готов проявить всю свою прыть, чтобы они погладили его по головке.

— Вы хотите, чтобы я ликвидировал Кейта? — спросил Макс со свойственной ему прямолинейностью и нелюбовью к сложным дипломатическим маневрам.

Советник очень внимательно посмотрел на него.

— Да, — подтвердил он. — Но надо учитывать, что в стране сейчас сильно американское влияние и власти устроят тщательное расследование. Абсолютно недопустимо, чтобы кто-нибудь из моих сотрудников попал под подозрение.

— Я профессионал, господин Майер.

— Я вижу, вы все поняли. В таком случае я вас больше не задерживаю.

13

Кейт предупредил Ставра, что акватория «Гранд Риф де Корай» может патрулироваться боевыми пловцами. Никого не обрадовала бы встреча под водой с парой вооруженных до зубов головорезов, поэтому Ставр был крайне осторожен. Он, как барракуда, стелился над самым дном, буксируя за собой водонепроницаемый мешок. Кроме акваланга, на нем было еще изрядное количество вспомогательного снаряжения: часы и компас на левом запястье, глубиномер на правом, нож и фонарь на поясе, пистолет в кобуре на бедре, а к ремням акваланга карабинами крепился автомат. И то и другое оружие годилось для бесшумной и беспламенной стрельбы как под водой, так и на суше.

Готовясь к проникновению на «Гранд Риф», Ставр несколько дней провел на окружавших базу скалах, изучая объект, систему его охраны, время и маршруты патрульных обходов территории. Сверху база выглядела вполне мирно: красивая бело-розовая вилла, окруженная ярко-зелеными прямоугольниками лужаек, разбросанными тут и там живописными группами деревьев. Ангары на берегу и два пирса указывали всего лишь на то, что хозяин «Гранд Рифа» занимается торговлей или морскими перевозками.

Проникнуть на базу с суши было практически невозможно. Кроме обычных заграждений, сигнализации и патрулирования, некоторые участки периметра охранялись собаками, свободно бегавшими по коридорам из сетки. В мощный бинокль Ставр разглядел огромных черных псов и определил, что это фила-бразильеро, единственная в мире порода собак, обладание которыми во многих странах приравнивается к ношению оружия и требует специальной лицензии.

На планшете Ставр вычертил план базы и тщательно обозначил на нем все опознанные им системы охраны, отметил маршруты и режим патрулирования.

— Я вижу только два способа попасть в гости к нашему приятелю Генриху Майеру, — сказал Ставр Кейту. — Свалиться ему на голову с неба или приплыть морем. Но я заметил, что десантирование с вертолета обычно сопровождается большим шумом и стрельбой, мой бывший шеф этого не любит. Остается второе. С этой точки зрения перспективным сооружением представляется канализация. Надеюсь, Советник заботится об экологии и не сбрасывает в море неочищенную воду?

— Если ты рассчитываешь на подземные коммуникации, — ответил Кейт, — то учти, что там могут стоять бетонные заглушки и датчики на движение.

— Там может быть все, что угодно, даже патрульная стая пираний. Я ненавижу тесноту, туннели и консервные банки, если меня пытаются в них засунуть, меня не увлекает перспектива в буквальном смысле влипнуть в говно, но это единственный способ попасть на базу, который дает шанс на успех.

В подготовке проникновения на «Гранд Риф» Кейт взял на себя функции группы обеспечения. Ставр быстро оценил его оперативность и класс тактического мышления. Подготовив все необходимое снаряжение, Кейт организовал высадку Ставра в районе «Гранд Рифа». Они договорились, что Кейт в условленное время будет ждать в небольшой бухте, где катер долго может не привлекать внимания охраны базы, и если Ставру не удастся проникнуть в коммуникации, то он вернется на катер.

Достигнув подпирного пространства, Ставр почувствовал себя значительно спокойнее: в тени от настила и среди железобетонных свай его трудно было заметить. Его акваланг имел замкнутый цикл, так что пузыри от выдохов не могли привлечь к нему внимания. Но надо было постоянно контролировать себя и следить за глубиной. Смесь, которой он дышал, даже на небольшой глубине могла вызвать галлюцинации.

В воде, до самого дна пронизанной солнцем, плавно покачивался киль яхты. Недалеко от нее над головой Ставра висели днища моторных лодок и скутеров. Вся эта легкая в управлении высокоскоростная техника заинтересовала Ставра. На случай непредвиденных обстоятельств с ней имело смысл познакомиться поближе. Под прикрытием сваи он осторожно всплыл на поверхность. С высокого пирса к самой воде вела металлическая лестница. Она заканчивалась узкой площадкой, к ней были причалены пара катеров и штук пять водных мотоциклов, которые Ставр снизу принял за скутера. У соседнего грузового пирса, оборудованного рельсами для крана, на длинной спокойной волне мерно опускался и поднимался сторожевой катер — небольшая посудина с низкой рулевой рубкой. На корме торчала турель с крупнокалиберным пулеметом, защищенным здоровой стальной панелью с прорезью для прицеливания. Пулемет на корме наверняка был не единственный, и эту внушительную огневую мощь приходилось учитывать на случай, если придется удирать каким-нибудь незапланированным способом, например на водном мотоцикле.

Ставр снова погрузился под воду и поплыл к отвесной стене причала, сложенной из монолитных бетонных глыб. Судя по всему, где-то в этой стене следовало искать вход в подземные коммуникации.

Приказ ликвидировать Кейта не вызвал у Макса никаких эмоций. Решение таких проблем входило в круг его прямых профессиональных обязанностей. Теперь у Макса было два неотложных дела в городе и оба имели отношение к одному и тому

301

же человеку. Направляясь к автостоянке, Макс по мобильному телефону сообщил охране, что собирается уезжать. Когда он вышел из лифта, «Рендж-ровер» уже стоял у дверей павильона, помытый, с полным баком бензина. Ключи находились в замке зажигания.

В последний раз режим в стране сменился год назад, но, несмотря на все усилия очередного президента, выступления недовольных продолжались. Население подвергалось террору головорезов из числа бывших военных и уволенных чиновников, вооруженных автоматами Калашникова и ручными противотанковыми гранатометами. Но дороги были относительно безопасны. Все крупные магистрали охранялись полицией, усиленной армейскими подразделениями, а так как экономика республики держалась на плаву только благодаря американскому и европейскому капиталам, то нападение на белого каралось властями с особой жестокостью. На шоссе, ведущем в город, Макс мог не опасаться нападения террористов, впрочем, он не без оснований считал, что это террористам следует опасаться столкновения с ним.

Отверстие канализационного выброса Ставр обнаружил быстро. Он увидел симпатичную стайку шустрых полосатых рыбешек. Они играли в потоке воды и охотились на мелких морских животных, расплодившихся вблизи сброса канализации. Хотя вода проходила через систему очистных сооружений, в ней сохранялось достаточно органических веществ, годившихся в пищу рачкам и прочим микроскопическим обитателям моря.

Подплыв, Ставр увидел выступающий из стены короткий отрезок трубы. Из нее шел поток отработанной воды, но он был не настолько сильным, чтобы создать серьезную проблему. Труба была около метра в диаметре, закрывающая ее решетка крепилась шестью болтами. Осмотрев их, Ставр убедился, что болты заварены. Глубиномер на правом запястье показывал около трех метров, и не меньше двух было до дна.

Ставр расстегнул одно из отделений на водонепроницаемом мешке и достал три титановых карабина с тросиками, на концах которых болтались мембранные присоски. Два карабина он защелкнул на верхней части рамы решетки, присоски прилепил к краю трубы и с помощью узлов укоротил тросики так, чтобы они натянулись. Затем он вытащил инструмент из арсенала спецкоманд ВМС США, занимающихся спасением экипажей подводных лодок. Этот инструмент отдаленно напоминал машинку для закатывания консервных крышек на банках и предназначался для срезания заржавевших или заклиненных болтов. Когда все болты были срезаны, решетка осталась висеть на тросиках. Ставр поднял ее, как дверцу мышеловки, пристегнул к нижней части рамы третий карабин и заплыл в трубу, пропихнув мешок впереди себя. Решетка опустилась за ним. Тросик, прицепленный к кольцу на поясе, натянулся. Ставр отцепил его и прилепил болтающуюся на конце присоску к дну трубы. Теперь решетка была надежно закреплена и поток воды не сорвал бы ее. Карабины и тросики были малозаметны, и следы деятельности Ставра могли обнаружить только при детальном обследовании.

Зажатый в трубе поток воды значительно усилился. Преодолевая его напор, Ставр медленно продвигался вперед, упираясь руками в стены трубы. Изнутри ее поверхность заросла скользкой тиной, упереться в нее было бы практически невозможно, если бы не армированные перчатки, со стороны ладони покрытые пупырчатой резиной, создающей эффект прилипания. Ставр снял с пояса фонарь и закрепил его на лбу с помощью охватывающей голову резинки. Впереди возникла тусклая воронка света. Казалось, Ставр вползал в нее, толкая перед собой, подобно скарабею, мешок со снаряжением. На барабанные перепонки давил звенящий гул текущей под напором воды. Экономя кислород, Ставр старался дышать как можно реже. Судя по времени, кислорода в первом баллоне осталось на двадцать минут, а второй баллон предназначался для возвращения назад. Бегущая по циферблату часов стрелка осталась единственным, что связывало его с реальным миром. Теснота замкнутого пространства вызывала приступы страха, но Ставр был готов к этому и держал себя под контролем.

Впереди в тусклом свете возникли прутья решетки. Осмотрев ее, Ставр увидел, что железные прутья уходят в бетонное кольцо. Он взглянул на часы и прикинул, что у него осталось только десять минут на то, чтобы перепилить решетку и выяснить, есть ли тут выход из-под воды. Если он не уложится в это время, то придется проделать весь путь по трубе в обратном направлении, причем самым неприятным образом — ногами вперед, потому что развернуться нельзя.

Ставр вытащил универсальные кусачки, в их рукоятке находился набор миниатюрных пилок-ножовок, раскрывающийся по принципу складного ножа.

Сейчас Макса не интересовал центр города с его цивилизованной европеизированной жизнью и американскими бизнес-билдингами. Он направился в бедный окраинный район Пре-де-Марше. Большая тяжелая машина с наглухо закрытыми окнами медленно пробиралась по кривым, невообразимо грязным улочкам, примыкавшим к рынку. Макс остановился возле небольшого магазина. Когда он вылез из машины, на него обрушились убийственная жара и непередаваемая вонь, особенно невыносимые после искусственного климата салона. Макс достал из багажника мешок с головами черных воинов Ва-за-Банга и вошел в магазин.

Небольшое полутемное и вонючее помещение было загромождено ящиками с овощами, упаковками сгущенного молока, растворимого кофе и консервов. На полках вперемежку стояли керосиновые лампы и бутылки джина. Под потолком среди вешалок с национальной одеждой висел старый велосипед.

Перед стоящей на полу глиняной жаровней сидел молодой негр. Он смотрел прямо перед собой тусклым, ничего не выражающим взглядом и никак не прореагировал на появление Макса.

— Здравствуйте, месье Макс, — приветствовал белого посетителя хозяин магазина, невзрачный мулат в длинной рубахе и широких штанах из пестрой, когда-то яркой, но теперь вылинявшей материи. Его глаза скользнули к тяжело провисающему мешку в руке Макса.

— Да, это то, что ты ждешь, Акиови, — сказал Макс. — Как видишь, я выполнил твою просьбу.

В невыразительных глазах Акиови вдруг сверкнула такая дикая и зловещая радость, что даже Максу стало не по себе.

— Спасибо, месье, — сдержанно сказал Акиови, забирая у Макса мешок с его страшным содержимым. — Я ваш должник, месье, и не забуду об этом.

— У меня есть дело для тебя.

— За это, — показал на мешок Акиови, — я исполню любое ваше поручение. — Мулат сделал приглашающий жест, предлагая пройти во внутреннее помещение магазина. — Проходите, месье, там нам будет удобнее разговаривать.

В течение всей этой беседы молодой негр смотрел перед собой пустым мертвым взглядом, его рука механически перемешивала деревянной палочкой готовящийся на жаровне ямс.

Кроме торговли, Акиови занимался знахарством и имел многочисленную клиентуру среди обитателей Пре-де-Марше. Но только посвященные знали, что в тайном помещении в своем доме он держит фетиши демонов древнего магического культа вуду и служит им, совершая обряды и принося жертвы. Человеческие головы, которые привез ему Макс, были ценнейшим материалом для колдовских действий.

Два года назад Акиови позвали к тяжелобольному негритянскому юноше. Знахарь забрал его к себе в дом и вылечил. Но после выздоровления Вуане стал совсем другим человеком. Он всегда молчал, не смотрел людям в глаза, его устремленный в пространство взгляд был лишен мысли. Он двигался как лунатик. Вернуться к родным Вуане отказался. Он остался у Акиови и служил ему, как покорный бессловесный раб.

— Я сделаю то, о чем вы просите, месье Макс, — сказал Акиови, провожая посетителя к выходу из магазина. — Но это займет некоторое время.

— Сколько?

— Несколько дней, самое большее неделю.

— Это слишком долго. Надо быстрее.

— Хорошо, месье Макс, я постараюсь устроить все как можно быстрее. Но вы понимаете, я должен позаботиться о своей безопасности.

Проржавевший металл легко поддавался ножовке. Надпилив прутья, Ставр просто выламывал их. На этот раз он не заботился скрыть следы вторжения: здесь выломанную решетку никто бы не обнаружил. Когда с решеткой было покончено, в запасе у него оставалось еще полминуты. Он решил двигаться вперед, пока не истечет расчетное время, и осторожно, чтобы не порвать об острые обломки прутьев гидрокостюм, протиснулся в дыру, которая вела неизвестно куда. В первый момент у него возникло чувство освобождения — наконец ничто не ограничивало его движений. Свет фонаря однообразно рассеивался во всех направлениях. Ставр не только не мог пока определить, где находится, но не понимал даже, где верх и где низ. Он вынул загубник и выдохнул в воду. Серебрясь в луче фонаря, пузыри воздуха устремлялись вверх.

Ставр всплыл вслед за ними. Его голова вынырнула на поверхность воды. Фонарь высветил бетонный бортик, окружающий колодец подземного очистного сооружения.

Выбравшись из колодца, Ставр с облегчением снял акваланг. Первый этап вторжения во владения Советника увенчался успехом: у канализации всегда есть выход, и не один.

Не дождавшись Ставра в условленное время, Кейт решил, что тому удалось-таки проникнуть на базу «Гранд Риф», и мысленно пожелал своему русскому партнеру удачи. Он запустил двигатель катера и покинул бухту. Ему предстояло вернуться сюда за Ставром завтра к концу дня.

Невидимый невооруженным глазом луч лазера прорезал пространство от небольшой купы низких деревьев с густыми развесистыми кронами до окна на втором этаже в центральной части виллы и уперся в стекло. Теперь стекло стало гигантской мембраной слухового сканирующего устройства. В наушниках у Ставра послышался шум, в котором прослеживались голоса людей. Он покрутил ручки настройки лежавшего перед ним на земле дешифратора, который преобразовывал механические колебания оконного стекла в обычный звук и передавал на наушники. Теперь Ставр отчетливо слышал разговор в комнате, но он оказался малоинтересным — обычная болтовня домашней прислуги. Ставр перевел луч сканера на соседнее окно.

На Ставре был маскировочный костюм из нейлоновой сетки, обшитой растрепанными зелеными лоскутами, имитирующими траву, мох, веточки — все весьма реалистично. Голову плотно обтягивал зеленовато-коричневый платок, физиономия была сплошь разрисована камуфляжным гримом под цвет основного гардероба. В этом виде Ставр никак не обозначался на фоне окружающего ландшафта. Акваланг и упакованный в водонепроницаемый мешок гидрокостюм он, закрепив тросиками, утопил в колодце подземного очистного сооружения. Теперь все необходимое ему оснащение находилось в брезентовом мешке, закамуфлированном, так же как и костюм.

Прослушивая окна виллы, Ставр наконец обнаружил те, которые искал. В отличие от других они «молчали». Причем это вовсе не означало, что в комнатах не было людей. Пустые помещения тоже звучат. А сейчас в наушниках царило мертвое безмолвие, словно аппаратура вырубилась. Ставр понял, что эти окна защищены от прослушивания и, следовательно, за ними помещаются кабинеты и комнаты для деловых переговоров. Теперь он знал, где находится мозговой центр базы.

У Ставра промелькнула шальная мысль проникнуть туда, но золотое правило профессионалов гласит: «Прежде чем засунуть куда-нибудь башку, подумай, как ее оттуда вытащить». Ставр обуздал свой энтузиазм и ограничился тем, что достал фотоаппарат и сделал несколько снимков виллы.

Готовясь к прогулке по владениям Советника, Ставр подробно прорисовал план «Гранд Рифа» и запомнил его, поэтому теперь он уверенно передвигался по территории резиденции и зоны причала. Он фотографировал и с помощью остронаправленного микрофона прослушивал разговоры охраны и обслуживающего персонала. В первый раз услышав в наушниках русскую речь, он даже вздрогнул от неожиданности, но потом он слышал ее постоянно и понял, что большинство охранников были русские. В этом не было ничего удивительного: базу строил большой друг прежнего диктатора — Советский Союз. После переворота персонал был эвакуирован, но здесь остались те, кому было все равно, на кого работать, лишь бы хорошо платили.

Ставр сфотографировал причалы, сторожевой катер и ангары на берегу. После этого он вернулся к главному объекту — вилле Советника. Ему очень хотелось посмотреть на своего бывшего шефа в новой роли.

Ставр снова вернулся на позицию напротив главного входа виллы и занялся сканированием окон. Наконец ему удалось засечь голоса нескольких мужчин, явно не принадлежащих к обслуге. Говорили по-английски, разговор был сугубо светский и не содержал никакой интересной для разведчика информации. К голосам примешались какие-то шорохи, затем звук шагов, голоса уплыли. Ставр попробовал зацепить их в других окнах и наткнулся на продолжение разговора, направив луч сканера в одно из узких высоких окон вестибюля.

Теперь сканер был уже ни к чему — вся компания появилась на ступенях главного входа. Желание Ставра исполнилась: он увидел Советника, который вышел проводить двух боссов — по виду отъявленных мафиози, одетых в мятые костюмы по паре штук долларов. Жирные шеи и волосатые лапы боссов украшал обязательный набор увесистых золотых цепей, часов и перстней с бриллиантами. В бинокль Ставр разглядел шрам на горле одного из них. Позади боссов тут же возникли невозмутимые молодые люди с демонстративно оттопыренными с левой стороны полами пиджаков. Компания не спеша потопала по направлению к вертолетной площадке. Несмотря на то что Советник был у себя дома, за ним неотрывно следовал телохранитель — человек в темных очках и со щеткой коротких усов, какие часто носят прапорщики и офицеры спецназа. Может, это была такая форма вежливости по отношению к гостям и их эскорту, так сказать, соблюдение протокола, а может — нелишняя предосторожность.

Ставр сделал несколько отличных снимков воротил криминального бизнеса.

Вертолет с боссами и их охранниками взлетел с площадки. Ставр проследил, как в темнеющем вечернем небе он перевалил через гребень скал.

Проводив гостей, Советник отпустил своего телохранителя, который сопровождал его до вертолетной площадки, и прогулочным шагом вернулся в дом.

У самого горизонта еще мерцали багряно-золотые переливы заката. Окруженная скалами бухта, на берегу которой располагалась база «Град Риф», уже целиком погрузилась в синий мрак ночи. Но территория самой базы была хорошо освещена: перед фасадом виллы сияли четыре великолепных, похожих на канделябры, фонаря, вдоль дорожек и на лужайках горели парковые светильники, а причал был ярко освещен прожекторами. Ночью передвижение здесь представляло такую же опасность, как днем. Но человеку, который стал бы слишком переживать по этому поводу, следует сидеть дома, а не гулять там, где ему явно не обрадуются, да еще в таком виде — украшенным нейлоновым мхом и листиками.

В задней части дома располагался облицованный мрамором бассейн с подкидными досками и небольшой вышкой для прыжков. Подсвеченная снизу вода сияла как аквамарин. В течение дня Ставр лишь один раз мельком видел Советника, когда тот провожал своих гостей к вертолету. Бассейн был наиболее вероятным местом, где Советник мог появиться после захода солнца. Ставр нашел более или менее безопасное место для наблюдения и распластался на земле под прикрытием живописной группы из нескольких пальм высотой в рост человека. Отсюда до дома и бассейна было не меньше ста пятидесяти метров, но в бинокль Ставр смог бы разглядеть даже, какой фирмы часы на руке бывшего шефа.

В бассейне кто-то плавал. Ставр навел туда бинокль и увидел, в сущности, голую рыжую девку. Это была Арисса. Черный лоскуток не столько прикрывал, сколько откровенно притягивал взгляд к тому самому ее месту: совсем нагая, она, пожалуй, выглядела бы приличней.

Все прелести Ариссы предстали обозрению Ставра, приближенные мощной оптикой. Бинокль не улавливал запах тела и ошеломляющий сигнал сексуального возбуждения, желания, на который самец идет, как по пеленгу, но того, что Ставр видел, было достаточно, чтобы на полную мощность включилось его богатое эротическое воображение и он начал представлять, как эта женщина повела бы себя с ним в любви. Все его сенсоры, контролирующие обстановку в зоне безопасности, словно оглохли и ослепли. На миг Ставр забыл, где находится, и даже патруль заметил бы, только если бы кто-нибудь из охранников наступил на него. К счастью, это экстазное состояние длилось лишь несколько секунд.

«Стоп, так никуда не годится, — подумал он. — Надо успокоиться. Я бы проделал с ней несколько занятных штучек в воде, но что я скажу Советнику, если он найдет меня в своем бассейне? "Руссо туристо облико морале"?»

Словно вызванный мыслями Ставра, Советник действительно вышел из дома и направился к бассейну. Он был в халате и пляжных шлепанцах. Арисса помахала ему с середины бассейна. Советник улыбнулся ей, уселся в шезлонг и раскрыл журнал, который принес с собой. Подошел черно-кожий слуга в брюках с шелковыми лампасами и короткой белой куртке, поставил на столик рядом с хозяином высокий стакан с коктейлем, второй коктейль на изящном серебряном подносе поместил на мраморный бортик бассейна. Арисса медленно подплыла, ухватилась за бортик и без всякого усилия вспрыгнула на него. У нее было очень гибкое тело: она села почти в позе лотоса, но согнула и положила на мрамор только одну ногу, второй медленно покачивала в воде. В любом рассчитанном или случайном движении Ариссы проявлялось естество порнодивы, формы ее длинного, тонкого тела и профессионально точные позы вызывали не эстетические чувства, а эрекцию. Арисса подняла стакан с коктейлем и, раздвинув всегда полуоткрытые губы, прикусила соломинку. Между передними зубами у нее была небольшая щель, как у маленькой девочки, которой следует носить корректирующую пластинку. Эта порочная щель, вдруг возникающая между по-детски бесформенными, припухлыми губами, вызывала у мужчин сладкую судорогу.

Ставр заметил, что от дома к Советнику направляется молодой красавчик с гладко зачесанными черными блестящими волосами. Он в первый раз увидел Фанхио и определил его как гнилой типаж — нечто среднее между секретарем, официантом и латинским любовником, мечтающим сделать карьеру в постелях стареющих миллионерш.

Фанхио остановился возле Советника, ожидая, когда босс обратит на него внимание. Ставр надел наушники и нацелил микрофон на Советника и его секретаря.

— Я вас слушаю, Фанхио, — сказал Советник, поднимая взгляд от журнала.

— Господин Майер, вы просили сообщить вам, если из гонконгского банка придет подтверждение, что Лапуа перевел деньги для оплаты сделки. Так вот, подтверждение получено.

— Спасибо, Фанхио. Свяжитесь с Лапуа и сообщите, что мы начинаем отгрузку товара.

— Я сделаю это немедленно, господин Майер.

Ставр хорошо рассмотрел Фанхио в бинокль, стараясь запомнить его на случай, если завтра не представится возможности его сфотографировать — этот человек, секретарь или вроде того, имеющий доступ к связи, возможно, имел доступ и к другим информационным системам базы.

Когда Фанхио с присущим ему преувеличенным достоинством удалился, Советник отложил журнал и взглянул на Ариссу. Она встала и медленно пошла к хозяину. Вверху между внутренней стороной бедер у нее был треугольный просвет, достаточно широкий, чтобы видеть, как загибается внутрь черный шелковистый лоскуток бикини. Арисса остановилась перед Советником, широко расставив ноги, и, покачивая бедрами, начала ласкать свои торчащие вверх груди. Короткие огненно-рыжие пряди упали ей на лицо, с них по шее и груди еще текли извилистые струйки воды. Тонкие гибкие руки, как змеи, медленно поползли вниз, лаская теперь живот.

Лицо Советника утратило свое обычное вежливо-бесстрастное выражение. Он расслабился и с нарастающим волнением следил за движениями Ариссы.

— Покажи мне, — тихо сказал он.

Длинные пальцы с розовыми ногтями проскользнули под тонкие шнурочки бикини и начали, дразня, играть ими. За черным лоскутком мелькала белая выпуклость, чуть тронутая золотистым загаром. Арисса вдруг оттянула шнурки вниз, обнажив себя всю, и сразу снова закрылась. Наигравшись вдоволь и видя на лице Советника уже явные признаки возбуждения, она сдернула купальник. Кожа на лобке была гладкая, ослепительно белая по сравнению с загорелыми бедрами. Посередине шла узкая, едва заметная полоса светлой щетинки, книзу она расширялась и нежным золотистым пушком окружала начало темно-розовой щели. Волнообразно приседая с широко разведенными бедрами, Арисса запустила пальцы в эту щель и стала ласкать себя. Из ее горла вырывались то протяжные стоны, то резкие вибрирующие вскрики.

Гримаса вожделения неприятно изменила лицо Советника. Он откинул полу халата и положил руку себе на пах.

Арисса приседала, опускаясь все ниже и ниже, вдруг быстро приподнялась и повернулась спиной. Перед самым лицом Советника со всей сводящей с ума откровенностью раскрылся источник наслаждения — сияющая влажная щель между маленькими круглыми ягодицами.

Советник торопливо и неловко вылез из шезлонга и раздвинул полы халата. Арисса уперлась ладонями в стол и гибко прогнулась, подставляя зад под его восставший наконец член. Она стояла перед хозяином как кобылица, нетерпеливо и страстно встряхивая головой в огненно-рыжей гриве. Советник деловито обхватил руками бедра Ариссы.

Ставр с пониманием дела наблюдал за сексуальными упражнениями своего бывшего шефа. Он прикинул, что, судя по темпу, который с ходу взял Советник, тот должен продержаться на хребте своей кобылицы минуту, не больше. Но он ошибся. Шеф уложился быстрее.

«Как, и это все? — разочарованно подумал Ставр. — Стоит заводить себе «Харлей Давидсон», если умеешь ездить только на трехколесном велосипеде?»

Однако партнерша, похоже, не испытывала разочарования. Все это время она билась в конвульсиях экстаза, стонала и задыхалась, а в момент

314

последних содроганий Советника издала такой пронзительный кошачий вопль, что Ставр услышал бы его и без микрофона.

«Ну просто Сара Бернар! — восхитился Ставр. — Шеф должен доплачивать ей за актерское мастерство».

Советник запахнул халат, потуже завязал пояс и снова уселся в шезлонг. Возникший, как по приказу, чернокожий слуга подал два бокала вина со льдом.

Ставр уже не рассчитывал увидеть или услышать что-нибудь интересное, но ему не пришлось скучать — через несколько минут у бассейна появился высокий, атлетически сложенный блондин с бритым затылком и лохматой макушкой. Он был одет в короткую бронекуртку из серо-зеленого кивлара, очень удобную, легкую и не лишенную изящества, а также в свободные, стянутые у щиколоток штаны и кроссовки. Он обменялся с Советником несколькими фразами, из которых Ставр не смог уяснить ничего конкретного, кроме того, что блондина зовут Макс. Интуиция подсказывала, что судьба еще столкнет их с этим парнем нос к носу.

К двум часам ночи дом окончательно затих. Свет горел только в вестибюле и в комнате на первом этаже: там дежурила охрана. И еще светились два окна из тех, которые «молчали», в канцелярии тоже бодрствовала ночная вахта.

Вся территория вокруг виллы просматривалась видеокамерами, казалось, они не оставляли ни одного шанса незаметно приблизиться к дому. В принципе, для Ставра камеры не являлись непреодолимым препятствием, но сейчас в его план не входил личный контакт с бывшим шефом. До утра наблюдение за домом не сулило никакой интересной информации, и Ставр решил перебраться к причалу. Нетрудно было предположить, что в

315

ангарах на берегу находятся склады оружия — основного товара, на котором Советник раскручивал свой бизнес. Но чем десять раз предполагать, лучше один раз увидеть.

В снаряжении Ставра имелось несколько капсул с сильным стимулятором физической активности, но пока он не ощущал ни малейших признаков усталости, зато голод испытывал уже волчий. Перед тем как лезть в ангары, имело смысл подкрепиться. Меню ужина Ставра привело бы в неописуемый восторг всех озабоченных своими фигурами дам. Оно состояло из пимикана, приготовленного из сублимированного творога с черносливом, и нескольких глотков воды из фляги.

Ставр начал пробираться к ангарам. Все основные маршруты своих передвижений по территории базы он наметил заранее, с таким расчетом, чтобы они пролегали на безопасном расстоянии от особо тщательно контролируемых зон. На манер ящерицы Ставр то быстро и бесшумно полз вперед, то замирал в полной неподвижности. Спустившись в прибрежную часть базы, он наконец поднялся на ноги. В первый раз за весь день Ставр смог принять вертикальное положение и сейчас, как никогда, оценил естественность и удобство передвижения на ногах. Пригибаясь, он двинулся в обход одноэтажного дома, в котором жила обслуга. Длинные лохмы, свисающие с маскировочного костюма, искажали очертания тела — не человек, а существо, похожее на оборотня, совершенно бесшумно двигалось на полусогнутых лапах.

От дома Ставр перебрался под прикрытие ограды из панцирной сетки, которой была обнесена насосная установка над зарытым в грунт резервуаром с горючим. Здесь он залег и стал наблюдать за активной деятельностью грузчиков в одном из ангаров. У пирса было пришвартовано небольшое судно, по виду из тех, капитаны которых зарабатывают свой хлеб мелким фрахтом. Два автопогрузчика деловито таскали из ангара на пирс кубы из аккуратно сложенных темно-зеленых ящиков. Это была стандартная тара, в которую упаковываются изделия военных заводов. Рабочий цеплял груз к крюку крана, и, покачиваясь на талях, ящики опускались в трюм.

Ставр вспомнил доклад Фанхио о деньгах от какого-то Лапуа и распоряжение Советника начать погрузку товара. Похоже, этот таинственный Лапуа в самое ближайшее время получит свои игрушки. Все это еще раз подтверждало, что войну легче развязать, чем закончить, потому что она быстро начинает питать саму себя и очень хорошо кормит своих избранных чад.

Благодаря всей этой ночной возне Ставр был избавлен от необходимости искать способ пролезть в склад, наверняка надежно защищенный системами контроля доступа. Он уже видел достаточно, чтобы убедиться: в ангаре есть и оружие, и боеприпасы.

Ставр позволил себе немного помечтать, представив, какой грандиозный фейерверк можно устроить, имея под рукой такие средства, как резервуар с горючим и склад боеприпасов. Поистине это были пламенные мечты. Сейчас у него появился шанс достойно свести счеты с Советником за тот ужас на базе «Стюарт». В его воображении пронеслись картинки в жанре «Рембо-3», но он вынужден был отказаться от удовольствия немедленно воплотить мечты в реальность.

«Не надо впадать в нездоровый азарт, разведчика украшает скромность», — урезонил себя Ставр и с сожалением покинул свою удобную лежку возле насосной установки.

До рассвета Ставр хотел успеть обследовать еще лифт и вертолетную площадку. Добираться туда пришлось опять в основном по способу пресмыкающихся.

На черной скале светилась прозрачная колонна элеватора лифта. Наверху она заканчивалась небольшим стеклянным павильоном. Справа от него на краю автостоянки возвышалась металлическая ферма с осветительной панелью. Прожектора бросали вниз мощный сноп света. Он выхватывал из темноты обнесенную невысоким мраморным барьером площадку у подножия скалы. Посреди площадки стоял изящный черный вертолет. Это был тот самый вертолет, на котором улетели гости Советника. Ставр видел, как он вернулся уже ночью и в свете прожекторов красиво зашел на посадку.

Пространство перед лифтом простреливалось двумя камерами. Следя за тем, чтобы не попасть в зону их действия, Ставр подобрался так близко, насколько было возможно. Пока он не знал, для чего может понадобиться лифт, но в любом случае это было важное инженерное сооружение, и если придется воевать здесь, то надо иметь его в виду.

— Во, блин, — Ставр вдруг услышал речь соотечественников, — самая паскудная смена, перед рассветом. Джексон мне полтиник проиграл, я говорю, отдежурь за меня две утренние смены — и в расчете. Не согласился, сволочь, даже баксы не пожалел.

— Если Длинный опять всю воду из холодильника вылакал, убью гада.

Голоса и шаги приближались. На освещенном пространстве перед лифтом появились два коренастых здоровых мордоворота в камуфляже.

«Прапора, они и в Африке прапора», — усмехнулся Ставр.

Подойдя к лифту, один из охранников достал из кармана магнитную карточку и сунул ее в прорезь кодового замка. Двери кабины бесшумно открылись.

Благодаря своему маскировочному костюму Ставр был почти неразличим на фоне скалы, он не шевелился, чтобы случайно не привлечь к себе внимание, но мускулы ног были напряжены и пружинили, как у зверя, готового и к нападению, и к бегству. Ставр следил за манипуляциями охранника с карточкой и вдруг ясно ощутил чье-то присутствие позади себя. Ставр оцепенел, ожидая выстрела, или приказа встать, или какого-нибудь сигнала охранникам у лифта. Но ничего не случилось. Охранники спокойно вошли в кабину, двери закрылись. Ставр решил, что опасность за спиной померещилась ему от нервного напряжения, и все же он оглянулся.

Из мрака на него смотрели глаза. В них горела такая неумолимая злоба, что на миг Ставр был буквально парализован ужасом. В лицо смотрела смерть.

Ставр еще не понял, кто перед ним, но рефлексы действия, как всегда, работали безотказно. Не разгибая колен, он одним движением развернулся навстречу опасности. Пистолет уже был в руке, словно сам прыгнул из кобуры в ладонь.

Из мрака послышалось глухое рычание. Затем раздался прерывистый звук частого дыхания, и снова угрожающий рык. Это была всего лишь собака. Ставр выругался сквозь зубы.

Угольно-черная, как пантера, собака казалась сгустком того мрака, из которого возникла. Но теперь Ставр видел или, скорей, угадывал очертания крупной головы с короткими висячими ушами. Призрачные блики скользили по выпуклостям мощной мускулатуры лап и спины. Ставру никогда раньше не приходилось на такой короткой дистанции сталкиваться с филой-бразильеро. Даже имея в руке пистолет, он почувствовал большое облегчение, когда понял, что его и собаку разделяет сетка. Ставр отчетливо представил, что испытывали черные рабы, бежавшие с кофейных плантаций, когда их настигали эти огромные псы, специально выведенные для охоты на человека. С парой таких охотников-убийц не могли справиться

319

даже двухметровые полудикие негры. Но Ставру все же повезло, что Советник или прежний владелец «Гранд Рифа» обзавелся именно этим роскошным живым оружием, а не обошелся просто сворой овчарок, которые, учуяв постороннего, подняли бы бешеный лай. Благородные убийцы филабразильеро расправляются с жертвой с безмолвием крокодила.

«Черт возьми, — Ставр сунул пистолет в кобуру на бедре, — а я думал, после генерала Агильеры ни одна черная морда не сможет произвести на меня такого сильного впечатления».

До рассвета оставалось около часа. Наступила удивительная тишина, стих даже шум бьющихся о причал волн. Ставр решил, что, пожалуй, стоит немного поспать. Единственным подходящим для этого местом были очистные сооружения, с которых он начал свой рейд по владениям Советника. Под землей находился настоящий лабиринт из каналов, отстойников, резервуаров, оснащенных насосными станциями и шлюзами. Все это нуждалось в регулярном обслуживании или по крайней мере осмотре, поэтому тут были площадки и даже небольшие помещения, где Ставр мог поспать.

Было холодно и сыро. Слышался однообразный шум воды и ритмичные вздохи насосов. Погасив фонарь, Ставр очутился в кромешной мгле. Он не сразу смог заснуть: мешали усталость и ноющая боль в мускулах, перетруженных непривычным передвижением по способу пресмыкающихся. Но хуже всего было назойливое мелькание перед мысленным взором обрывочных картинок недавнего прошлого. Не зажигая фонарь, Ставр на ощупь отыскал в мешке небольшую плоскую флягу с виски и сделал пару глотков. После этого расслабил все мускулы и сосредоточился на приятном ощущении растекающегося по венам тепла. Ставру показалось, что он только успел поудобней пристроить голову на мешок со снаряжением, как таймер на часах оповестил, что отведенные на сон два часа истекли.

Следующий день Ставр провел так же, как и предыдущий: он наблюдал за виллой, прослушивал окна, фотографировал. Шхуна, в трюм которой ночью грузили армейские ящики, отбыла до рассвета. На причале и в районе ангаров почти не было активности. Советник до завтрака поплавал в бассейне, затем, сидя в шезлонге, выпил чашку кофе и просмотрел газету. Арисса не появлялась, что было вполне естественно: она явно относилась к ночным животным и утро было не ее время. Единственным, кто проявлял здоровую активность, был Макс. Ровно в восемь утра он появился в спортивных трусах, голый по пояс, и в течение сорока минут Ставр с одобрением наблюдал за его тренировкой.

«Если я правильно ориентируюсь, то этот здоровый мрачный придурок — собственное КГБ господина Советника, — решил Ставр. — Уж очень повадки знакомые. Он русский, но свои его, похоже, боятся, во всяком случае, держатся от него подальше. Ни разу не заметил, чтобы кто-нибудь заговорил с ним по своей воле. Когда доберусь до Москвы, надо попробовать прокачать его, может, на него что-нибудь есть».

Ставр пробыл на хорошо охраняемой базе почти два дня и остался незамеченным. Дольше пассивное наблюдение вряд ли принесло бы ценные результаты. Пора было выбираться отсюда и плыть в условленное место, где его должен был подхватить Кейт.

Ставр был крайне осторожен, пока не добрался до кораллового рифа, отгораживающего бухту от моря. Риф сплошь зарос все тем же мягким мхом, похожим на зеленую овчину. Ставр перевалил через него и на предельной скорости поплыл к небольшому заливу, где его должен был забрать Кейт.

Вскоре он услышал звук двигателя, и в залив влетел катер. Описав полукруг, он остановился. Двигатель тихо пофыркивал на холостых оборотах. Убедившись, что это действительно Кейт, Ставр нырнул в воду и поплыл к катеру. Через минуту Кейт поднял его на борт.

— Ну как? — спросил американец.

— Нормально, все прошло по плану.

Через полчаса Ставр и Кейт добрались до рыбацкой гавани, где на волнах покачивались бедные и весьма подозрительные лодчонки. На берегу виднелись какие-то строения под травяными крышами. За одной из хижин стоял «Хаммер» Кейта.

Пока Ставр занимался разведкой «Гранд Рифа», Кейт тоже не терял времени даром. Он крутился по своим делам весь предыдущий день и почти всю ночь провел в дороге, держался в основном на кофе, и уже было заметно, что он утомлен.

— С утра голова трещит, — пожаловался Кейт. — Может, ты сядешь за руль?

— Конечно. — Ставр был голоден как волк и полон энергии. Он обрадовался, найдя ей применение. — Я заметил, что среди преуспевающих торговцев оружием считается хорошим стилем летать на вертолетах. Какого черта ты не купишь себе вертолет, Джек?

— Я обдумаю твою идею в другой раз, когда голова не будет болеть.

— У тебя в аптечке нет ничего от головной боли?

— Есть, но я никогда не принимаю никаких таблеток, даже аспирин. Это мой принцип.

От берега моря они довольно долго ехали без дороги, ориентируясь на свежий след, проложенный «Хаммером» по пути сюда. Наконец выбрались на шоссе, Кейт указывал, в каком направлении ехать, и передал Ставру термос с кофе.

Пурпурный шар заходящего солнца, длинные синие тени от пыльных пальм, плоско лежащие поперек шоссе и прыгающие на капот, проносящиеся по лобовому стеклу, — все это уже много раз было. Вот только руки сжимали руль «крокодила», а рядом сидел Шуракен. Когда сейчас Ставр думал о Шуракене, у него уже не возникло той камнем ложащейся на сердце тревоги, которая терзала его в лагере. Сила и свобода действий давали ему уверенность, что уже через несколько дней он появится в Москве с хорошей добычей в зубах и в обмен на шкуру Советника вытащит своего напарника из грязной истории с предательством их шефа и диверсией на базе «Стюарт».

Город свободно раскинулся вдоль побережья. На бульварах и центральных улицах кипела ночная жизнь. Сияли вывески ресторанов и баров, горели цветные фонарики, мерцали свечи на покрытых белыми скатертями столиках уличных кафе. Смело одетые женщины все казались красавицами. Но в воображении Ставра уже возникали другие улицы. Он ясно представил: ночь, такси, Ломоносовский проспект, облицованный желтоватой плиткой фасад углового дома, высокая арка подворотни, лязгающая железом дверь лифта в сетчатой клетке, третий этаж...

У апартаментов Кейта имелся отдельный вход с небольшой площадкой для парковки, там он обычно ставил машину. Ставр заехал на стоянку и заглушил двигатель. Затем вылез из машины и открыл заднюю дверь, чтобы вытащить акваланг и прочее снаряжение.

В стороне от входа вдруг что-то зашевелилось. Из темноты на свет вышел тощий молодой негр, одетый в широкие штаны и длинную рубаху.

— Эй ты, а ну убирайся отсюда! — крикнул ему Кейт.

Но негр то ли не понимал по-английски, то ли все же надеялся получить пару монет, помогая белым занести вещи в отель. Он приблизился к Ставру, совершенно не обращая внимания на окрик Кейта.

Ставр забросил на плечо ремни акваланга и вытащил баул со снаряжением. Зная, что местный оборванец не упустит возможности спереть что-нибудь из машины, Ставр собрался послать его в соответствующем направлении по-русски: он не раз убеждался, что мат безотказно действует почти в любом случае. Но тут Ставр заметил, что у негра странные движения и ничего не выражающее лицо с пустыми, смотрящими прямо перед собой глазами.

«Обкурился или нажрался какой-то дряни, придурок», — подумал Ставр.

Неверным, словно бессознательным, движением негр поднял руку. Ставр увидел ствол пистолета, направленный на него с расстояния в три шага. Выражение глаз негра не изменилось: по-прежнему глядя в пустоту и даже не пытаясь прицелиться, он сделал еще шаг вперед и выстрелил.

Ставра ослепила вспышка, он почувствовал пронзительную боль, пока даже непонятно где, и с ужасом понял, что сейчас черный в упор всадит в него всю обойму. Уронив баул и акваланг, он шарахнулся в сторону, все же надеясь сбить прицел.

Второй выстрел не заставил себя ждать, но это был выстрел Кейта. Пуля классического сорок пятого калибра из старого безотказного кольта пробила негру висок, но для верности Кейт вогнал ему еще пару пуль в башку. Стрелял он по-полицейски, с обеих рук.

Тело с пробитой тремя пулями головой рухнуло на землю. Вуане, слуга колдуна Акиови, теперь действительно окончил свой земной путь.

— Проклятье, кажется, я видел этого мерзавца вчера, когда уезжал. — Засовывая кольт обратно в кобуру, Кейт перешагнул через труп Вуане. — А, черт, он попал в тебя?

— Глупо... и до черта обидно. — Из-под руки, которой Ставр зажал рану с левой стороны груди, быстро растекалось пятно крови.

— Ты поймал пулю вместо меня, — сказал Кейт. — Поверь, мне жаль, честное слово.

14

После той ночи Шуракен загнал на Нинкин двор свою зеленую «Ниву» и бросил на веранде подстилку для Дуста. Мать против переселения не возражала. Она чувствовала, что уклад некогда родного дома сына раздражает: как отрезанный ломоть, обратно к караваю он не прилеплялся.

Но жить у Нинки Шуракен тоже не собирался. Как только стаял снег, он нанял бригаду шабашников и меньше чем за месяц поднял двухэтажный дом из бруса. Со временем его предстояло обложить кирпичом, а пока Шуракен уже в одиночку занялся отделкой внутренних помещений. В первую очередь он обшил вагонкой кухню и одну комнату на первом этаже. Старый, похожий на фанерный чемодан, шифоньер, подаренный матерью на почин хозяйства, раскладушка и табуретка создали в комнате весь необходимый и достаточный жилой уют. Индивидуальность Шуракена обозначилась в этом интерьере в двух предметах: вырезанной из куска жести оригинальной нахлобучке на лампочку (диск из тонкого металла был надсечен от края к центру, и часть образовавшихся таким образом секторов была отогнута вниз, а часть — вверх) и деревянной раме с фотографиями. Улетая из Сантильяны, Шуракен забрал из коттеджа фотографии, похвальные грамоты и прочие реликвии, которые они со Ставром прикалывали на стены. Теперь все это приобрело для Шуракена особый смысл и ценность. Он поместил их в большую раму под стекло.

Нинку очень беспокоил этот «иконостас». Она видела, что на фотографиях Шуракен выглядел счастливым и молодым. Реально на них он был моложе всего на полгода, а казалось — намного больше. Все дело было в выражении лица, в улыбке. И еще Нинка догадывалась, что главным на фотографиях для Шуракена был не он сам, а его друг. Ревниво рассматривая Ставра, Нинка бабьим нутром чуяла, что по таким, как он, тоскуют долго, не приведи Бог такого полюбить.

Поселковые дворняги, любопытные, как все собаки, вначале часто забегали на усадьбу Шуракена, наблюдали за строительством и даже пытались поселиться под новым домом. Но постепенно они перестали приходить, а в последнее время избегали приближаться к забору. Дело было в том, что к весне Дуст вымахал в огромного пса-волкодава, оброс длинным густым мехом. Олени благополучно перезимовали. Понимая, что избавиться от этих не приспособленных к самостоятельной жизни животных ему не удастся, Шуракен планово готовился к следующей зимовке. Пока рано было косить, и он рубил ветки с молодой листвой, вязал из них веники и вешал сушиться на веревках, натянутых в одном из углов двора.

В один из погожих майский дней к Шуракену заехал Славка Морозов. Сидеть в доме не хотелось. Лощеный Морозов в твидовом пиджаке и Шуракен, небрежно упакованный в ярко-зеленый спортивный костюм из парашютного шелка, устроились на крыльце. Разложили на газете соленые огурцы из Клавкиного погреба и колбасу, разлили по чайным чашкам «Абсолют».

— Это у тебя настоящий волкодав в клетке сидит? — Морозов кивнул на Дуста.

Чтобы не сажать пса на цепь, Шуракен огородил его будку клеткой из сварной решетки с деревянным настилом.

— Кобель дареный, — лениво заметил Шуракен, — а дареному кобелю на уши и хвост не смотрят.

— Между прочим, я к тебе с деловым предложением приехал, — приступил к главному разговору Морозов. — Ты же понимаешь, что я немного догадываюсь, чем ты занимался все эти годы.

— Если тебя это интересует, ты меня спроси. Мне скрывать нечего. Обучал антитеррористическую группу в одной из африканских республик.

— Здорово, это как раз то, что нужно. Понимаешь, какое дело, у меня много друзей в бизнесе, а где большие деньги, там возникают свои особые проблемы.

— Слушай, Славка, давай без обид, но собирать дань или выколачивать долги я никогда не буду. Ты ко мне с этими делами даже не обращайся.

— Чего ты раскипятился? Тут совсем другие дела.

— Ни по каким вашим делам я проходить не собираюсь. Ты меня понял? Все, закрыли тему.

Когда машина Славки Морозова — не казенная «Волга», а его собственная навороченная «девятка» — выехала со двора, в ворота просочилась тощая, зыбкая фигура Каляя. Судя по всему, он сидел под забором и терпеливо ждал, когда «власть» отбудет. Ожидая, пока он подойдет, Шуракен остался сидеть на крыльце — он не хотел приглашать Каляя в дом.

— Здоро́во, — сказал гость.

Жалкие сырые гляделки Каляя упорно соскакивали с лица Шуракена и устремлялись к едва ополовиненной бутылке «Абсолюта». В душе он не одобрил двух мужиков, которые сидели, с полным удовольствием вели разговор и не допили бутылки.

— Здоро́во, — ответил Шуракен, — но денег не дам.

— Я не за тем, Сашок, у меня другое дело до тебя. Если ты не поможешь, просто не знаю, как быть. Задрался я тут с этими, как их, крутыми, что ли...

— Где ж ты таких крутых отыскал? — удивился Шуракен, не представлявший «крутых», которые нашли интерес в том, чтобы «задраться» с личностью вроде Каляя.

Но его вопрос ободрил Каляя, он давал возможность объяснить, как все было, а это вселяло надежду на понимание и помощь.

— Понимаешь, Сашок, по жизни всякое бывает, такая она, зараза, хитрая, — обстоятельно начал Каляй. — Еду на своем тракторе, на прицепе у меня бревна. Я еду, и они едут — и обгонять меня. А тут, как нарочно, цепь на бревнах хрясь! — и бревна прямо на ихний «мерс» посыпались.

— Кто цепь крепил?

— Не я! — быстро сказал Каляй одной стороной рта.

— Понял. — Шуракен бросил невозмутимый взгляд на кривую от привычного вранья физиономию Каляя. — От меня ты чего хочешь?

— Представь, Сашок, на нашего бы «жигуля» бревна скатились — что бы было? А этому хоть бы хны. Кумпол у него, понимаешь, такой круглый, бревна по нему скатились, только краска кое-где покорябалась. А эти падлы хотят, чтоб я им три тыщи баксов платил! Расписку писать заставили. Ну достали, честное слово. Щас, я им кину деньги в банке из-под майонеза.

— От меня ты чего хочешь? — снова спросил Шуракен.

— Сашок, ну откуда я им такие бабки возьму? — Каляй замялся. — Сашок, скажи мафиозям, пусть отстанут от меня.

Шуракен посмотрел на Каляя, не понимая, шутит тот или серьезно надеется, что он ввяжется

328

в разборку с бандитами. Какому другому мужику Шуракен, может быть, и помог бы, но Каляя он не уважал.

Каляй еще долго ныл и упрашивал, ссылаясь на семейство, жалобно поминал детей. Чтобы наконец отвязаться от него, Шуракен сунул ему недопитую бутылку. Понимая, что большего не добьется, Каляй собрался уходить, и чтоб не пропадало добро, запасливым движением свернул газету с остатками закуски и сунул в карман обтюрханной куртки.

— Нет в тебе ни жалости к соотечественникам, ни сочувствия, — напоследок пробормотал он. — А все почему? Потому что не пьешь.

Шуракен подумал, что пропитая глотка глаголет истину. Что правда, то правда: не только крушение карьеры, но и неприязнь к соотечественникам заставили его согласиться на должность лесничего. Она давала ему возможность жить на отшибе, в лесу, а не в поселке, где сосед справа и сосед слева вывешивают на общий забор половики и трехлитровые баллоны на просушку.

Быки приехали, как и обещали, через три дня. Огромный черный «Форд-Таурус», который Каляй принял за «Мерседес», остановился перед косыми воротами из жидкого штакетника. Утверждение Каляя о прочности машины было явно преувеличено. «Форд» имел какой-то оскорбленный вид: из-за помятой крыши он был похож на безупречного аристократа в сбитом хулиганами котелке. Водитель и бывший спецназовец по кличке Рекс остались в машине, главный из них — Самоса и неотрывно следовавший за ним молчаливый Клубок прошли во двор.

Перед ними предстали жизнерадостные заросли крапивы вдоль забора и гнилой остов «жигуленка», торчащий в углу грязного двора. Когда грянула перестройка, Каляй вдруг заработал денег и, поддавшись новому мышлению, не пропил их, а купил «жигуля-копейку», нуждавшегося в ремонте. Каляй тут же к этому ремонту и приступил. На первом этапе все шло хорошо: он разобрал машину, вытащив все, что можно было вытащить. Потроха «жигуля» были разложены по ящикам и жестяным банкам. Через несколько месяцев каляевские детишки растащили их и перепутали. Резину Каляй пропил, и «жигуль», осев на пузо, врос ржавыми дисками в землю. Вынутые из него сиденья были разложены рядом с «ремонтирующейся» машиной, развалившись на них, Каляй с исключительным удовольствием выпивал с корешами.

Обозрев двор, быки как раз и обнаружили этого новоявленного Язона, предававшегося горестным размышлениям в тени гнилого остова своего «Арго».

Вялые размышления, как ответеться от необходимости искать проклятые три тыщи долларов, перемежались в мозгах Каляя с приятными воспоминаниями об употребленной два дня назад шуракеновской бутылке «Абсолюта» — когда еще перепадет водка такого качества. Отведя взгляд от плывущего в радостной майской синеве облачка, Каляй неожиданно обнаружил посреди своего двора двух бандюков.

Проминая грунт, Самоса и Клубок потопали к лежке Каляя, их накачанные ноги работали как гидравлические поршни. Бледный, тощий Каляй поспешно сел.

Быки подошли и степенно опустили свои зады на продавленные сиденья из «жигуленка».

— Здравствуйте, — закивал головой Каляй.

— Бабки приготовил? — формально спросил Самоса.

Каляй с ходу заныл, давя на психику кредиторов все теми же ссылками на жену и детей и от нервности путая их количество и пол.

Быки спокойно ждали, когда Каляй иссякнет.

330

Водила, как полагается, остался за рулем, а Рекс вылез из машины размять кости. Он посмотрел по сторонам со снисходительным видом человека, знающего, что если захочет, может на счет «раз» поставить на уши весь этот сонный клоповник.

— Прикинь, как на природе, да? — сказал он.

— Сюда бы с девочками приехать, — отозвался водила, — и голенькими их пустить бегать.

— Ну ладно, Юрчила, твое дело за баранку держаться, а я пойду погуляю, грибов поищу.

— Давай, Рекс, сходи. Кроме говна, ты тут ни хера не найдешь.

Рекс энергично двинулся к узкому проходу между дворами, выводящему к лесу.

Каляй был неиссякаемый говорун. Он возвращался к различным пунктам своего заявления и подробно развивал их, это напоминало цепную реакцию — каждое утверждение порождало новый ряд объяснений. Чувствуя, что дуреет, Самоса закрыл тему.

— Расклад, значит, такой, — прервал он Каляя, — не можешь отдать деньги — отдашь свою хибару.

— Да вы что, ребята! Что вы такое говорите? Куда же я денусь?

— Это нас не касается.

— Да вы посмотрите, ребята, мужики, дом гнилой, как старый валенок!

Каляй вскочил и зарысил к дому. Самоса с отвращением смотрел, как пыльные джинсы пустым рюкзачком болтаются на его тощем заду. Отдавший алкоголизму все силы своего организма, Каляй вызывал у идейно непьющих братков особое отвращение.

Отчаянно пиная угол дома, Каляй закричал:

— Вот видите, крыша качается! А задняя стена вообще жердью подперта.

— Ничего, сойдет. Мы сюда с девочками будем

приезжать. И вот колодец у тебя есть, мне нравится. Братва по утрам холодной водой обливаться будет. Короче, поехали.

— Куда?.. — упавшим голосом спросил Каляй.

В воображении возникла картинка — утюг на животе жертвы — из кино «Воры в законе», открывшего обывателю глаза на нравы бандитов.

— К нотариусу, — ответил Самоса, уперся здоровыми, мозолистыми от штанги лапами в колени и встал. — Паспорт возьми, мудак, и бумаги на дом. Сейчас все это говно на хозяина перепишешь.

— На какого хозяина?

— Ты че, придурок, мы, по-твоему, от себя, что ли, тут базарим?..

За домом вдруг послышался быстро приближающийся топот. Кто-то бежал сюда.

Быки напряглись, глядя туда, откуда должен был появиться бегущий, и одинаковым движением полезли под куртки.

Из-за дома выскочил Рекс. На его физиономии была написана сенсация.

Несмотря на то что страх прошибал Каляя до самых пяток, он сразу заметил, что кроссовки бандита обмотаны обрывками картофельной ботвы.

«Вот сволочь, огород потоптал».

— Ты че носишься, как табадамский конь? — с неудовольствием буркнул Самоса, засовывая обратно до половины вытащенный из кобуры пистолет.

— Братва, там козлы в лесу! — выкрикнул свою сенсацию Рекс.

— Ну и что? Здесь везде козлы. Вот один стоит.

— Да нет, настоящие козлы. Вот с такими рогами! — Рекс растопырил по сторонам головы все десять пальцев.

Самоса вопросительно посмотрел на Каляя. Тот кивнул:

— Есть там козлы. Пятнистые олени называются.

— Идем посмотрим, — предложил Рекс.

— На черта они нам нужны?

— Ну пошли, пошли, есть одна мысль.

Самоса толкнул Каляя вперед:

— Пойдешь с нами. А то затыришься куда-нибудь, ищи тебя.

— Ребята, — заныл Каляй, — давайте вон там обойдем, а то у меня здесь картошка посажена.

— Плевать. Это теперь наша картошка.

Самоса, Рекс и так и не проронивший ни звука Клубок обогнули дом и, цепляя на фирменные «колеса» ломкие космы картофельной ботвы, потопали к пролому в заборе. Каляй старательно перешагивал через окученные женой грядки.

Приученные к подачкам олени, увидев людей, направились к ним со всех сторон вольера. За сеткой нетерпеливо переступали копытцами стройные ноги, покачивались грациозные шеи и блестели влажные черные глаза.

Братки с любопытством смотрели на оленей.

— Во, блин, никогда таких не видел, — восхитился Самоса.

— А ты вообще никакой живности, кроме собак, кошек и тараканов, не видел, — предположил Рекс.

— Ты видел, что ли?

— Да сколько угодно! Я же в Таджикистане служил. Когда все озверевали от пшенки, комроты выдавал по пять боевых патронов к «калашу» и отправлял на охоту. Попробовали бы мы вернуться без барана или кабана.

Самоса задумчиво достал пачку «Парламента».

— Жаль, дать зверям нечего.

— А вы им сигаретку дайте, — угодливо посоветовал Каляй. — Они табачок любят.

— Чьи козлы? — спросил Самоса.

— Мои, — неожиданно для самого себя ответил Каляй одной половиной рта.

Самоса задумчиво сунул сигарету в ячейку рабицы. Сразу несколько морд потянулись к ней, но одна — рогатая, отпихнув других, деликатно захватила ее бархатистыми губами.

— Надо же, сожрал! — восхитился Самоса. — Точно твои козлы? — обернулся он к Каляю.

— А чьи еще? Я же кормлю. За зиму одного геркулеса тонну скормил.

Самоса недоверчиво смотрел на Каляя. А тот, заметив, что бандюки заинтересовались оленями, начал отчаянно врать, почему-то надеясь, что ему выйдет поблажка, если он докажет браткам, какой он, Каляй, хороший человек.

— Самоса, давай отойдем поговорим, — предложил Рекс.

Олени продолжали выжидающе топтаться у сетки. Они особенно оживились, когда Клубок полез в карман. Он достал пачку «Мальборо», сунул в рот сигарету и посмотрел на оленей, следивших за каждым его движением. Клубок был парень не жадный — оставив в пачке дежурную сигарету, он вытряхнул остальные и стал совать оленям. А Каляю он сигарету не дал, чтоб не вводить его в заблуждение дружескими жестами.

К вольеру вернулись Самоса и Рекс.

— Значит, так, Каляй, — сказал Самоса, впервые назвав Каляя по имени, — раз козлы твои, можем договориться. Мы тебе долг простим, а ты нам козлов отдашь.

Каляй вытаращился на Самосу:

— Зачем они вам?

— Охотиться на них будем.

— Ребята, да вы что, как на них охотиться? Их из загородки метлой не выгонишь. Если б я их в лес выгнать мог — стал бы я их кормить?

— А мы сами что, лоси, по лесу бегать? Мы их прямо тут валить будем.

— Всех? — перепугался Каляй.

334

— Зачем всех, мы не беспредельщики. Парочку на развод оставим. Вон мелких вообще трогать не будем. — Самоса показал на двух недельных оленят.

— Не-е, я на это не согласный.

— Нам это без разницы. Не согласный — тогда поехали к нотариусу.

Самоса повернулся и пошел к дому. За ним двинулся Рекс. Клубок пихнул в спину Каляя.

Пока дошли, Каляй прикинул, что если даже бандюки оленей перестреляют, он все равно как-нибудь отвертиться. Ну нет у него другого выхода, не отдавать же дом, в самом деле!

— Да ладно, ладно! Берите оленей! — истерично завопил он, когда во дворе Самоса приказал ему идти за документами.

— Наши козлы? — быстро спросил Рекс.

— Ваши...

— Слово?

— Слово...

— Смотри, мужик, ты за свое слово отвечаешь. — Самоса пошел к воротам.

— А расписка? Расписка как? — крикнул ему в спину Каляй.

Самоса остановился и деловито вытащил из кармана органайзер, распухший, как гамбургер, от напиханных между страниц бумажек. Поискал. Нашел каляевскую расписку и сунул органайзер обратно в карман.

Каляй отчаянными глазами следил за листком.

Самоса положил расписку на ладонь и, начав с угла, ловко скатал лист в тонкий, тугой стержень, заостренный с обоих концов наподобие спицы.

— На, — сказал он Каляю, — засунь себе в жопу.

Ожидая на следующий день приезда бандюков, Каляй вдруг сообразил, что может проколоться на такой дурацкой мелочи, как замок на воротах вольера, от которого у него не было ключа. В связи с этим возникли и другие соображения. Поэтому Каляй сначала убедился, что кормушка набита сеном, и Шуракен, значит, в ближайшее время в вольеру не пойдет. Затем он приволок ломик, своротил замок и повесил на его место свой собственный, которым запирал косую дверь избенки.

Команду Самосы Каляй встретил по-хозяйски, показал, как лесной дорогой подъехать к вольеру, и, небрежно вытащив ключ, отпер замок.

Олени собрались у сетки и любопытно наблюдали за действиями людей.

Быки открыли багажник «Форда» и стали готовиться к охоте.

Накануне Рекс авторитетно заявил, что нет кайфа стрелять настоящую дичь из пистолетов, и пообещал сам решить проблему оружия. Но дружки, имевшие свои арсеналы, могли предложить только «калаши», «узи», М-16, но без патронов, даже РПГ-7 с двумя «выстрелами» к нему. Все это напрочь лишенное романтики железо предназначалось для утилитарного убийства и совершенно не подходило для охоты на оленей. В конце концов, уже чувствуя себя на грани позора, Рекс достал две потрепанные ижевские двустволки и нож для добивания раненой дичи и свежевания туш.

Переминаясь с ноги на ногу и тоскуя от дурных предчувствий, Каляй всеми силами души желал, чтобы бандюки поскорей перестреляли оленей и убрались отсюда. Тогда он заберет свой замок и подбросит на его место прежний, покореженный ломиком. Готовясь доказывать свою невиновность, Каляй больше всего рассчитывал на этот сломанный замок.

Как назло, быки не спешили. Они осмотрели оружие, обсудили его особенности, Рекс нацепил на пояс ножны с охотничьим ножом. Потом они еще покурили, солидно переговариваясь о своих делах. Затем наконец установили очередность стрельбы и пошли к вольеру.

Нинка сняла с плиты чайник и залила кипяток в кружку с заваркой. Шуракен с удовольствием смотрел, как она садится к столу, разливает по чашкам чай. В последнее время он начал заметно оттаивать и уже не выглядел таким отчужденным и замкнутым на прошлом, как раньше.

— Завтра свозишь меня в Москву, — сказала Нинка.

— Зачем?

— К Мирре Борисовне.

Шуракен понятия не имел, кто такая Мирра Борисовна, но Нинка произнесла это имя таким многозначительным тоном, что он вопросительно посмотрел на нее.

— Запишусь на прием, Мирра Борисовна вынет спираль, и, даст Бог, на будущий год в это время у нас уже будет маленький.

— Так у тебя?.. — опешил Шуракен.

— Слушай, Ярцев, вроде взрослый мужик, а в жизни ничего не смыслишь! — Нинка вдруг вздрогнула. — Ой, что это?

Шуракен не вздрогнул. Он мгновенно напрягся, как боевая система, получившая тревожный сигнал.

— Стреляют, — удивилась Нинка, прислушиваясь к отдаленному баханью ружей. — Может, это оленей твоих стреляют? — пошутила она.

Шуракен вдруг вскочил и бросился в комнату, служившую ему спальней. Он распахнул шифоньер, ударом кулака вышиб доску внутри, и Нинка увидела, что он вытащил длинный сверток, завернутый в мягкую тряпку. Шуракен сорвал тряпку, и в его руках появилось короткое, довольно массивное ружье. Это был помповый «ремингтон» с подствольным магазином — штатное оружие американских полицейских и бешено завоевывающих

337

жизнь новых русских. В свертке была коробка патронов.

Нинка остолбенела от ужаса, глядя, как Шуракен загоняет патроны в магазин. У него было неузнаваемое, чужое лицо, как будто упала маска мягкой, непрошибаемой вежливости.

С ружьем в руках Шуракен бросился из дома к воротам. Выскочив за ним следом, Нинка дурным голосом заорала почему-то:

— Дуст, миленький! Ой, он убьет их! Мамочка моя!

Дуст с лаем остервенело кидался на решетку клетки.

Обезумевшие от ужаса олени метались в вольере. Они стадом неслись в одну сторону, натыкались на сетку, сбивали друг друга с ног, падали, вскакивали, мчались в другую сторону, но там сетка снова отбрасывала их назад. Два недельных олененка сразу были затоптаны.

Передавая друг другу ружья, бандюки палили с таким азартом, что половина оленей была бы уже перебита, если бы стрелки попадали в цель. Но, как выяснилось, стрельба по таким стремительным и непредсказуемым в своих бросках целям была совсем не то, что стрельба по мишеням в тире. Пока только один олень, по которому выстрелили в самом начале, был ранен. Пуля попала ему в бок, но, истекая кровью и слабея, он отчаянно метался вместе со всем стадом.

Рекс единственный из всех имел реальный опыт стрельбы по живому. Поэтому, когда подошла его очередь, Рекс взял двустволку с видом уверенного в себе стрелка. Он поймал на мушку самого матерого из двух самцов, поводил за ним стволом и нажал на спусковой крючок.

На всем скаку олень перекувырнулся через голову. Это зрелище было встречено радостными криками остальных участников охоты. Упав, олень срезу попытался вскочить, но смог подняться только на передние ноги. Он задрал рогатую голову и судорожно тянулся вверх, скребя копытами по земле. Со второго ствола Рекс добил оленя выстрелом в голову.

От каждого выстрела Каляй дергался всем телом. Он понимал, что если Шуракен не в отъезде, то уже услышал стрельбу, и прикидывал, сколько времени ему потребуется, чтобы дойти сюда. Ну минут сорок... а если бегом? Ну полчаса — по мнению Каляя. Только он не представлял, что в норме Шуракен бегает десять километров за тридцать пять минут.

О норме сейчас речи не было. Шуракен ломом шел через лес, кратчайшим путем, точно на выстрелы. Таких бросков он не совершал со времен их со Ставром африканских дел.

Вольер заволокло дымом. После меткого выстрела Рекса бандюкам вдруг начало везти, скорей всего потому, что они стали приспосабливаться к ружьям и характеру цели. Еще несколько оленей было ранено.

— Уя-я! — заорал Самоса, довольный своим метким выстрелом. — До чего живучие, падлы! Прикинь, Рекс, если в человека так пулю засадить, он уже не встанет, а эти бегают.

— Потом ножом добьем.

И тут сквозь бабаханье двустволок бандюки услышали чужой выстрел. Раскатистый звук был как глухой рык бойцового пса, атакующего свору дворняжек.

Каляй отскочил от ворот и закатился в кусты. Некоторое время он буравил их головой, улепетывая на четвереньках. Ему казалось, что над головой свистят пули. Никогда в жизни он не испытывал такого ужаса.

Бандюки опустили ружья и закрутили головами. Они инстинктивно подтянулись друг к другу и попятились к выходу из вольера.

— Оружие на землю! — заорал Шуракен, не показываясь из-за деревьев.

Рекс мгновенным, четким движением выхватил из-под куртки пистолет и выстрелил на звук голоса. Туда же пальнул и Клубок, в двустволке которого оставался один заряд.

Самоса отбросил ружье с разряженными стволами и сунул руку за пазуху. Он не успел вытащить пистолет. Грохнул второй выстрел Шуракена, и пуля впилась в могучий бицепс Самосы.

— Бросайте пушки, пацаны! — Голос Шуракена раздался совсем не там, где бандюки слышали его в первый раз.

Рекс, держа пистолет в вытянутых руках, водил стволом, готовый в любую секунду поймать цель и выстрелить. Клубок, переломив ружье, загонял в стволы патроны. Самоса растерянно матерился, по его лицу расползалась шоковая бледность.

— Последний раз говорю: пушки на землю, пацаны, или хуже будет!

Клубок тут же пальнул на голос. Раздался ответный выстрел, и казенная часть ружья бандита разлетелась на куски. Острый осколок снизу вверх распорол Клубку щеку.

Юрчила далеко отбросил пистолет и поднял руки:

— Мужик, не стреляй, не стреляй! Я всего лишь водила!

— А ну вылезай, сука! — диким голосом заорал Рекс. — Давай выходи, говно! Посмотрим, кто здесь круче!

— Я тебя сюда не звал, — ответил Шуракен, — и бодаться с тобой не собираюсь. А башку тебе прострелить — мне как на хер валенок надеть.

Рекс рывками переводил дуло пистолета, пытаясь найти цель по звуку. Шуракен решил ему помочь. Он поднял корягу и бросил в кусты. Этот испытанный трюк сработал, как всегда: Рекс высадил по кусту пол-обоймы.

Боком стоя за толстой сосной, Шуракен поднял приклад к плечу, поймал в прицел ляжку Рекса и нажал на спусковой крючок.

Рекс взвыл и, завалившись на землю, обеими руками схватился за ногу.

Самоса, Клубок и Юрчила увидели, как среди деревьев, словно изображение на фотобумаге, проявилась высокая, мощная фигура в светло-зеленом спортивном костюме из парашютного шелка. Шуракен шел к ним, держа ружье стволом вверх.

Рука Самосы уже онемела и повисла плетью. Он машинально зажимал дыру в бицепсе. Его начала бить неудержимая дрожь, которая часто возникает сразу после огнестрельного ранения. Лицо и грудь Клубка заливала кровь, лившаяся из разорванной щеки, руки, контуженные попаданием пули в ружье, онемели до плеч.

Шуракен посмотрел на них вблизи и понял, что бандюки еще не забыли, как отгуляли дембель. В свои двадцать девять он по сравнению с ними был уже вполне матерый мужик.

— Ну что, сынки, давно бандитизмом занимаетесь? — спросил Шуракен. — Вот дураки. Ну ладно, отойдите и встаньте рылами к сетке.

Валяясь на земле, Рекс перекатился на спину, обхватил руками раненую ногу и заорал:

— Больно, твою мать, больно же! Здоровый мудак, придурок... больно!

Его вопли насторожили Шуракена. По действиям Рекса он понял, что это наиболее подготовленный из всех, жесткий, злющий парень, который дерется до конца. Не веря жалобам Рекса, Шуракен не выпускал его из поля зрения. Поэтому, когда Рекс перекатился на спину, чтобы освободить висящий на поясе нож, и потянулся к рукоятке, Шуракен тут же нанес ему страшный удар ногой в голову. Он не убил бандита, потому что убивать не хотел, но отключил надолго.

Выдернув из ножен у Рекса нож, Шуракен оценивающе посмотрел на его друзей и, убедившись, что противник деморализован и совершенно подавлен, вошел в вольер.

— От сетки не отходить и вообще не двигаться, — предупредил он Самосу, Клубка и Юрчилу.

Увидев затоптанных оленят и подранков, Шуракен пришел в ярость.

— Даже дела своего бандитского не знаете, — сказал он двум бледным и одной окровавленной рожам, маячившим за сеткой. — Стрелять не научились, а ручонки чешутся. Запомните, говнюки, если вы еще раз за что-нибудь, кроме собственных концов, этими ручонками возьметесь, я вас найду и их поотрываю.

Шуракену пришлось добить всех подранков, потому что даже легкораненое дикое животное обречено на долгую и мучительную смерть.

Когда он вышел из вольера, Самоса, Клубок и Юрчила оглянулись на него, не решаясь повернуться от сетки. У них возникло ужасное ощущение, что этот человек, убивающий с одного выстрела, сейчас способен и их перестрелять, как подранков. Их ужас был не лишен оснований.

Гнев ударил Шуракену в голову. И он почувствовал, что сейчас может сорваться в то неконтролируемое состояние, которое наступило после шока от транквилизаторов. Загнанное глубоко в подсознание чувство неудовлетворенной мести рвалось на свободу. Надо было немедленно сбросить куда-то агрессию, иначе он мог убить этих парней.

Шуракен увидел лоснящуюся морду «Форда», которая пялилась на него фарами. На рефлексе приклад «ремингтона» уперся в плечо и рука дернула цевье.

Лобовое и заднее стекла «Форда» покрылись сетью трещин от прошедшей навылет пули.

Шуракен опустил прицел ниже. Одна за другой пули разносили радиатор и прошивали двигатель.

Когда опустел магазин, «Форд» был уже кучей ни на что не годного железа.

15

Было около одиннадцати часов вечера, когда в старой московской квартире на Ломоносовском проспекте раздался телефонный звонок. Две старухи неохотно отвлеклись от разложенной на столе карточной комбинации.

— Наверно, это тебя, Леля, твоя протеже, — сказала Полина Павловна.

Елена Павловна сунула карты в карман вязаной кофты и пошла к телефону, стоящему на тумбочке, пристроенной к огромному дивану с круглыми валиками. Накрытый истертым шерстяным ковриком с вытканным венком из роз, диван был своего рода комнатой в комнате. Кроме зеркала и книжной полки, на нем имелись два бронзовых светильника, а в тумбочках — выдвижные ящички для мелочей и рукоделия.

— Алло, — сказала Елена Павловна энергичным, хорошо поставленным голосом, сохранившимся, несмотря на возраст.

Бодрые, светские интонации предназначались для одной из «этих современных особ», которую Елена Павловна, воспользовавшись своими связями, пристроила в университет читать факультативный курс по скандинавской литературе.

— Добрый вечер. Я имею желание говорить с Элен Палн или Полин Палн, — раздался в трубке мужской голос, говоривший с очень сильным иностранным акцентом.

— Я Елена Павловна. Говорите, я вас слушаю.

— Меня зовут Медисон Стролейн, я джорна-
лист. Я имею немного информац о ваш внук Олег.

Елена Павловна страшно побледнела и села на
диван. Увидев это, Полина Павловна выронила
карты и бросилась к сестре:

— Леля! Леля, что с тобой? Лелечка, кто это?
Что случилось?

— Говорите! Ради Бога, говорите! — с усилием
переведя дыхание, закричала в трубку Елена Павловна.

— Это не по телефону.

— Тогда приезжайте или скажите куда, мы
сами приедем!

— Не беспокойтесь. Я звоню из автомат возле
гастроном около ваш дом.

— Поднимайтесь. Поднимайтесь немедленно!

Елена Павловна сидела, сжимая телефонную
трубку, в которой уже раздавались короткие гудки.
Но она, боясь прервать призрачную нить, связы-
вающую ее с неизвестным человеком в телефон-
ной будке возле гастронома, все не решалась опу-
стить трубку.

— Леля, что случилось? — спросила Полина
Павловна. — Ты такая бледная. Может, тебе вали-
дол или лучше коньячку? Кто это звонил?

— Это какой-то иностранец, журналист. Он
сказал, что знает что-то об Олеге.

— Боже мой!

— Он сейчас поднимется... Поля...

— Что? Ну что, Леля?

— Он не спросил ни номер квартиры, ни код...
Может, это воры? — Елена Павловна «страшны-
ми» глазами посмотрела на сестру.

— Нас с тобой в любом случае уже не украдут.
В дверь позвонили.

— Ну как, откроем или позвоним в милицию? — спросила Полина Павловна.

— Откроем. Да, откроем. Пусть меня убьют, но

я никогда нс прощу себе, если не открою дверь человеку, который что-то знает об Олеге.

Елена Павловна поднялась с дивана, и сестры пошли открывать дверь с бесстрашием женщин, которым пришлось пережить не один такой ночной звонок. И они широко, без всякой цепочки, распахнули дверь.

На пороге стоял молодой человек в джинсах и кожаной куртке того не стесняющего движений покроя, какой обычно носят журналисты и операторы телевизионных хроник. На худом, сильно загоревшем лице и красивых каштановых волосах ночного гостя блестели капли дождя. Это был Ставр.

— Спокойно, бабульки, «скорую» я уже вызвал, — сказал он, входя в дом.

Он, конечно, пошутил, поэтому с обмороком бабушки Поли и нервным припадком бабушки Лели ему пришлось справляться самому. К счастью, старухи были крепкие и в полной мере обладали стойкостью и способностью властвовать собой в минуты и трагических, и счастливых потрясений.

Через час все сидели на кухне — обычном месте сборищ московских семейных и дружеских компаний. Бабки выставили на стол бутылку коньяку, который они регулярно употребляли для укрепления сосудов и сердца.

— Ты знаешь, Леля, — сказала Полина Павловна, — я ведь знала, что Олежек жив, только боялась говорить с тобой об этом, чтобы не волновать.

— Откуда ты это знала? — ревниво спросила Елена Павловна.

— Я зашла в церковь, чтобы поставить свечу, и там была одна страшная старуха, она ходила и выдергивала свечи из подсвечников. Я боялась что-нибудь неправильно сделать и спросила ее, куда поставить свечу за упокой. А она вдруг говорит: «Самой помирать пора, а все не знает, как свечу поставить. И кто ж живому ставит за упокой?» И пошла, так и не показала мне.

— Не знаю, не знаю, может, ты выдумала эту старуху. А вот я сердцем чувствовала, что Олежек жив. Замру, спрошу — и как будто из сердца приходит ответ — он здесь.

— Вся эта мистика чертовски интересна, но скажите мне все же, Сашка Ярцев объявлялся? — спросил Ставр, маскируя беспокойство небрежным тоном.

Он опасался, что старухи не видели Шуракена и не получали от него вестей. Для Шуракена был достаточно велик шанс, вернувшись в Россию, попасть под следствие или влипнуть еще в какое-нибудь дерьмо, связанное с сантильянской аферой.

Но пока все оказалось не так плохо.

— Конечно, Саша приезжал. Вначале он приехал вместе с твоим начальником полковником Марченко. Они очень нам помогли.

— Даже не знаю, как бы мы все это пережили, если б не они.

— И сейчас Саша заезжает иногда, звонит.

— Как у него дела?

— Он строит дом, кажется, женился.

— Вот как? — усмехнулся Ставр. — Я вижу, Сашка совсем без меня заскучал. Решил гнездо вить и цыплят высиживать.

— В отличие от тебя, — сказала Елена Павловна, — Саша нормальный человек. Он понимает, что если у мужчины такая профессия, что он шляется по нескольку лет неизвестно где, у него обязательно должна быть жена, чтобы было кому ждать, и дети.

— А мы две несчастные, никому не нужные старухи...

Это утверждение совершенно не соответствовало действительности. Ставр с улыбкой взглянул на двух властных старых дам, привыкших иметь дело с нахальной ордой студентов. В их речи по-прежнему звучали не терпящие возражений категоричные интонации.

— Как хочешь, — продолжила Полина Павловна, — но прежде чем тебя опять черт понесет на край света, изволь привести молодую женщину в дом. А то может случиться так, что когда ты в следующий раз вернешься, некому будет открыть тебе дверь.

— Хотите, я вам негритянку из Африки привезу?

— Вот дурак, ей-богу!

— Ну где я вам приличную женщину возьму?

— Конечно, где тебе ее взять, ведь ты предпочитаешь проституток.

— Не проституток, а профессионалок, — уточнил Ставр. — Они стоят дороже, но в конечном счете обходятся дешевле.

— Прекрати, Олег! — Елена Павловна отломила половину сигареты, чтобы не курить целую, и вставила в мундштук. — Мы тебя таким циником не воспитывали.

— А кто уговаривал меня читать Ремарка, рассказывая, как замечательно интересно он пишет про проституток?

— Мы шли на хитрость, чтобы заставить тебя читать хорошую литературу. — Елена Павловна качнула головой в старчески легких белых волосах, валиком уложенных надо лбом и висками.

Ставр рассмеялся и, обняв Елену Павловну, поцеловал в щеку. Кожа была ветхой и бархатистой, как лепесток увядшей розы. Невесомая плоть под ней без сопротивления промялась от прикосновения губ. Ставр почувствовал в груди острую боль печали и предчувствия потери. Он быстро встал и зажег газ под остывшим чайником.

— Давайте, бабульки, признавайтесь, машину продали? — спросил он.

— Какой ты все-таки бесчувственный, Олежек, — ответила Полина Павловна. — Как мы могли ее продать? Мы же, несмотря ни на что, надеялись, ждали.

— Молодцы, на вас можно положиться.

Он вышел из кухни.

— Как он изменился, — сказала сестре Елена Павловна. — Когда уезжал, это был еще просто не в меру самоуверенный мальчик, а теперь вполне матерый, привыкший к беспощадным дракам мужчина.

— Он стал очень похож на деда.

Ставр прошел в свою комнату и вытащил из-под лежанки аккумулятор. Ставя машину в гараж перед отъездом в Сантильяну, он снял аккумулятор и принес в дом. Теперь он поставил его на подзарядку.

— В твоей комнате белья нет. Если ты хочешь лечь, мы тебе сейчас постелим, — крикнула Полина Павловна, которая неправильно истолковала его возню в комнате.

— Не надо. — Ставр вернулся на кухню, засыпал в кофейник кофе и залил кипятком. — Сейчас аккумулятор зарядится, и я к Сашке Ярцеву мотану.

— Ну вот, начинается! Ты невозможный человек! — закричали бабки.

— Вся ваша семейка бешеная! — заявила Полина Павловна, которая была не Ставрова.

— Никуда ты не поедешь! Что это за гадость ты кипятишь в кофейнике? Немедленно вылей все в раковину. Сердце посадить хочешь? Вот лучше еще коньяку выпей.

— Не понимаю, как можно посадить то, чего нет? Леля, он же бессердечный, говорю, вся порода такая. Заскочил на полчаса, сделал одолжение!..

— Ей-богу, бабки, как не уезжал, — засмеялся Ставр. — Вы же жены, матери и бабушки разведчиков, должны понимать. Я числюсь в погибших. Смотрите, вот права и техпаспорт машины — это единственные не липовые документы, которые у меня есть. Разберусь с этими делами и вернусь домой.

— Когда?

— Надеюсь, скоро.

— Но ты будешь звонить?

— Обязательно, каждый день. Да, если вдруг Сашка Ярцев позвонит, не говорите ему, что я вернулся.

16

Население Ново-Троицкого было возбуждено и бурно обсуждало бандитскую перестрелку в оленьем вольере, но никто не знал, что же произошло на самом деле. Шуракен молчал, не желая афишировать применение им оружия, быки исчезли, а о Каляе никто вообще не думал. Удрав в разгар перестрелки, он потом долго сидел в лесу у пожарного пруда и застирывал штаны. Через пару часов из Москвы пришел грузовичок с краном, подцепил останки «Форда», загрузил в кузов и увез. Поселковые быстро сообразили, какую пользу можно извлечь из происшествия, и несколько мужиков пришли к Шуракену с просьбой отдать убитых оленей на мясо.

На этом история могла бы и закончиться, если бы «быки», как говорится, трепались от себя. Но дело в том, что они были сотрудниками охраны фирмы «Буржа-недвижимость», занимающегося реставрацией, перестройкой и продажей зданий в Москве и предоставлением в аренду строительной техники. Генеральный директор фирмы Аркадий Борисович Моторин приказал начальнику службы охраны Булату Тоболову выяснить все обстоятельства происшествия и позаботиться, чтобы все получили по заслугам, пострадавшие «быки» в первую очередь.

Тоболов вызвал команду Самосы. Они вошли в его кабинет с самыми неприятными предчувствиями. Вид шефа подтвердил эти предчувствия. В глазах Тоболова ясно читался вопрос: «Вы решаете мои проблемы или сами создаете добавочные?» Такой вопрос обычно предшествовал увольнению из фирмы.

Пытаясь оправдаться, Самоса и Рекс наперебой начали рассказывать историю, как они в свой законный выходной поехали к корешу поохотиться на оленей. И вдруг из леса вылез совершенно беспредельный мужик — по их описанию, что-то среднее между Терминатором и Тарзаном — и набросился на «Форд», пуляя по нему из немеренной пушки. Они самоотверженно пытались защитить машину, но, получив ранения, были вынуждены отступить.

Слушая изложение их эпопеи, Клубок очень переживал, но, по обыкновению, молча. А Юрчила втихую старался откосить от друзей, всем видом показывая, что он «здесь только водила».

Тоболов с деловой невозмутимостью выслушал всю историю до конца.

— Ребята, я все понял, — сказал он наконец. — Отдыхайте, лечите нервы.

Считая тему исчерпанной, Тоболов в вертящемся кресле повернулся к маленькому столику, на котором у него стояла кофеварка, налил чашку кофе, медленно высыпал туда ложку сахару, задумчиво размешал, повернулся обратно к письменному столу и взглянул на подчиненных, как в первый раз увидел:

— В чем дело? Я же сказал: свободны.

— Как — совсем? — растерянно проговорил Самоса.

— Булат, ну так дела не делаются! — сорвался Рекс. — Мы щас съездим, с ним разберемся. Мы ему рога посшибаем!..

350

— Никуда ехать не надо, — спокойно сказал Тоболов, — а рога всем, кому надо, посшибают без вас.

— Если нас увольняют, тогда выходное пособие, — заявил Юрчила.

— Кто вам сказал, что вас увольняют? — поинтересовался Тоболов. — У вас неоплачиваемый бюллетень на три дня. А дальше я перевожу вас в Жулебино охранять бульдозеры на стройплощадке. На работу будете ездить на метро. А за «Форд» с вас будут вычитать, как положено, не больше двадцати пяти процентов.

Выпроводив «быков», Тоболов позвонил знакомому чину с Петровки и попросил выяснить, кто в подмосковном леспаркхозовском поселке Ново-Троицкое мог круто разобраться с его людьми. Чин в свою очередь позвонил начальнику РУВД, который был на гулянке по случаю возвращения Шуракена. Тот ответил, что, похоже, знает, кто это, но на всякий случай сейчас проверит. Вскоре он перезвонил и сказал:

— Ярцев Александр Михайлович, капитан спецназа, полгода как вернулся из загранкомандировки.

— Армейский спецназ?

— Нет, безопасность.

С этой информацией Тоболов пришел к Моторину.

— Если бы парень был просто армейский, я бы решил вопрос сам и не стал беспокоить вас, Аркадий Борисович. Но против бывшего Комитета я не могу ничего предпринимать без вашей санкции. У этих ребят очень сильны корпоративные традиции, да и связи кое-какие еще работают.

— Хорошо, Булат, я подумаю. Когда будет решение, я тебе сообщу.

Возмещение стоимости расстрелянного автомобиля было в какой-то степени принципиальным делом: лев должен защищать себя даже от мух.

Причем возмездие должно быть истинно львиным, тогда на него поостерегутся нападать те, кто способен причинить настоящий ущерб. Но все же потеря довольно потрепанного «Форда» была недостаточно серьезным основанием, чтобы ввязываться в конфликт с непредсказуемыми последствиями. А собственно личность капитана спецназа КГБ Ярцева всерьез заинтересовала Моторина. У него была возможность получить информацию о Шуракене. Теперь, когда неприступная некогда цитадель Комитета пала и, опозоренная, лежала в развалинах, это оказалось намного проще, чем получить сведения о собственности, принадлежащей некоторым видным политическим деятелям.

Моторина силовое подразделение внешней разведки интересовало по своим соображениям. Пройдя усиленную физическую подготовку, сотрудники этого подразделения обучались приемам стрельбы из всех видов оружия, рукопашному бою, обращению со взрывчаткой и технике ведения допросов. Некоторые из них свободно владели иностранными языками и чувствовали себя как дома в любой столице мира. Заполучить такого специалиста значило приобрести собственную высококвалифицированную разведку. Но все, с кем Моторин пытался связаться прежде, наотрез отказались даже обсудить возможность сотрудничества. Теперь в поле его зрения попал Ярцев — Шуракен. Бизнесмен заказал и получил информацию о нем и его напарнике Олеге Ставрове, к сожалению числящемся в погибших.

Затем вызвал Тоболова:

— Булат, съезди к Ярцеву сам и очень вежливо пригласи приехать ко мне.

Шуракен принял Самосу и его команду за бандитов, что, впрочем, было нетрудно. Зная, что у этого народа не в обычае что-либо прощать, он ждал, что в ближайшее время кто-нибудь обязательно явится к нему разбираться. Поэтому, когда на его дворе появился стройный человек, похожий на молодого Аль Пачино, Шуракен даже не задал себе вопрос: кто бы это мог быть? За спиной Тоболова двигался телохранитель, как и он, одетый в дорогой костюм-тройку.

Шуракен выключил циркулярку, на которой он равнял вагонку, но не сделал ни одного шага навстречу визитерам. Он был спокоен: когда намерены убить, то стреляют врасплох, в этом случае никакой профессионализм не спасет — людей, заговоренных от пули, не бывает. А раз пришли говорить, то всегда есть шанс взять ситуацию под свой контроль.

Тоболов не без удивления отметил, насколько фантазии Самосы и Рекса, описывавших своего противника, оказались недалеки от действительности. Высокая мощная фигура Шуракена произвела на него впечатление. Куртка ярко-зеленого спортивного костюма — точно, Самоса упоминал именно такую упаковку — была расстегнута, под ней проступала скульптурная мускулатура груди и живота. Тоболов прикинул, что весит Шуракен не меньше сотни, при этом совершенно нераскачанный и очень стройный — резинка спортивных штанов узко сходится на мускулистой пояснице. На лоб и широкую шею Шуракена падали отросшие за полгода светло-русые лохмы.

— Булат Тоболов, — вежливо и спокойно представился Тоболов. — Я начальник охраны концерна «Буржа».

— Ярцев.

— Господин Ярцев, я специально приехал, чтобы передать вам приглашение нашего генерального директора господина Моторина встретиться с ним.

— Я не имею ни малейшего понятия, кто такой господин Моторин, и не понимаю, зачем мне с ним встречаться.

— Но вы, надеюсь, еще помните, что у вас вышла разборка с нашими людьми?

— А, это, значит, были ваши ребята.

— Вы расстреляли принадлежащий концерну автомобиль и нанесли двоим огнестрельные ранения. Из-за этого и у нас, и у вас могут возникнуть проблемы. Вы ведь в курсе, что врачи обязаны сообщать об огнестрельных ранениях?

— Вот об этом, пожалуйста, не беспокойтесь, у меня проблем не возникнет. Как старший лесничий, я совершенно законно владею «Ремингтоном-экспресс-840», официально купленном в оружейном магазине на Петровке.

— Я не сомневаюсь, что вы имеете право хранить оружие и даже применять его. Может быть, наши ребята повели себя здесь не совсем правильно...

— «Не совсем правильно» — неточная формулировка, — перебил Шуракен. — Я не против охоты, но когда стреляют по ручным оленям в загоне — это называется живодерством.

— Дело в том, что мы знаем о происшествии только со слов наших людей, а господин Моторин хочет провести объективное расследование, для этого он и просит вас приехать к нему в офис. Мы уважаем законы, и если выяснится, что во всем виноваты наши сотрудники, господин Моторин не будет иметь к вам никаких претензий.

— Лично я не имею никаких претензий к господину Моторину. А если его так волнует справедливость, то пусть он сам приедет сюда, и я ему расскажу, как было дело, и даже предъявлю вещественные доказательства.

Шуракен указал в сторону забора. Тоболов посмотрел туда и увидел шкуру оленя, растянутую и приколоченную гвоздями к доскам для просушки.

— Господин Моторин очень занят, ему трудно будет выбрать время для такой дальней поездки.

— Я тоже занят...

Препирались Шуракен и Тоболов долго, нудно и исключительно вежливо. Тоболов в принципе считал, что вежливость и корректность — лицо фирмы, к тому же он получил указание убедить Шуракена приехать в офис без демонстрации силы. И он не собирался уезжать, не получив согласия. А Шуракен считал, что у него нет оснований грубить человеку, который разговаривает вполне вежливо, но оснований ехать к его боссу у него тоже нет.

Переговоры зашли в тупик.

Дуст потерял к чужакам острый интерес, улегся на настил клетки и только переводил треугольные медвежьи глаза с хозяина на его собеседника. Вдруг Дуст резко повернул голову в сторону ворот и глухо заворчал.

Реакция собаки насторожила Шуракена. Он услышал, как за воротами хлопнула дверь машины. Тоболов и телохранитель тоже обернулись. Глухие, в рост человека, ворота были закрыты, никто не видел, что за ними происходит. Кто-то открыл калитку и вошел во двор.

— Не советую делать резких движений, — предупредил Тоболова Шуракен, решив, что, не добившись успеха разговорами, парламентарии переходят к действиям. — Вы даже не представляете, как плохо это может кончиться.

— Этот не наш, — поспешно ответил Тоболов.

Новый человек подходил, с какой-то вызывающей и в то же время иронической улыбкой глядя на Шуракена и не замечая остальных, словно их тут и не было. Тоболов с изумлением заметил, что Шуракен, похоже, здорово испугался при виде этого темноволосого, поджарого, как волк, парня. Он просто впал в шок, в столбняк, даже челюсть отвисла.

— Привет, Шур! — крикнул парень. — Хватит изображать из себя центральный персонаж картины «Не ждали».

— Ты...

Больше Шуракен ничего произнести не смог. Его руки потянулись к Ставру, Шуракен сгреб его и прижал к себе. От его объятия могли хрустнуть ребра, оно было жестоким и яростным, как захват в смертельной схватке.

— Все в порядке, Шур, — пробормотал Ставр, успокаивающе похлопывая друга по спине. — Ребята, — сказал он Тоболову, — вы не думайте, у нас не принято целовать мужиков взасос, но сейчас у нас свои дела, и вам не надо на весь этот ужас смотреть.

— Конечно, это ваши дела, но и мы сюда тоже приехали не груши околачивать, — ответил Тоболов.

Шуракен наконец пришел в себя.

— Булат, я все понял про твоего босса, — сказал он. — Если ему это так надо, я с ним встречусь. А сейчас уматывайте отсюда, только сразу.

Тоболов достал из кармана пиджака визитную карточку.

— Свяжитесь со мной. — Он протянул карточку Шуракену.

— Е-мое, я думал, такое только в кино бывает! Шуракен никак не мог выйти из состояния оглушенности. Они зашли в дом. На кухне Ставр сел на табуретку, а Шуракен ходил вокруг, машинально дотрагиваясь до него, словно все еще не верил, что это не глюк.

— Где ты все это время шлялся, скотина чертова? Ну давай, давай, Ставридас, рассказывай.

— Еще успеется, — улыбнулся Ставр, оглядывая кухню. — Эта история длинная и увлекательная. Я буду рассказывать ее тебе долгими зимними вечерами под хорошую водку в твоей замечательной норе. Ты отлично устроился тут. И внешне как-то изменился. Хаер какой-то на башке себе отрастил. Ты в отпуске?

— А ты Командора еще не видел?

— Нет, я только вчера прилетел и сразу к бабкам, а потом к тебе.

— Ну тогда я тебя поздравляю, дружище, мы с тобой на пенсии.

— Не понял, — ответил Ставр.

— Подразделение ликвидировано.

Ставр опешил:

— Такого не может быть!

— Теперь всякое может быть. Мы с тобой, дружище, оказались последними солдатами Империи. Я тут за полгода такого насмотрелся и в жизни, и по телевизору, что вряд ли кто-нибудь теперь объяснит мне, что такое нация.

— А Командор тоже на пенсии?

— Ну нет, Командор не соскочит с дистанции. Ты же знаешь, это отдельный случай, у него свои дела.

— Тогда все в порядке. Считай, Шур, что твои каникулы кончились. Я привез сенсационные известия о нашем бывшем шефе Ширяеве. Думаю, они тут кое-кого здорово заинтересуют.

— Черт возьми, я был просто на все сто уверен, что этот сучий потрох жив!

— Еще как жив! Он развил такую бурную деятельность, что достал даже наших заклятых друзей из ЦРУ. Я наснимал такие интересные картинки на его базе и хотел бы как можно скорее отдать их Командору. Ты знаешь, где он сейчас?

— Должен быть у себя на даче. Давай съездим в управу и позвоним.

— А если его на даче нет, он дал тебе телефон для связи?

— Дал, конечно.

— Все, тогда поехали звонить. У меня машина стоит у ворот.

Ставру не терпелось поскорей передать Командору материал на Советника, посмотреть, какая при этом станет у полковника физиономия, и получить приказ к действию.

Черный «Сааб-9000» Тоболова не мог не привлечь внимания поселковых. Нинке тут же сообщили, что к Шуракену приехали какие-то люди — бандиты, судя по тому, что хорошо одеты и на шикарной иномарке. Наверняка их приезд связан с перестрелкой в оленьем загоне. Нинка переполошилась, бросила магазин на уборщицу и понеслась на лесную усадьбу Шуракена.

Перед воротами она обнаружила только «восьмерку» Ставра, которая ни с какой стороны не соответствовала описанию навороченной бандитской тачки. Нинка решила, что поселковые тетки, по своему обычаю, все преувеличили, и страх у нее прошел. И тут она увидела Шуракена, который спокойно вышел из ворот вместе с каким-то молодым человеком.

Ставр и Шуракен тоже увидели Нинку.

— Что это за баба сюда мчится? — спросил Ставр. — Это и есть твоя Нинка?

— Она, — подтвердил Шуракен. — Похоже, беспроволочный телеграф в поселке работает исправно. Нинке уже все доложили, она и понеслась разбираться с бандитами.

— Так те ребята, которых я у тебя во дворе спугнул, были бандиты? Что им от тебя надо?

— Потом расскажу.

Нинка подошла к Шуракену и Ставру. Сначала парень, который был с Шуракеном, показался ей смутно знакомым, потом она поняла, что видела его довольно часто — на фотографиях под стеклом в комнате Шуракена.

— Познакомься, Нин, это Олег, мой напарник. Я тебе о нем рассказывал. Представляешь, какое кино, он, оказывается, жив.

Ставр и Нинка посмотрели друг на друга. Нинка самолюбиво заметила, что Ставр оценил ее

358

стать и красоту. Мелькнуло в его глазах признание ее привлекательности. Она же увидела, что то, что угадывалось на фотографиях, в жизни в нем намного сильнее: не мил, не добр, но женщин такие влекут с непреодолимой силой. И, как друг Шуракена, он в своей силе тоже уверен. Он был с Шуракеном там, где Нинки не было и быть не могло, и сейчас, явившись неизвестно откуда, принес с собой обаяние враждебного, жестокого и увлекательного мира, предназначенного только для мужчин.

— Ой, какое счастье! — лживо обрадовалась Нинка. — Вам ведь посидеть, поговорить надо. Сейчас я стол накрою.

— Не надо, — ответил Шуракен. — Мы уезжаем.

— Куда?

— По делу.

— Вас ждать?

— Не надо.

Ставр сел за руль и повернул ключ в замке зажигания.

— Нин, — сказал он так, будто знал Нинку сто лет, — вообще-то к вечеру мы должны вернуться. Давай, Шур, запрыгивай пошустрей.

Машина резко стартанула и скрылась за густыми низкими елками.

Нинка осталась стоять на месте.

«Лучше б я Сашку с бабой застукала! — с отчаянием подумала она. — Да такой друг похуже вора и любовницы».

Только-только забрезжило Нинке в жизни счастье — красивый, желанный муж, за которым как за каменной стеной, только-только начала она отогреваться, как надо же — пожаловал. Сколько ей, Нинке, сил стоило приручить Шуракена, а этот словно с неба свалился и — запрыгивай, мол, шустрей. И увел.

17

Ставру и Шуракену повезло: Командор оказался дома. Три дня назад он вернулся из командировки. Пожалуй, в первый раз Командор был вынужден признать, что возраст все-таки берет свое.

Возвращение Ставра особого впечатления на полковника не произвело. Он и не такое видел.

— Ну что ж, — сказал он, — хороший уровень выживаемости. Значит, не зря тебя учили. А вообще, повод есть. Давайте, ребята, по сто граммов за возвращение Олега.

Командор провел своих парней на веранду. Стол был уже накрыт. После звонка Ставра и Шуракена Командор дал адъютанту Косте соответствующие указания. Прапорщик смотался на рынок, купил парной грудинки на борщ, хороший кусок свинины на отбивные и сейчас священнодействовал на кухне.

Не садясь за стол, Командор разлил по рюмкам водку.

— За тебя, Олег, ты меня очень порадовал, — сказал он.

— Просто повезло.

— Не говори так. Просто ничего не бывает. Если в одном месте встало, в другом обязательно упадет — закон жизни.

Они выпили. Спецы стояли чуть ли не навытяжку. Несмотря на вполне вольный стиль одежды и отросшие лохмы Шуракена, оба сейчас до смешного соответствовали выражению «господа офицеры».

— Ребята, что-то вы напряженные? — усмехнулся Командор. — Расслабьтесь. Вы мне уже не подчиненные и имеете полное право выпить с бывшим сослуживцем в неформальной обстановке.

На веранде появился Костя.

— Подавать, Николай Пантелеич? — спросил он.

— Давай.

После обеда перешли в бильярдную, и Ставр отдал Командору фотопленку, отснятую на базе Советника.

— Хорошо, я отпечатаю и посмотрю снимки, а пока расскажи, что там организовал Ширяев?

— Ну что сказать, Николай Пантелеич, — ответил Ставр, — отличный ларек по продаже российского оружия примерно в восьмистах километрах севернее экватора.

— Сейчас я дам бумагу и ручку. Садись и пиши отчет.

— Какой отчет?

— Отчет о разведывательной операции, проведенной по моему приказу.

В Ново-Троицкое Ставр и Шуракен вернулись поздно вечером. Уже стемнело. Когда свернули с шоссе, фары автомобиля высветили засыпанную щебенкой дорогу. Ставр включил дальний свет, и в глубине леса лучи рикошетили от шершавых стволов черных елей. Через двести метров дорога из беловатой щебенки уперлась в глухие ворота усадьбы.

— Ну нагородил городище, — усмехнулся Ставр. — А впрочем, мне нравится, с крупнокалиберным пулеметом тут долго отсиживаться можно.

— Это точно.

Шуракен вылез из машины и пошел открывать ворота.

Ставр загнал машину во двор. Шуракен закрыл ворота и направился к клетке Дуста.

— Эй, Шур, ты собираешься выпустить этого людоеда? Тогда подожди, я залезу обратно в машину и закрою двери.

— Не шугайся, Дуст службу знает. Он уже разобрался, что ты свой.

Засидевшийся за день Дуст, вырвавшись на свободу, завертелся вокруг хозяина, неистово размахивая хвостом, и, встав на задние лапы, всей тяжестью обрушился на грудь Шуракену. Затем он тяжелым медвежьим галопом сделал круг по двору и завернул к Ставру. Пасть Дуста была разинута от уха до уха, и не у всякого хватило бы хладнокровия спокойно посмотреть на клыки размером с большой палец.

Но Ставр уже понял, что пес молодой и настоящей строгости в нем нет. Он опустился на корточки:

— Да ты еще совсем пацан. Ну иди, иди ко мне, валенок.

— Кончай морочить голову моему псу. Не порти мне собаку, — сказал Шуракен.

Он вошел в дом, включил свет и увидел, что стол на кухне накрыт на троих. Он быстро прошел в комнату, служившую ему спальней, Нинки там не было. Шуракен понял, что Нинка, как положено, ждала мужа и его друга, чтобы посидеть, поговорить, не дождалась и ушла домой. Но сознание вины промелькнуло и сразу погасло: возникновение на горизонте Советника все оттеснило на задний план.

В комнату вошел Ставр. Обшитые вагонкой стены и потолок были посечены тенями и лучами от лампочки под жестяной нахлобучкой. Первое, на чем остановился взгляд Ставра, была рама с фотографиями.

— Что это у тебя за мемориальная доска?

Вместо ответа, Шуракен молча снял раму со стены и убрал на верх шифоньера.

— Ерунда. Да, я страдал, но теперь мне за это стыдно. Как ты однажды сказал, Ставридас, война кончается только для мертвых. Как ты думаешь, они не могут поручить Советника кому-нибудь другому?

— Конечно могут, но это будет несправедливо. — Он снял куртку, повесил ее на гвоздь, на котором раньше висела рама, и сел на табуретку.

Шуракен опустился напротив него на раскладушку.

— Несправедливо — это для руководства не аргумент, — сказал он.

— Но никто лучше нас не знает этот район. Мы можем разобраться с ним вдвоем и быстро — а вот это уже аргумент, что, нет? Я надеюсь, Командор похлопочет, чтобы это дело поручили нам. А если что... ну тогда я вернусь в Африку и разберусь с сукой без ихнего мандата.

Шуракен достал сигарету и протянул пачку Ставру.

— Спасибо, — сказал Ставр, — но я больше не курю.

— С каких это пор ты такой правильный стал?

Вместо ответа, Ставр стянул с себя оливковую футболку, и Шуракен увидел с левой стороны груди свежую отметину от пули.

— Вот с этих, — сказал Ставр.

— А, черт!

— Брось. Поймать пулю любой дурак может, а уж я свою поймал точно, как последний дурак.

Шуракен встал с раскладушки, подошел к Ставру и неуверенно протянул руку, он хотел дотронуться до шрама, но не знал, как его друг к этому отнесется.

— Валяй, потрогай, — усмехнулся Ставр. — Не бойся, в сексуальных домогательствах я тебя не заподозрю.

— На волосок был... просто на волосок, — пробормотал Шуракен. — Еще чуть влево — и каюк.

Неглубокая вмятина, затянутая почти белой, еще чужеродной кожей с твердым уплотнением по краям, которую ощупывали его пальцы, имела для Шуракена свое, совершенно особое значение. Она была клеймом, «печатью на мышце», которой пометила его друга судьба. У него самого на боку было такое клеймо, но тогда, когда это случилось, Ставр был с ним. Он не дал проклятым «ягуарам» добить Шуракена, дотащил до госпиталя, охранял, брил, пока тот был еще слаб, но оказался в одиночестве, когда сам получил пулю.

Ставр понял, о чем думает Шуракен. Это был один из редких моментов молчаливого взаимопонимания, но Ставр не хотел, чтобы Шуракен зацикливался на этой вредной идее.

— Не переживай из-за ерунды, Сашка. — Ставр ударил друга кулаком в плечо. — Ведь жив же, а курить все равно пора бросать. Мы с тобой уже не очень-то молодые для нашего дела, и надо экономить ресурс организма, как сказал один лекарь, когда полосовал меня без наркоза. Ладно, Шур, брось мне какую-нибудь подстилку на пол, и завалимся спать.

— Сегодня ты гость, — ответил Шуракен, — поэтому тебе поблажка. Ты ляжешь на раскладушке, а я устроюсь на полу.

— Кто бы стал спорить, а я не буду.

Шуракен расстелил на полу спальный мешок и погасил свет. Некоторое время они тихо лежали в темноте.

— Кстати, — сказал Ставр, — по поводу тех ребят, которые утром к тебе приезжали, что ты с ними решил?

— А что тут решать? Я же им пообещал, что приеду, теперь придется ехать.

— Тогда нечего тянуть, пока время есть, давай завтра и съездим.

18

Главный офис концерна «Буржа» находился на одной из улиц Лефортова в бывшем хлебном лабазе XIX века, перестроенном по финскому проекту. Стильное светло-бежевое двухэтажное здание под коричневой черепичной крышей стояло в глубине территории, обнесенной черной металлической изгородью. Через нее свободно просматривались ровные, как бильярдный стол, зеленые плоскости стриженого газона. На холеном бобрике травы были расставлены стеклянные шары светильников.

Ставр остановил «восьмерку» у ворот офиса. На лобовое стекло крапал мелкий майский дождь.

— Алле, ребята, к вам кто-то идет, ползет, летит. Смотри, Шур, — Ставр показал на декоративные навершья опорных столбов изгороди, — в этих кандибоберах наверняка спрятаны антенны сигнализации.

Створки ворот плавно разошлись, и машина въехала на блестящие от дождя плиты подъездной дорожки.

— Оказывается, и наших можно научить хорошим манерам, — заметил Шуракен. — Когда я договаривался о времени встречи, этот парень, Тоболов, спросил номер машины.

— Пожалуйста, проходите, Аркадий Борисович ждет вас. — Стройная деловая девушка в безупречном офисном костюме открыла перед Ставром и Шуракеном дверь в кабинет шефа.

Охранник, который встретил их у машины и проводил сюда, вошел в кабинет следом, встал у двери и слился с интерьером.

Стол господина Моторина определенно напоминал газоны перед офисом: такой же обширный, чистый и не загроможденный ничем лишним. На его поверхности стояли бутылка «Камю», банка с витаминами и упаковка таблеток от головной боли.

— Садитесь, — пригласил Моторин.

Ставр и Шуракен сели по разные стороны длинного узкого стола для совещаний.

— В вашем джентльменском наборе не хватает пистолета, — заметил Ставр, разглядывая натюрморт на столе Моторина. — Все эти проблемы с помощью пистолета решаются раз и навсегда.

— Вы ошибаетесь, молодой человек. Есть такие проблемы, которые не решаются даже с помощью пистолета. Итак, кто из вас Ярцев?

— Я, — ответил Шуракен.

— А вы кто? — спросил Моторин Ставра.

— Я — родители. А вы кто, директор приюта для трудных подростков? Вы чего хулиганов распускаете? Сынок оленей кормил, поил, говно за ними убирал, а ваши приехали на готовое и давай пулять.

— Держите себя в руках, папаша. Вы в приличном месте, — сказал Шуракен.

Моторин спокойно проговорил:

— Если я правильно понял, вы Олег Ставров. Значит, вы действительно живы. Когда мой сотрудник рассказал о вашей встрече, я сразу предположил, что речь идет о вас.

Лица Ставра и Шуракена напряглись, и они очень внимательно посмотрели на Моторина. В кабинете повисла пауза. Сказав «А» — продемонстрировав, что обладает определенной информацией, — Моторин должен был сказать «Б». Спецы ждали.

— Да, я знаю, кто вы, — продолжил Моторин. — Прежде чем пригласить сюда, я проверил вас по своим каналам. Например, я знаю, что последние три года вы были в Африке.

— Допустим, что дальше? — спросил Шуракен.

— Я предлагаю забыть о конфликте с работниками моей фирмы и обсудить предложение о сотрудничестве.

— Если вам нужны специалисты по «третьей разборке», то это не к нам, — ответил Ставр.

— Я знаю разницу между «Хаммером» и мусороуборочной машиной и не собираюсь предлагать вам оказывать услуги такого рода. Мне нужны

366

люди, способные сделать для меня то, что, например, ЦРУ делает для правительства США.

Моторин с удовлетворением отметил, что в глазах бывших спецов появилась заинтересованность. Он подался вперед, положил на стол крупные, красивые руки и пристально посмотрел на сидевших перед ним парней, окончательно решая, те ли это люди, которые ему нужны.

— Я хочу создать свое собственное разведывательное управление, которое будет заниматься сбором информации, ее защитой и осуществлять спецоперации. Моя фирма нуждается в расширении связей, особенно в поиске зарубежных партнеров. А как показывает практика, прежде чем забираться в постель с новым партнером, следует проверить его контакты. Один мой слишком доверчивый знакомый нашел немецких партнеров, готовых сделать крупные инвестиции в его бизнес, и поехал в Мюнхен для подписания контракта. Фирма оказалась подставой, и он сидел заложником, пока они не перекачали на свой счет всю его наличность. Такие трюки отнюдь не исключение. И фирма, предоставляющая информацию для принятия обоснованных решений, способная вытащить бизнесмена из неприятного положения, будет очень рентабельным предприятием. Работа в моей фирме гарантирует вам достойный уровень жизни. И что наверняка для вас важно, эта деятельность не будет наносить ущерб государству и противоречить вашему кодексу профессиональной чести.

— Серьезно, — сказал Ставр. — Чувствуется, что вопрос глубоко продуман. Что скажешь, Саша?

— Предложение интересное. Но организация такой фирмы недешево обойдется. Нужны специальное оборудование, аппаратура, люди.

— Деньги на старт проекта я найду, — сказал Моторин. — Вы готовы за это взяться?

— Пока нет, — ответил Шуракен. — У нас есть обязательства перед другими людьми, мы должны прежде закончить со своими делами. После этого можно встретиться и поговорить конкретно.

— Когда вы предполагаете освободиться?

— Мы это узнаем в течение недели.

— Давайте сделаем так, через неделю вы сообщите мне о своем принципиальном согласии или отказе. И в течение этого срока я бы хотел иметь с вами связь.

— У меня в лесу телефона нет, — ответил Шуракен.

— У меня есть домашний телефон, но меня там редко бывает. Зато там сидят две старухи, которые из дому почти не выходят, играют в преферанс. Придется держать связь через них.

Моторин повернулся к стоящей рядом со столом мини-АТС и нажал одну из клавиш. Раздался ответ:

— Слушаю, Тоболов.

— Булат, — сказал Моторин, — зайди ко мне и принеси два мобильных телефона.

— Вообще-то мы у вас пока не работаем, — заметил Ставр.

— Для меня так проще, — ответил Моторин. — Если не договоримся, через неделю вернете.

День был пасмурный и теплый. Мокрый после дождя асфальт парил. Управляемые электроникой ворота «Буржа» бесшумно сомкнулись за кормой «восьмерки».

— Крутой дядька, — сказал Шуракен. — Может, стоит с ним поработать? Я уже почти все деньги в дом вгрохал, осталась так — мелочевка.

— Американец, о котором я тебе рассказывал, Джек Кейт, сказал одну умную вещь: «Разведка — это бизнес, причем один из самых высокооплачи-

$1/_2 12^*$

ваемых». И он прав, просто мы с тобой еще не привыкли так думать. Надо перестраиваться, — усмехнулся Ставр. — Кстати, мои деньги бабкам перечислили, как положено родственникам — в рублях по официальному курсу. По нынешним ценам мне это месяца на три на бензин и баб... Идиот!!! — Ставр вдавил педаль тормоза.

«Восьмерку» занесло, но Ставру все же удалось удержать ее. Машина остановилась, полметра не долетев до человека, неожиданно выскочившего на дорогу. В полном шоке он словно прирос к асфальту.

— У тебя что, здоровья много? — рявкнул в открытое окно Шуракен. — Так я сейчас вылезу поубавлю.

— Да ладно, не лечи его, Шур, — Ставр завел заглохший двигатель, — если человек не понимает, что лучше быть в двенадцать дома, чем в одиннадцать — в морге, его не вылечишь.

19

Материалы разведки базы «Гранд Риф де Корай», переданные Ставром Командору, содержали две фотопленки, подробный план объекта и отчет, написанный уже в Москве. У Ставра не было ни времени, ни возможностей для разработки связей Советника, поэтому при составлении отчета он воспользовался информацией, полученной от Кейта. Этих сведений было немного, и все они касались в основном покупателей оружия, на источники получения товара в России имелись только смутные намеки. Ставр подозревал, что у Кейта имеется гораздо более обширная и конкретная информация о бизнесе Советника. Но американец был осторожен. Он явно не хотел показывать истинный уровень информированности, потому что это поколебало бы его легенду торговца средней руки, оказывающего услуги ЦРУ в обмен на покровительство его фирме. А если рассматривать Кейта просто как делового человека, то и тут американца можно было понять — информация стоит денег или услуг. Во всяком случае, он намекнул, что эта информация в принципе есть и может быть получена российской разведкой, если стороны договорятся о взаимовыгодном сотрудничестве.

Приложив к отчету Ставра свои выводы и комментарии, Командор через Координатора передал материал руководству. Через несколько дней он получил распоряжение организовать нескольким заинтересованным людям встречу со Ставром. Она состоялась в офисе какой-то фирмы, чья невразумительная вывеска висела на старой облезлой двери в одном из дворов-колодцев на задворках Тверской. Войдя в эту дверь, Ставр и Командор спустились на несколько ступенек и оказались в длинном коридоре. Вдоль стен стояли коробки и ящики с керамической плиткой, обоями, красками, унитазы и раковины замысловатых форм и цветов. Создавалось впечатление, что фирма занимается ремонтом квартир.

В конце коридора Командор открыл дверь, они вошли в небольшую полуподвальную комнату, обставленную несколькими обшарпанными канцелярскими столами. Ожидавшие их трое мужчин представились только по именам, одного из них звали Александр Иванович. Ставр уже знал историю возвращения Шуракена, и хотя у этих людей не было оснований подвергать его допросу с пристрастием или процедуре «потрошения мозгов», он понимал, что у него нет никаких гарантий неприкосновенности. Поэтому Олег крайне осторожно отвечал на их вопросы, стараясь показать, что не может добавить ничего принципиально нового к информации, изложенной в отчете. И все же он вздохнул с облегчением, только покинув помещение «фирмы».

Выехав из двора, Ставр втиснулся в плотный поток машин на Тверской, добрался до площади Белорусского вокзала, свернул под мост, покрутился по переулкам и снова выехал на Тверскую, уже в обратном направлении. Примерно через час, преодолев пробки на центральных улицах, он подъехал к спорткомплексу, принадлежащему одному из крупных московских заводов. Здесь он хотел повидать своего тренера по рукопашному бою Вадима Подшибякина. Старый диверсант и волкодав Подшибякин обучил их с Шуракеном реальным, весьма далеким от спорта способам нападения и защиты, в частности, показал тот прием против удара ножом, благодаря которому Ставр уцелел в драке с Буффало. В этом случае конкретно Подшибякину Ставр был обязан тем, что сейчас жив.

После выхода в отставку Подшибякин определился тренером в детско-юношескую спортшколу, обучал мальчишек дзюдо.

Ставр остановился на пороге зала и увидел, как одетые в белые кимоно пацаны неуклюже валяют друг друга на ковре. Подшибякин переходил от пары к паре, руководя тренировкой, ему помогал молодой ассистент, парень лет двадцати пяти. Мастер ничуть не изменился за те три года, которые Ставр не видел его. Более того, Подшибякин выглядел точно так же, как в тот день, когда Ставр и Шуракен встретились с ним в первый раз. Даже костюм на нем, возможно, был тот же самый — старый олимпийский костюм из синей шерсти.

Заметив постороннего, возникшего на пороге зала, Подшибякин присмотрелся к нему. Он не сразу узнал Ставра, но понял, что этот кто-то из своих, поэтому не отправил общаться с ним ассистента, а подошел сам.

— Олег... Вернулся, кобелина, песья морда! — Подшибякин обнял Ставра, на миг стиснул его своими клешнями, в которых по-прежнему ощущалась немеренная силища. — А то поговаривали тут, что ты вроде как погиб.

— Слухи о моей смерти оказались сильно преувеличены.

— Ну, теперь ты долго проживешь.

— Это почему?

— По жизни подмечено, если тот, кого в мертвых числили, возвращается, он вроде как заговоренный становится.

— А мне долгой жизни не надо. Надо интересной.

— Не трепись всуе, не гневи Бога. Молодой ты еще и мало жизнью обучен. Я в твои годы тоже так думал. Ну ладно, посиди подожди, тренировка закончится через двадцать минут. Или хочешь, дам ключи от тренерской?

— Я здесь посижу, на щенков посмотрю.

Ставр сел на длинную низкую скамейку и поставил рядом с собой небольшую спортивную сумку. Возня пацанов, старательно мудохавших друг друга за шкирки, вызвала у него странное ощущение: ему показалось, что он, как Мухтар — облезлый, хромой, уже поймавший бандитскую пулю, — наблюдает натаску молодняка. Это непривычное сентиментальное чувство было не лишено приятности. Непривычные чувства вызывал и сам Подшибякин. Мастер, слепивший не один десяток профессионалов, в прежние времена ставивших на уши целые республики, теперь мирно возился с детьми.

— Ну что, не надоело смотреть на детский сад? — подошел к Ставру Подшибякин.

— Наоборот, интересно. А помните, что вы сказали, когда мы с Саней впервые пришли к вам в зал там, в Центре?

— Не помню. А я что-то сказал?

— Сказали: «Не надейтесь, что будете учиться рукопашному бою в спортзале. Тренироваться будете в лесу на полянке, где пней побольше, чтобы ударился горбом и все сразу понял».

— Ну все правильно, а с чего ты это вдруг вспомнил?

— Не знаю. Увидел у вас тут зеркало, как в балетном классе, и вспомнил про те пни. — Ставр крепко потер загривок.

Мастер и ученик прошли в тренерскую. Подшибякин запер дверь на ключ. Ставр достал из сумки бутылку водки и свертки с закуской.

Горизонтальные жалюзи рассекали городской пейзаж на узкие параллельные слайды. Бензиновая гарь застревала в фильтрах кондиционера, поддерживающего в офисе оптимальную температуру и синтетически свежую атмосферу. Был один из первых по-настоящему жарких летних дней. Духота еще не стала привычной, и, войдя в прохладный кабинет, Командор испытал значительное облегчение, но это длилось недолго. Ровно столько, сколько потребовалось, чтобы пройти по мягкому, заглушающему шаги ковру до середины кабинета.

Хозяин кабинета поднялся из-за стола, энергично шагнул навстречу Командору и протянул руку. Это означало, что разговор будет вне протокола. Они сели.

— Минералки, Николай Пантелеевич?

— Спасибо, нет.

Тем не менее на столе появились бутылка «Боржоми» из холодильника и два стакана.

— Такая жара в конце мая была в семьдесят втором, помнишь, когда торфяники горели. — Хозяин откупорил зашипевшую бутылку и, разлив минералку, поднял свой стакан, посмотрел на кипение серебристых пузырьков. — Чтобы у тебя не возникло никаких ненужных вопросов, прочти вот эту справочку, Николай Пантелеевич. — На стол перед Командором лег документ из трех страниц. — Конкретно этот абзац.

«Продвижение такого специфического товара, как оружие, на зарубежные рынки зависит от общего уровня военно-экономической мощи страны. А здесь за последние годы мы понесли существенные потери. Тут многое зависит от качества изготовления, от агрессивности маркетинга и поддержки соответствующими структурами государства», — прочитал Командор. — Все правильно, но что из этого следует в практическом плане? — спросил он.

— В практическом плане здесь имеются весьма существенные перспективы. Пока «Росвооружение» будет выпутываться из непрерывной реорганизации и терять позиции на мировом рынке, весьма солидный доход может приносить нелегальная торговля оружием.

Хозяин увидел, что темное от загара костистое лицо Командора окаменело. Губы сжались. Глаза стали как щит, на котором в качестве девиза обозначился холодный, удерживаемый в крепкой узде гнев.

— Мы с тобой не одно крутое дело сделали, Николай Пантелеевич, — внушительно сказал хозяин. — Надо мне напоминать, что я ни разу не сдал тебя и не подставил? Неужели ты думаешь, что теперь я опущусь до того, чтобы уговаривать тебя поработать на чьи-то шкурно-собственнические интересы?

— Ты сказал «доход». Как я должен это по-другому понимать?

— Вопрос в том, в чей карман идет доход и на какие цели. Мы должны выполнять свой долг, защищать интересы страны. Но когда под крышей правительства сидят ворье и политические аферисты, легально мы ничего не сделаем. Чтобы работать против них, нам нужен секретный денежный фонд, не контролируемый правительством. А самый серьезный источник пополнения этого фонда — нелегальная торговля оружием. Понимаешь, о чем идет речь?

— Да.

— В таком случае перейдем к делу. Ширяев специалист в нелегальной торговле и отлично обходится без поддержки государственных структур. Что же касается маркетинга, то, судя по тому, что он достал американцев, маркетинг у него агрессивен дальше некуда. В общем, он нужен здесь, в Москве, и живой. По-моему, те твои головорезы, которые работали с Ширяевым в Африке, отлично с этим справятся. Давай-ка, Николай Пантелеевич, выдергивай их. Нечего им тут гнезда греть и цыплят высиживать.

— Похищение крупного бизнесмена с хорошим прикрытием — дело рискованное, а приказывать им я не могу. Нет у меня теперь такого права, они частные лица.

— Ну и что делать?

— Могу предложить им это дело, попробовать договориться.

— Ну, Николай Пантелеевич, дожили до демократии, мать твою! С собственными спецами будем рядиться, как с шабашниками.

— Рядиться не надо. Известно, сколько такие контракты стоят по международным расценкам.

— Ну и сколько?

— По пятьдесят тысяч долларов каждому, ну и само собой, все организационные расходы за счет заказчиков.

— Условия разумные, — кивнул хозяин.

— Принято?

— Принято.

— Добро, но это касается только ребят. Меня деньги не интересуют.

Хозяин насторожился: зачастую то, за что приходится платить не деньгами, а чем-то иным, обходится дороже.

— Мои парни притащат Ширяева в Москву. Приведут и поставят, куда скажете, — обозначил свою позицию Командор. — И никаких проблем ни с дипломатами, ни с Интерполом не будет. Это под мою гарантию.

— Да-да, — нетерпеливо перебил хозяин. — Мы друг друга поняли. Ты сам чего хочешь?

— Я хочу получить ту сволочь, которая сдала меня чеченцам. Хочу знать, кто это сделал, и чтоб никто не лез разбираться, как и что с ним произойдет.

— Сейчас я этот вопрос решить не могу, — подумав, ответил хозяин. — Я не знаю, кто этот человек и в чьей он команде. Я постараюсь это выяснить, а там посмотрим. Но Ширяев нужен, как говорится, вчера.

— Значит, будет.

В тот же день Командор вызвал Ставра и Шуракена к себе на дачу и ввел их в курс дела. Он сказал, что его предложение они должны рассматривать как контракт, который будет достойно оплачен, но предупредил, что следует хорошо подумать, прежде чем за этот контракт браться. Дело стремное. В случае неудачи, если все не кончится сразу пулей в башку, они с гарантией попадают лет на десять. А если при этом выяснится, что они бывшие сотрудники российских спецслужб, то их обвинят в бандитизме, терроризме, экстремизме, киднеппинге и прочих преступлениях против человечества.

— Я не приказываю сделать то, о чем говорю, — особо подчеркнул Командор. — Я прошу об этом. Вы можете отказаться, если сочтете нужным.

Получив сутки на размышление, Ставр и Шуракен уехали с дачи.

— Цэрэушная сволочь Кейт спихнул на нас такое вонючее дельце, — проворчал Ставр, выруливая на шоссе.

— По-моему, ты доволен как слон, — хмуро заметил Шуракен.

Он смотрел на лес, тянувшийся вдоль дороги, указатели с названиями подмосковных поселков, мелкую, заросшую камышом речушку. Встречный поток воздуха упруго обволакивал его руку, лежавшую на открытом окне. У Шуракена снова возникло болезненное ощущение, что мир плоский и двусторонний, как монета в пальцах, которую можно повернуть орлом или решкой: одно движение — и все родное исчезнет. Появятся ненавистные пальмы, красная пыль, в ноздри потянет запахом Африки, и силуэты боевых вертолетов, как миражи, задрожат в раскаленном воздухе. Теперь Шуракен точно знал, что не хочет возвращаться туда, не хочет воевать, потому что теперь ему есть чем рисковать, кроме себя самого.

— Давай остановимся. — Он показал Ставру на придорожное кафе.

Ставр свернул на небольшую автостоянку.

«Далеко до Сходни, не успеть сегодня, он бы мог совсем остаться да и жить...» — плыл густой баритон Шуфутинского. За одним из столиков обедала компания приличных деловых мужиков. Они без интереса глянули на вошедших и продолжили обсуждать свои проблемы.

Шуракен потопал к грилю, Ставр — к стойке бара.

На обширном подносе, который Шуракен притащил на стол, возлежала мясистая курочка, умело зажаренная до хрустящей корочки, стояли миски с салатом и картофелем фри. Ставр поставил на полиэтиленовую скатерть рюмку водки и принялся сдирать целлофан с пачки «Парламента». Шуракен с интересом проследил, как он отломил половину сигареты — точно так же делала его бабка Елена Павловна, даже в лице у него промелькнула та же сосредоточенность с оттенком сожаления. Шуракен улыбнулся, подловив друга на невольном заимствовании.

— Давайте жрать, пожалуйста, — пригласил Шуракен, разламывая курицу пополам.

Ставр отрицательно покачал головой. Запах еды был ему противен и усугублял и без того неприятные ощущения в организме. Крутящиеся под потолком вентиляторы разгоняли мух, но не создавали прохлады. Ставр вытащил из кармана полотняного пиджака платок и вытер взмокший лоб. Шуракен неодобрительно взглянул на друга:

— Скучно с тобой, Ставридас, не жрешь ни черта.

— Зато ты у нас ковбой.

— Это в каком смысле?

— В том, что с двух рук жрешь.

В каждой лапе Шуракена было по половинке курицы.

— Кто как работает, тот так и ест, — назидательным тоном проговорил он. — Вот я, например, за эту неделю весь первый этаж закончил. Мог бы, между прочим, приехать помочь. Но ты, я вижу, устал. Разврат и пьянка — два самых утомительных занятия.

— Давай, давай, унижай, — сощурился от дыма Ставр. — Будет и на нашей улице...

— Пень горелый.

Оба замолчали. Шуракен с энтузиазмом принялся за курицу. Ставр выпил водку, зацепил носком ботинка свободный стул и, подтащив к себе, положил на него вытянутые ноги.

— Ну и что ты думаешь? — спросил он Шуракена.

— Не знаю. Если б это дело заварилось пару месяцев назад, я бы вообще не думал. А теперь не знаю. Пятьдесят тысяч баксов я и здесь заработаю, вон этот фирмач, Моторин, нас приглашает. А подставлять башку под пули я вообще ни за какие бабки не хочу. Я им больше не специалист по выполнению приказов любой ценой.

— А когда я тебе сказал, что Советник жив, ты, мне показалось, возбудился.

— Подвернись этот гад — порву. А так... Гнать за ним в Африку, да еще доставлять сюда, пальцем не тронув, как целочку-цветочек, — это без меня.

— Жаль, — сказал Ставр. — С другим напарником мне будет нелегко. Но я тебя понимаю. Нинка, дом... олени опять же...

— Ну а тебе-то самому что там надо?

— Долг Командору надо вернуть. Если бы мы в госпитале тогда не отсиживались, он смог бы с нами связаться и мы Советника не упустили бы и базу «Стюарт» не расхреначили. И за науку мы Командору, кстати, тоже должны.

— Ты чего меня лечишь? Если бы речь шла о Командоре, другой был бы разговор. Но ты же знаешь, кто нам заказывает Советника.

— Не знаю.

— Во всяком случае, знаешь, что они не для отечества стараются. А мы с тобой офицеры, а не наемники. А впрочем, какие мы теперь, блядь, офицеры! Кому тут служить? Мафиозному паханату или торгашам-мироедам?

Ставр посмотрел на Шуракена, как в первый раз увидел.

— Во парадокс! — восхитился он. — С бодуна я, а ахинею несешь ты. Еще скажи: погибла Россия!

— Да, поразвалили все на хрен! Работы нет, народ голодает.

— Ты где голодающих видел? — поинтересовался Ставр и заглянул в тарелку Шуракена, выбирая кусок посимпатичней. — Наверное, в телевизоре? Так ты его не смотри. — Он рванул зубами белое куриное мясо. — Рубаешь избу — ну и рубай. Сам же говорил: кто как работает, тот так и ест.

От водки и разговора Ставр ожил. Глаза прояснились и заблестели.

— Я на этой неделе с университетскими корешами общался, — продолжил он тему. — Совсем другие люди стали. Раньше чем мы занимались — водку жрали и трепались с утра и до обморока. А теперь? У Витковского — аудиторская фирма, Усолкин — банкир, Генка и Наташка Гончаровы — на юристов переучились, адвокатскую контору учредили. Вот такой сюжет получается. Мне нравится.

Шуракен слушал Ставра, не сильно с ним соглашаясь, но при этом думал, что в одном тот прав: долг Командору за ними действительно есть и его надо отдать.

— Ну ладно, — сказал он, — поехали пострижемся.

Ставр кивнул. Он понял, что вопрос решен.

20

Елена Павловна и Полина Павловна были счастливы. Ставр регулярно появлялся дома, рассказывал об успехах бывших университетских друзей, с которыми встречался. Внук был чертовски мил, возвращаясь с дружеских попоек, целовал бабок, шутил и даже садился играть с ними в преферанс. Он постоянно был нетрезв, часто небрит, отросшая грива пошла фривольными кудрями — по мнению бабок, хорош стал необыкновенно. Все это вселяло в старух надежду, что он в конце концов найдет для себя дело и как-нибудь врастет в нормальную человеческую жизнь.

Надежды рухнули, когда они увидели радикально короткую стрижку Ставра.

— Ну и в каком свинарнике на сей раз не могут обойтись без тебя?.. Боже мой, этот кошмар когда-нибудь кончится?! Выгнали же тебя из твоей проклятущей конторы! Выгнали! Неужели не можешь жить, как все люди?.. Лучше мне умереть, чем еще раз пережить все это!

Ставр воспринял истерику как неизбежное.

— Караул! Беда пришла в наш кишлак. Нечего выть, не разобравшись. Родная контора напоследок премировала нас с Сашкой путевкой на сафари. Через неделю вернусь, — заявил Ставр и, считая тему исчерпанной, ушел в свою комнату.

Он переоделся в спортивные штаны и футболку, повесил пиджак с джинсами в шкаф и пошел на кухню, собираясь на сон грядущий заглянуть в холодильник. Когда Ставр вышел в коридор, он увидел, что дверь в комнату бабок закрыта. Из-за нее распространялся запах валокордина и слышались характерное звяканье пузырька и тихие голоса.

От всего этого у Ставра возникло томительное чувство вины и одновременно упрямое нежелание признавать ее. И он, почти тридцатилетний мужчина, бесшумно подошел к двери и стал прислушиваться, как нашкодивший пацан.

— Не переживу я этого, Поля, не переживу. Сил больше нет, — всхлипывала Елена Павловна.

— А что делать? Теперь его уже не запрешь дома на ключ. Лелечка, нельзя так, дружок, не надрывай себя. Ну ничего, ничего, родная моя, как-нибудь...

Из-за двери донесся скрип старого дивана. Ставр догадался, что бабка Полина села рядом с сестрой и обняла ее.

— Смотри-ка, Лелечка, какие же у тебя до сих пор прекрасные волосы... длинные... густые... А помнишь, мама говорила: Леля, когда причесываешься, никогда не бросай волосы, а то птичка отнесет их в свое гнездо, у нее лапки запутаются и она погибнет.

— Ты права, Поля, нельзя мешать, у них, у взрослых детей, своя жизнь.

— Это ужасно, когда старье вроде нас лезет со своими чувствами.

Ставру стало до спазма в горле жалко своих бабок. Правда, никакая жалость ничего бы тут не изменила, не мог он не лететь в Африку, однако можно было обойтись с ними не так жестоко. Ставр приоткрыл дверь и заглянул в комнату.

Обнявшись, бабки сидели на старинном диване, на высокой спинке которого, украшенной витиеватым орнаментом, тускло, как озерцо, поблескивало овальное зеркало. Своими тумбочками, резными полочками, бронзовыми подсвечниками и прочими милыми приспособлениями диван напоминал комнату в комнате, и для Ставра оставалось загадкой, как это сооружение вообще сумели поднять на третий этаж и затащить в квартиру. Горела настольная лампа под шелковым абажуром, на рукаве кофты Полины Павловны лежала отчетливая тень от бахромы. Прическа Елены Павловны распустилась, прекрасные белые волосы сияли и серебрились.

Услышав, как открылась дверь, Елена Павловна подняла голову, а Полина Павловна обернулась. Ставр вошел в комнату. Подойдя к дивану, он опустился на пол и положил голову старухам на колени. Их руки потянулись к нему и с робкой, неутоленной нежностью стали гладить затылок, покрытый жесткой колющейся щетиной, плечи и спину, твердые под футболкой, как литая резина.

— Люблю, очень люблю вас... честно. Сашка в Африке бабу свою вспоминал, Нинку, а я — вас, — невнятно бубнил Ставр в бабкины колени. Он поднял голову и посмотрел в их растроганные лица. — Неужели вы действительно думаете, что я вас брошу? И рисковать я больше не собираюсь, честно — наигрался. И какой риск? Обычная командировка.

И бабки, и сам Ставр понимали, что он врет, но говорил он совершенно искренне.

— И хватит валокордином долбиться. Весь дом

провоняли. Давайте-ка лучше по рюмке коньяку и, так уж и быть, распишем пульку.

Стыдясь прилива чувств, Ставр резко поднялся на ноги и подошел к серванту. Открыв дверцу, он вытащил бутылку и увидел, что золотисто-коричневая жидкость плещется на самом дне.

— О-о, — протянул он, — если на троих, то это только для тараканов. Ну ничего, я сейчас сбегаю.

— Не надо, Олежек, магазины уже закрыты.

— У метро палатки работают всю ночь.

Чтобы не дать бабкам времени отговорить себя, Ставр, как был в футболке, спортивных штанах и шлепанцах, стремительно направился к двери. Прогулка за бутылкой коньяку была неплохим средством вернуть себе нормальное расположение духа.

Выйдя на улицу, он направился было в сторону метро, возле которого развелось за последнее время множество ларьков, работавших круглосуточно. Но, проходя мимо своей машины, решил, что проще туда подъехать. Ключи от машины висели на одном брелоке с ключами от дома.

За витринными стеклами сомкнутыми рядами стояли мутные портвейны и винные напитки типа «Клюковки». С ними соседствовали породистые бутылки «Хеннесси», «Камю», «Наполеона», «Бифитера» и «Генерала Гранта». Этикетки были наклеены криковато, их полиграфическое исполнение заявляло о происхождении не менее откровенно, чем если бы на них было просто написано: «Произведено и бутилировано в подвале на Сухаревке».

— Ну вы даете, ребята! — вслух восхитился Ставр, разглядывая всю эту красотищу.

На его голос из окошечка ларька тут же высунулась шкодливая мордочка сидельца:

— Что вас интересует? У нас все есть. Весь товар отличного качества, прямо от производителей.

— Производители — это племенные быки. Так что у вас там? — Ставр постучал ногтем по стеклу. — Моча или сперма?

— Щас ментов позову, тогда узнаешь! — сразу перекроив выражение лица, скандальным голосом заявил сиделец.

— Дядь, угости сигареткой, — откуда-то сбоку и снизу заканючил детский тенорок. Рядом с собой Ставр увидел щуплого пацаненка. Закинув голову, тот нахально и требовательно смотрел ему в лицо. — Ну дай сигаретку, дядь!

Настоящий крысеныш, пацан не пробуждал никаких чувств, какие обычно должны вызывать дети. У Ставра не появилось ни малейшего желания ни угощать попрошайку сигаретой, ни давать ему денег.

— Курить вредно. Ты себя в зеркале давно видел, глист? Давай я тебе памперсы куплю.

— Да ну... лучше дай сигаретку! Или купи жевачку.

Чтобы отделаться от попрошайки, Ставр решил все же купить ему жевачку. Когда продавец отдал сдачу, пацан вдруг вцепился Ставру в руку и попытался вырвать деньги. Ставр машинально сжал кулак. Пацан не выпускал его руки и своими тонкими грязными пальчиками пробовал разогнуть пальцы Ставра.

Ставр невольно засмеялся. И тут он услышал, как за палаткой взвыл двигатель его «восьмерки». Ставр бросился к машине, и в тот же миг она сорвалась с места. Но угонщикам не повезло. То ли они слишком резко стартанули, то ли разомкнулись соединенные напрямую провода, выдранные из замка зажигания. Машина остановилась.

Одним прыжком Ставр оказался у водительской двери, распахнул ее, сгреб за шкирку сидевшего за рулем парня и выкинул его на асфальт. Второй парень выскочил в другую дверь сам. Это был двадцатилетний бугай килограммов на девяносто. Его сообщник вскочил на ноги, бросился на Ставра и получил такой удар по морде, от которого вновь рухнул на асфальт, но уже в нокдауне. Бугай, сопя и топая кроссовками, обогнул машину и пошел на Ставра.

Ставр взялся лечить его за обоих, и делал он это теми методами, которыми они с Шуракеном очень быстро внушили ораве обдолбанных наркотой негров в казармах президента Агильеры уважение к себе плюс патриотические идеи. За процессом следили несколько клиентов ночных киосков и наглый побирушка — потерянное обществом дитя асфальтовых джунглей.

Ставр вдруг услышал омерзительный визг тормозов, и его ослепили красно-синие вспышки милицейских мигалок. Менты выскочили из машины, и Ставр оказался под прицелом автоматов. От этого зрелища у него мурашки побежали вдоль позвоночника. У зверей при этом шерсть дыбом становится от загривка до хвоста. Ставр четко представлял их пальцы на спусковых крючках. Патруль состоял из молодых парней, какие обычно идут служить в милицию, ища власти над ночными улицами и приключений в духе полицейских боевиков. Ставр подумал, что они не упустят случая пострелять: кто-нибудь для понта даст предупредительный выстрел, пули начнут летать где попало, и он, Ставр, запросто может получить парочку из них в живот.

— Всем стоять на месте, твою мать!

Стоять на месте мог только Ставр, остальные лежали.

— Стою, — сказал Ставр, показывая ментам руки. — У меня нет оружия.

Он отлично слышал, как двое разлетелись к нему сзади, но не стал развлекать стражей порядка никакими фокусами из своего обычного репертуара. Черт с ними, пусть берут, все-таки ребята при исполнении.

Менты налетели на него с энтузиазмом молодых ротвейлеров. Один ткнул в бок дуло пистолета, второй заломил за спину правую руку и, толкнув вперед, положил на капот «восьмерки». При это он, конечно, разбил Ставру морду.

Ставр повернул голову набок.

— Ребята, — сказал он, — зачем же так напрягаться? Мягче надо работать, я же весь ваш.

— Еще раз пасть откроешь — и получишь по яйцам.

Второй патрульный обследовал Ставра на предмет оружия. Но не обнаружилось ни факта ношения оружия, ни, что хуже, применения его.

— Ничего нет, — разочарованно бросил обыскивавший напарнику. — Можешь отпустить его.

Ситуация с главным действующим лицом разрядилась, и менты наконец обратили внимание на двух других персонажей инцидента. Бугай уже поднялся на ноги и соображал, как бы смыться от патруля. Второй все еще не вышел из нокдауна. Когда один из представителей наклонился над ним, маленький попрошайка вдруг заверещал совершенно дурным, кликушеским голосом:

— Убили! Убили братика! Мамка, братика убили!

Молодой, неопытный милиционера растерялся от этих воплей. Пацан бросился к ворочающемуся на асфальте сообщнику. Судя по скулежу вперемежку с матом, «мамка» могла быть спокойна.

Кровь из разбитого носа стекала по подбородку и капала Ставру на грудь.

— Ребята, я с вами как с людьми, а вы меня харей об капот... — с упреком сказал Ставр патрульным. — Ну как я теперь домой появлюсь? Как граф Дракула?

— Заткнись.

Продолжая вопить, пацан цеплялся за мента, пытавшегося выяснить, что с «братиком». При этом воровская лапка парнишки расстегнула кобуру, выволокла из нее пистолет; шнурок, тянувшийся от рукоятки к кольцу на поясе, был моментально перерезан обломком бритвенного лезвия.

Ставр боковым зрением увидел это.

— Але, командир! — крикнул он менту. — Шкет у тебя «макара» попер!

Мент схватился за пустую кобуру:

— Убью, пизденыш!

Пацан с пистолетом уже вовсю лупил за палатки. Вытянув перед собой руки, как Волк из «Ну, погоди!», бегущий за Зайцем, страж порядка рванул следом. Оба скрылись с глаз. Из-за палаток слышалось:

— Убью!!!

Из-за позорного облома с пистолетом менты почему-то сильно обиделись на Ставра. А когда к тому же выяснилось, что шпану он бил за дело и тут опять кругом прав, ребятки совсем заскучали. Ну не нравился им Ставр, не нравился, и все. И вроде тачка у него не козырная, и ни рыжья на шее, ни гаек на пальцах, а крутизна просвечивает. Зуб горел его прищучить, но выходило — не за что.

— Протокол надо составить, — скучно сказал старший патруля. — Паспорт, права, документы на машину...

А документов у Ставра как раз и не было! Документы остались в кармане пиджака, висевшего в шкафу.

Через двадцать минут торжествующие менты доставили Ставра в отделение.

Дежурный был занят: с ним скандалили какие-то азиаты — не то вьетнамцы, не то китайцы, не то корейцы. Все свободное пространство перед барьером было загромождено зашитыми в лавсановую рогожку тюками.

— Что за клиент? — злобно и обреченно спросил затравленный азиатами дежурный.

— Неустановленная личность, — сурово ответил старший патруля.

— Ну и заприте его пока в обезьянник. Не видите, что ли, что тут делается!

Ставр потребовал, чтобы ему дали позвонить. Дежурный в трех словах объяснил, когда, куда, откуда, кому, зачем и почем он будет звонить.

— Вас без документов взяли, для выяснения личности, — снизошел он до объяснений, когда Ставр попытался доказать, что в обезьянник его сажать не за что. — А выяснять вашу личность мы имеем право в течение трех суток.

Помещение, именуемое «обезьянник», отделялось от поста дежурного дверью, за которой тянулся узкий обшарпанный коридор с тремя зарешеченными отсеками. По другую сторону коридора была открыта дверь в небольшой кабинет. Там, упершись руками в стенку и широко расставив ноги, стоял парень в черной байкерской куртке со шнуровкой и заклепками. Несмотря на наличие собственных проблем, Ставр отметил, что парень стоит в носках, а его окованные металлом «казаки» валяются в углу. Менты заглянули в кабинет.

— И давно этот ковбой у тебя так стоит? — весело поинтересовался один из них у сидящего за столом опера.

— Четвертый час пошел, — ответил опер. — Эй, ты, ноги-то подальше от стены отодвинь, — бросил он парню. — И упор на руки!

«Не дай Бог им попробовать меня так поставить», — подумал Ставр. Его лояльность к слугам закона угасала с каждой минутой.

В клетке, куда впихнули Ставра, наличествовало два обитателя. Крепкий мужик лет сорока в темно-бордовом кожаном пиджаке, развалившись, сидел в углу. Коротко стриженная голова свесилась на грудь, и была видна только макушка с наметившейся лысиной. Другой сокамерник — истощенный, запущенный мужичишка — стоял у решетки, схватившись за прутья. Он смотрел в противоположную стену со страстным напряженным ожиданием — так на полотнах передвижников смотрят из окон тюремных вагонов народные заступники.

Ставр уселся на скамью в свободном углу. Ну и ночка выдалась: скандал с бабками смонтировался с залетом в ментовку — несолидно получается, тинэйджерство какое-то. Пока еще Ставр воспринимал происходящее с иронией, он думал, что вся эта дурость закончится в самое ближайшее время, в крайнем случае через час.

В соседний отсек обезьянника начали паковать азиатов. В клетку Ставра приволокли трех озабоченных избытком половых гормонов юношей, которых замели за драку в дискотеке. Потом привели не по-хорошему тихого деда с уныло-злобной физиономией и памятным значком XXIV съезда КПСС на лацкане пыльного пиджака. На требование Ставра, чтобы с ним наконец разобрались, менты, загружавшие клиентов в обезьянник, ответили:

— Вот щас, блядь, все бросим и будем с тобой разбираться.

Ставр окончательно понял, что вся эта бодяга до утра. Он начал злиться и психовать уже по-настоящему. Но внешне это проявлялось с обратным эффектом: чем злее он становился, тем спокойнее выглядел. Когда мимо клетки проходил опер, который занимался «ковбоем» в носках, Ставр обратился к нему.

— Командир, — тихо и внятно сказал он голосом человека, умеющего отдавать приказы. — Дай мне позвонить. Через час друзья привезут мне документы и решат все вопросы с вашим начальством.

— Ладно, скажу дежурному, — ответил опер, разминая сигарету и внимательно глядя на Ставра.

Когда опер отошел, мужик в темно-бордовом

пиджаке медленно поднял голову и равнодушно спросил:

— Тебе что, позвонить надо?

— Надо.

— Ну на, позвони.

Мужик достал из внутреннего кармана своего кожаного пиджака мобильный телефон и протянул Ставру.

Ставр очень удивился, но не стал спрашивать, как получилось, что менты не забрали у мужика телефон. Весьма кстати хозяин «Буржа-недвижимости» господин Моторин навязал им мобильники, а то черта с два он дозвонился бы в медвежью дыру Шуракена.

Население выводило на утреннюю прогулку собак, когда Ставр и Шуракен вышли из здания ОВД.

— Не понимаю, почему личный состав отделения не построился со знаменем, чтобы проводить героев невидимого фронта? — беззаботно проговорил Ставр.

Шуракен раздраженно посмотрел на него:

— Герой... Е-мое, поперся среди ночи без документов. Тебе тут что, джунгли?

Они подошли к стоящей во дворе отделения машине Ставра, и Шуракен увидел на капоте кровь.

— Дерьмо какое! — Шуракен пнул баллон.

Ставр усмехнулся: похоже, у приятеля тоже выдалась нелегкая ночка, одни только объяснения с ментами не могли так напрячь его.

— Я всего только остановился у ларька купить выпивку, — примирительно сказал Ставр, садясь за руль.

— Я вижу, тебе дыры в легких мало. Нужен еще цирроз печени для комплекта.

— Ты же не знаешь, что мне вчера бабки устроили. Вопли, слезы, валокордин — вот это уж точно был полный комплект.

— А мне Нинка что устроила... Ор стоял — стекла чуть не вылетели. Орала: попробуй уехать, я аборт сделаю, а Дуста живодерам на шапку отдам!

— Она что, беременная?

— А я знаю?!

— Да, старик... — протянул Ставр. — Это и называется: и не говори, кума, у самой не куры, а сволочи в перьях.

Ставр довольно резко свернул к тротуару и остановился у киоска.

— Я хочу купить воды, — сказал он.

— Тебе еще не надоело? Какой, на хер, воды?

— Лучше минеральной, пепси не годится. Она оставляет липкие пятна, налипнет пыль.

— Куда налипнет пыль? — очень спокойно спросил Шуракен.

— Я хочу помыть машину. А если мыть пепси-колой, на нее налипнет пыль.

Ставр открыл дверь и сделал движение, чтобы вылези, но Шуракен просто в ярости схватил его за плечо.

— Ну все, хватит! — заорал он. — Я не знаю, какого черта ты нарываешься?

— Не ори, — ответил Ставр. — Ты не видишь, у нас весь капот в кровище? Если нас остановит ГАИ, я что, пойду сдавать анализ крови, чтобы доказать, что это моя? А про аборт Нинка тебе врет, успокойся.

— Почему ты так думаешь?

— Потому что или ничего нет, или она его не сделает.

21

Последние две недели Советник занимался приготовлениями к роскошному светскому приему. В принципе, это весьма дорогостоящее и утомительное мероприятие устраивалось ради двух-трех персон, а это были люди не только могущественные, но и до абсурда чванливые. Словно королевские особы, они, прежде чем принять приглашение, требовали представить им список других гостей. Сеньор Фаусто Мазуто собственноручно составил для Советника этот список и добился, чтобы все, кому были посланы приглашения, приняли их. От успеха приема зависело очень многое — это была заявка Советника на достойное место среди аристократии теневого бизнеса.

Контрабанда оружия давала возможность очень быстро заработать крупный капитал. Но Советник не собирался всю жизнь отсиживаться в бухте Гранд Риф де Корай, запертой в скалистых горах, и довольствоваться обществом Макса, Фанхио и Ариссы. Он мечтал о финансовой и политической власти, не меньшей, чем у Онассиса, о резиденциях в самых респектабельных столицах мира — Брюсселе, Лондоне и Париже. Для осуществления этих замыслов надо было не только ворочать огромными капиталами, но и быть принятым финансовой, политической и интеллектуальной элитой. И вот тут ему просто невозможно было обойтись без такого человека, как Фаусто Мазуто.

Фаусто Мазуто, лощеный колумбиец, похожий на Лучано Паваротти, был самым ценным приобретением Советника за последнее время. У сеньора Мазуто имелись обширнейшие деловые и светские связи по всему миру. Какое-то время он был доверенным лицом короля опиумных плантаций Эскобара, но чем-то не угодил боссу и, спасаясь от его гнева, удрал на другой континент. Как опытный импресарио, который берется раскручивать новую звезду, сеньор Мазуто почуял в Советнике дельца крупного калибра: с таким можно прорваться к настоящей власти.

— Не пытайся лезть в Европу и трясти там своей набитой мошной. Тебе ни цента не позволят вложить ни в одно порядочное дело, — сказал он

Советнику. — Ты и твои деньги пахнут говном и кровью, а у этих господ очень деликатные носы. Тебе нужны покровители, и я тебе скажу, кто тебе нужен прежде всего. Они сведут тебя со всякими королями, принцессами и прочей шантрапой голубых кровей. А эти позволят тебе тратить на них деньги. И надо отыскать какого-нибудь музыканта... оркестр... но только это должно быть что-то добротное, классическое... А лучше — кутюрье! И начать устраивать всякие дефиле, концерты, презентации. Под такие дела очень легко предоставляют дворцы и шикарные отели. А вот туда они все к тебе сползутся. А дальше все будет зависеть только от твоего обаяния. Понимаешь эти нюансы? Тут все на личных контактах.

Сеньор Мазуто развил бешеную деятельность и наконец добился, чтобы те люди, которые должны были стать первыми покровителями Советника, приняли его приглашение. Как всякий хозяин, ожидающий гостей, Советник был занят хозяйственными хлопотами. Чартерный рейс доставил из Рима шеф-повара со всей командой — поварами, официантами, буфетчиками и барменами. Тем же рейсом были доставлены продукты и даже сервизы. Нужно было позаботиться еще и о развлечении гостей. Были законтрактованы певцы, музыканты, танцовщицы и конферансье. Для тех гостей, которые пожелали прибыть заранее, чтобы успеть отдохнуть и привести в порядок свои туалеты, в городе был снят отель и зафрахтованы представительские автомобили.

Последние распоряжения своему управляющему Советник давал уже поздно вечером, в личных апартаментах. Обычно, когда он удалялся сюда, его могли побеспокоить только в связи с чрезвычайными обстоятельствами, но сейчас Советник изменил своим правилам. Выслушивая указания хозяина, управляющий делал вид, что не видит Ариссы, и это стоило ему немалых усилий.

Совершенно голая Арисса сидела на ковре из обезьяньего меха потрясающей красоты и пышности — за такой ковер в Европе могли привлечь к уголовной ответственности. Перед Ариссой стояло несколько баночек с кремами, и она умащивалась ими от ногтей на пальцах рук до ногтей на пальцах ног с бесстыдством вылизывающейся кошки.

— Я думаю, на сегодня мы все выяснили. Ступайте, Тодд, — сказал Советник и тут же обернулся к Ариссе: — Забирай свои банки и тоже уходи. Я устал и хочу спать.

Приказ хозяина не слишком расстроил Ариссу. Выйдя от Советника, она прокралась в другое крыло виллы, где помещались апартаменты Фанхио, и поскреблась в его дверь.

Секретарь открыл сразу: очевидно, он ждал ее.

На закате следующего дня начали стекаться гости. Короли, герцоги и принцы наркобизнеса, торговцы оружием, боссы игорного, порно- и шоу-бизнеса прибывали в сопровождении секьюрити, дам полусвета, роскошных проституток и прилипал. Некоторые имели в своих свитах киноактеров и поп-звезд. Мужчины в основном были одеты в классические смокинги. Их черные пиджаки и белые сорочки служили фоном для сногсшибательных туалетов дам: здесь были и безукоризненные вечерние платья от лучших кутюрье мира, и ошеломляющие феерически пышные творения в духе Голливуда, и такие наряды, которые вообще трудно было назвать одеждой — так мало они прикрывали.

Машины гостей парковались на площадке перед стеклянным павильоном лифта. Спускаясь вниз, гости видели роскошно иллюминированную виллу: сияло центральное здание, цепочки цветных огней тянулись вдоль дорожек к парадному входу, фонтаны и бассейн были подсвечены разноцветными прожекторами. На площадках вокруг бассейна были расставлены столики и кресла, вышколенные бармены в белых куртках держали наготове шейкеры и, как в последнюю минуту перед боем, обозревали батареи бутылок.

Ставр и Шуракен наблюдали эту феерию с высоты. Они устроили свой наблюдательный пункт на вершине одной из прибрежных скал. Накануне парни обследовали берег и окрестности, прикинули путь, по которому им предстояло уходить уже с добычей, спрятали в бухте катер и поставили в рыбацкий сарай машину. Они хотели провести всю операцию в лучшем стиле спецслужб: тихо прийти, забрать то, что им нужно, и уйти никем не замеченными.

На виллу они предполагали проникнуть ночью тем же путем, каким Ставр пробирался сюда в прошлый раз. Все необходимое заранее притащили в убежище на скале. Вещей было немного: акваланги и маскировочные костюмы из сетки с нашитой нейлоновой растительностью. Помимо этого, имелись еще пистолеты с глушителями, ножи и шприцы-тюбики с сильнодействующим снотворным.

Весь день они лежали на скале и в мощные бинокли наблюдали за деятельностью, кипевшей на территории виллы. Было понятно, что готовится какое-то светское мероприятие, но масштабы его Ставр и Шуракен смогли оценить, только когда после захода солнца стали прибывать черные лимузины и крокодильской длины представительские «кадиллаки». Оттуда повылазили самые опасные хищники криминального мира, лица которых не нуждались ни в какой расшифровке: многие из них не сходили со страниц самых ужасных и увлекательных криминальных изданий.

— Ты посмотри, сколько мерзавцев сюда слетелось, — изумился Шуракен. — Никогда в жизни столько в одном месте не видел. Помнишь анекдот про проститутку, которая тонет на корабле?

395

— Я знаю много анекдотов про проституток, что ты конкретно имеешь в виду? — пробормотал Ставр, не отрываясь от бинокля.

— Ну блядь тонет на корабле и убалтывает Бога: «Господи, я грешна, но справедливо ли топить столько людей, чтобы наказать меня одну?» А Бог отвечает: «Да знаешь, сколько я старался, чтобы всех вас, засранцев, на одном корабле собрать!»

Ставр рассмеялся отрывистым коротким смехом:

— Ха, выходит, мы с тобой — Бич Божий? Твою мать! Это ж какой парадиз, я с ума схожу! Какие бабы, ты смотри, какие бабы! Я даже не знал, что такие бывают... Смотри, смотри, Шур, видишь блондинку в прозрачной хламиде? Это же Сара Штайн, кинозвезда! Ай да Советник, ай да сукин сын! Положа руку на сердце, Шур, если бы он продолжал служить родине, хрен бы у него это все было.

— И что ты сейчас сказал?

— Не знаю. Но сказал, что думал.

— Это называется — пернул в лужу. Пузырей много, и всем неприятно.

— Скажешь, я не прав? — Ставр опустил бинокль и вызывающе посмотрел на напарника. — Если б Советник эти бабки не спер, на них сейчас мафиозный паханат, как ты выражаешься, дачи бы строил. Только и всего, скажешь, нет?

— Ну и что ты предлагаешь? Может, оставить его, где он есть? Пусть резвится, шоу устраивает, раз тебе это нравится?

— Друг мой, — торжественно произнес Ставр, — пока у нас есть время, я расскажу тебе одну притчу. В добиблейские времена был такой царь-воин Гильгамеш, а у него друг — Энкиду. Однажды они отправились воевать Хумбабу...

— Кого, какую бабу?

— Хумбаба — это был такой монстр, его боги создали, чтобы охранял священные Ливанские Кедры. И вот идут эти два парня, как мы с тобой, по пустыне — дело, кстати, в Африке было. И что-то как-то Энкиду засомневался. Зачем, спрашивает, воевать этого Хумбабу? На кой черт он нам сдался? А Гильгамеш ему отвечает: я царь, и я воин, а значит, должен воевать Хумбабу. А ты, дружище, если не хочешь идти воевать, подожди меня здесь. Я схожу повоюю Хумбабу и вернусь. Ну, Энкиду, конечно, на такое не согласился, он пошел с Гильгамешем. Прикончили они Хумбабу и порубили заодно Ливанские Кедры.

— И на хрена они кедры порубили?

— Если б я мог тебе это объяснить, я бы сейчас диссертацию писал, а не ходил воевать Хумбабу.

В главном зале резиденции играл струнный оркестр. Фуршетные столы стояли амфитеатром, оставляя посредине свободное пространство, по которому свободно перемещалась толпа гостей и сновали официанты, разносившие напитки. Зал был освещен только помпезными лампами под шелковыми абажурами, расставленными на столах среди блюд и многоярусных хрустальных кабаретов. Потолок казался совершенно черным. Когда большинство приглашенных собрались здесь, Советник, встречавший гостей в парадном холле, вошел в зал. Оркестр смолк, и все лица повернулись к хозяину праздника. Советник с достоинством поклонился:

— Я рад приветствовать вас, господа, в моем скромном жилище.

И в этот миг отовсюду ударил яркий свет. Потолок осветился, и толпа невольно ахнула. Над головами таинственно мерцал морской мир: в толще воды колыхались причудливые водоросли, в переплетении ветвей разноцветных кораллов лежали перламутровые раковины с жемчужинами в открытых створках, между растениями поднимались вереницы серебристых пузырьков воздуха. Сбоку виднелся вход в грот. И оттуда вдруг выплыла голая девица с длинными, струящимися за ней волосами. Следом выплыли еще две. Снова заиграл оркестр, и они затеяли русалочьи игры. Снизу их движения и позы выглядели весьма пикантно.

Гости зааплодировали.

В зал вошла Арисса. В первый момент ее не заметили, потому что все взгляды были устремлены вверх. Но чуть позже глаза многих мужчин начали жадно ловить каждое ее движение. Длинное, гибкое тело Ариссы было задрапировано в кусок леопардовой шкуры, который, казалось, мог соскользнуть с нее в любой момент. В огненно-рыжих взбитых локонах ослепительно сияла бриллиантовая диадема. И бриллиантовая же подвязка охватывала ее левое бедро, постоянно возникавшее в разрезе леопардовой туники.

Арисса прохаживалась по залу, брала фужеры с шампанским, капризно отпив глоток, оставляла их где попало, взгляд ее широко раскрытых блестящих глаз нельзя было поймать, как взгляд кошки. И тем не менее мужчины, рядом с которыми она останавливалась или мимо которых проходила, чувствовали, как в них поднимается жаркая волна вожделения. Арисса не была здесь самой красивой женщиной, но она распространяла вокруг себя сигналы сексуального возбуждения, как антенна — радиосигналы.

А секрет этого волшебства был прост. У Ариссы имелись агатовые шарики, какими пользуются тайские женщины для тренировки мускулатуры влагалища. Перед тем как явиться в зал, Арисса вложила шарики, и теперь они перекатывались внутри нее, разжигая похоть. Она сходила с ума от желания, выбирала в толпе любовника, и мужчины это чувствовали.

Макс Карин тоже прогуливался среди гостей. На нем лежала вся ответственность за обеспечение безопасности хозяина, а это была серьезная проблема. С каждым гостем прибыла команда телохранителей, и несмотря на то, что по предварительной договоренности все должны были явиться без оружия, Макс отлично понимал, что у каждого где-то запрятан пистолет. Явно обыскивать телохранителей своих гостей Советник Максу запретил, неприятное впечатление могло повлиять на установление тех контактов, ради которых все это затевалось.

Не упуская из виду своей главной задачи, сеньор Мазуто в непринужденных и кратких беседах внедрял в мозги нужных людей информацию о том, что хозяин виллы «Гранд Риф де Корай» — господин Майер — является сыном одного из вождей Третьего рейха. Кого именно — сам господин Майер хранит в тайне. Но важно, что в основе его вдруг возникшего и быстро набирающего мощь бизнеса лежат деньги гитлеровской партии. Те самые таинственные капиталы Третьего рейха, сохраненные на засекреченных счетах в швейцарских банках, доступ к которым имеют некие доверенные лица. И эти лица должны поддерживать, питать с тайных счетов так называемых детей рейха, потомков видных деятелей фашистской Германии, и выращивать из них политическую, финансовую, промышленную и интеллектуальную элиту, чтобы, когда придет время, они или их дети продолжили дело отцов — борьбу за германский порядок во всем мире. С точки зрения собравшихся здесь гангстеров и боссов мафии, идея выглядела весьма респектабельно. Тайные покровители будут пробивать дорогу «сыну Рейха». С такой «крышей» он быстро легализуется, ему откроют вход во влиятельные сферы, поэтому имеет смысл начать сотрудничать с ним сейчас, чтобы потом получить возможность напомнить о своих услугах.

Опытный манипулятор, Мазуто никому не выкладывал легенду целиком: она была слишком сильна и глобальна, чтобы при проверке не оказаться враньем — а собравшиеся здесь личности не страдали излишком доверчивости. Поэтому сеньор Мазуто в разговорах с одними лишь ловко оговаривался, другим под видом особого расположения выдавал какие-то мутные намеки. То, что люди придумают сами, или вообразят, что подслушали, или услышат от другого авторитетного человека, они никогда не станут проверять. Мазуто сеял идею по зернышку, чтобы она сама начала укореняться в умах, давать всходы и вырастать в ту глобальную легенду, развесистую клюкву, с которой они с Советником рассчитывали сорвать вполне реальные плоды.

— Дамы и господа! Прошу минуточку внимания. — Один из гостей поднял свой бокал. — Я хочу произнести тост. Я хочу выпить за то государственное устройство и прекрасные законы, которые помогают нам развивать наш бизнес и богатеть.

Толпа гостей выразила свое одобрение возгласами и рукоплесканиями.

— А я пью за таможню Иоганнесбурга. — Смуглый контрабандист в белом смокинге, помесь негра с голландцем, поднял бокал в другом конце зала. — Там чиновники получают слишком маленькую зарплату и не упускают случая исправить это.

Следующий мерзавец, который поднял свой бокал, был жирным блондином, лоснящимся от сытости и переизбытка удовольствий.

— Я пью за счастье, которое мы продаем, за золотой сон, который может купить себе любой желающий.

— Я пью за слепую полицию города Марселя и за слепых полицейских в других городах мира!

Хищная банда поднимала бокалы и с вооду-

400

13*

шевлением пила за те привилегии, которые общество так охотно предоставляет бандитам. В толпе в центре зала стоял красивый мужчина, выделявшийся высоким ростом, атлетическим корпусом и копной пепельных волос. Это был Кустарниковый Пес — один из самых удачливых контрабандистов, занимавшийся перевозкой крупных партий марихуаны из Вьетнама в США. Он промышлял этим уже четырнадцать лет, в Администрации по контролю за соблюдением законов о наркотиках США против него работала целая сеть секретных агентов, но им пока ни разу не удалось по-настоящему прищучить Кустарникового Пса. Свою кличку он получил, когда воевал в составе спецназа США в Никарагуа. Рядом с Кустарниковым Псом стояла его жена и партнерша по бизнесу, изящная вьетнамка с неприрученным и жестоким лицом. Привлекая внимание толпы к своей персоне, контрабандист поднял бокал, на руке у него было золотое кольцо с крупным нефритом.

— Господа, — сказал Кустарниковый Пес, — я предлагаю тост за человека, который устроил для нас этот потрясающий праздник. За человека, который появился в нашем мире недавно, но успел уже произвести серьезное впечатление. За господина Майера и славу, которая уже стоит у него на пороге!

Оскаленные улыбками лица, поднятые бокалы, декольте дам и белые манишки смокингов — все повернулось к Советнику. Он поклонился скромно, как опытный дипломат:

— Друзья мои, благодарю вас. Я пью за нас, господа.

Ставр и Шуракен вынырнули из колодца в подземном зале насосной станции. Так же, как в первый раз, когда Ставр проник сюда один, спецы утопили гидрокостюмы и акваланги, закрепив их на тросах. Комплектов снаряжения для подводного плавания было три. Один предназначался для Советника. Спецы переоделись в маскировочные костюмы и выбрались из насосной станции.

Они подобрались к вилле со стороны бассейна и залегли. На дорожках и газонах вокруг бассейна были расставлены столики, стулья, плетеные кресла, диваны-качалки под полотняными маркизами и уставленные бутылками столы барменов. Тут же, на газоне, был выложен из паркетных панелей танцпол для тех, кто пожелает танцевать под открытым небом. Играл небольшой оркестрик, под его музыку на паркете кружились две-три пары. Если не находилось желающих танцевать гостей, на танцпол выходили наемные танцоры.

Осмотрев всю эту картину, Ставр и Шуракен пришли к выводу, что им повезло: спереть Советника среди такой толпы было, пожалуй, проще, чем при любых других условиях. А пока телохранители сообразят, что босс куда-то пропал, можно успеть утащить его через трубу водосброса в отрытое море. Некоторую проблему на данный момент представляли их собственные, Ставра и Шуракена, костюмчики — в лохмотьях капроновой травы и мха они походили на двух леших. Оставалось только пожалеть, что Советник не устроил для своих гостей маскарад. Но проблема достойного гардероба была как раз решаемой, нужно было только выждать еще пару часов. Уже сейчас, в разгар приема, многие гости, особенно те, кто был всего лишь фигурантами свит, прилично набрались и бродили где попало. Ставру и Шуракену оставалось только выбрать себе клиентов подходящего телосложения.

Прием удался. Гости жрали и пили с жадностью отребья, попавшего к княжескому столу. Все они, по крайней мере боссы, были люди баснословно богатые, но, за редким исключением, поднявшиеся с самого дна. Как только они сбились в толпу и крепко выпили, нутро попёрло наружу. Все хвастались, злословили, презирали, ненавидели друг друга, пытались завести выгодные знакомства, о чем-то договориться, обделать под шумок какие-то делишки. А кое-кто кое-кого не прочь был и прикончить, если б подвернулся случай. Артисты, отрабатывая свои гонорары, пели, танцевали, подогревали толпу забористыми шуточками. Но несмотря на то что они «парились на всю катушку», наибольшим успехом у гостей пользовались голенькие девочки в аквариуме.

Осуществляя свой великий стратегический план, сеньор Мазуто организовал Советнику беседу с глазу на глаз с одним весьма приличным и сдержанным господином. Переговорив, стороны нашли, что у них есть множество общих интересов.

В заключение собеседник Советника сказал:

— Я представлю вас премьеру. Если вы сможете помочь ему в одной личной и весьма деликатной проблеме, вы получите пост в его правительстве, а дальше все будет зависеть от того, сколько очков выбросит вам фортуна.

Актер Рой Делгадо попал на прием Советника как человек из свиты крупного бандита, отмывающего деньги через одну из голливудских студий. На нем был простой, на первый взгляд даже грубый, черный костюм. Не смокинг, а просто костюм — свободные брюки и прямой пиджак с узкими лацканами. Но это был костюм от Хьюго Босс, и независимо от того, на ком он был одет, в линиях его кроя читалась сильная мужская пластика. Вместо сорочки под пиджаком на Делгадо была надета белая футболка. Актер искал туалет. Развинченной, излишне пружинящей походкой он вошел в холл, в котором были двери дамских и мужских комнат. Холл украшали мраморный фонтан и сад из живых растений. Когда Делгадо проходил мимо, одно растение отделилось от своих собратьев и пошло следом за ним, подражая его нарочито кошачьей походке на полусогнутых ногах. Делгадо это было по фигу: случаются и не такие глюки, особенно если «полирнуть» косячком таблетку ЛСД. Актер и его лохматый зеленый спутник проследовали в туалет.

Через несколько минут туда же вошел охранник. Он увидел человека, который поправлял перед зеркалом воротник черного пиджака. Не оборачиваясь, Ставр в зеркале проследил, как парень с клипсой коротковолнового переговорника в ухе прошел у него за спиной к кабинкам. В одной из закрытых кабинок на унитазе «отдыхал» раздетый до нижнего белья Делгадо. О своем собственном оригинальном комбинезоне Ставр позаботился особо, иначе с ним могло случиться то же, что случается со шпионами, когда пионеры-герои находят в лесу парашют. Ставр туго свернул комбинезон и, спустив из бачка воду, засунул его туда. По расчету Ставра, актер должен был просидеть в сортире часа полтора, но даже если бы он очухался раньше, все равно не смог бы объяснить, каким образом фикус, который пошел с ним в сортир, вытряхнул его из упаковки от Хьюго Босс.

Во внутреннем кармане пиджака Ставр нашел портмоне: судя по имени на визитных карточках, его теперь звали Рой Делгадо.

У Шуракена было больше проблем с подбором гардероба. Во-первых, надо было найти одиноко слоняющегося парня подходящих габаритов, что при росте метр восемьдесят пять и весе сто килограммов было не просто. К тому же Шуракен хотел переодеться во что-нибудь попроще: он не умел носить смокинг и не обладал тем присущим Ставру прирожденным артистизмом, который позволял раскованно чувствовать себя в любой одежде и обстановке. Наконец Шуракен высмотрел подходящего «клиента». Парень набрался уже до критической точки и искал уединения. На нем была темно-коричневая куртка из грубой кожи, вельветовые штаны и пегие, рыжие с белым, штиблеты из шкуры жеребенка. Длинные острые носы штиблет были окантованы фигурной стальной накладкой, высокие каблуки набраны из нескольких слоев толстой кожи, как у ковбойских сапог.

Через несколько минут парень обрел то, что искал, — покой и уединение. Шуракен уложил его на подвесной диванчик и заботливо укрыл полотняным тентом, снятым с этого же диванчика. Из-под полосатой ткани были видны только голова парня и его пегие штиблеты. Высокая фигура в короткой грубой кожаной куртке и вельветовых штанах не спеша двинулась к дверям виллы.

Поджарый широкоплечий Ставр отлично смотрелся в черном костюме Делгадо. Лучше, чем его прежний хозяин. И походка у него была эластичная и пружинящая, как у бойцового пса, а не развинченная и кошачья от постоянного пребывания под кайфом. Ставр ходил по залу и холлам и искал среди гостей Советника, но пока не находил его. Но парадокс в том, что он вдруг нашел себя. Он понял, кто он теперь такой и какова будет дальше его судьба.

В отличие от Шуракена, Ставр не так тяжело переживал развал Конторы и крушение своей собственной карьеры. Напротив, он получил желанную свободу и привилегию жить риском, для человека его профессии являющуюся привилегией истинного мастерства. Свой среди чужих, Ставр бродил среди хищников всех мастей и калибров, имея в кармане, образно говоря, контракт на Советника. А завтра он мог получить контракт на любого из них. В госпитале, когда он валялся с дырой в легком, Кейт предлагал ему сотрудничество: «Разведка — это большой международный бизнес и один из самых хорошо оплачиваемых». Тогда Ставр отказался. А как же иначе, ведь он еще являлся сотрудником одной из самых мощных спецслужб мира, по крайней мере, он так думал. Теперь же он был человек, работающий по контракту, профессионал со свободной лицензией — фрилансер. От ощущения свободы и неограниченных возможностей кровь разгоралась, как от порции крепкого алкоголя. Он смотрел на гостей Советника, как на противников, с которыми он уже завтра может вступить в жестокую профессиональную игру: война объявлена — защищайтесь. Запах духов их женщин раздувал ему ноздри.

Он бродил в толпе, полный жестокости и неудовлетворенных вожделений, и так как Советник все не находился, то решил пока выяснить, что тут народ пьет. Ставр подошел к бару и заказал двойное виски. Бармен поставил на стойку широкий низкий стакан, до половины заполненный колотым льдом, и плеснул туда двойную порцию «Джек Дэниелс». Затем он щелкнул зажигалкой и поднес огонь к сигарете Ставра. И тут чья-то рука фамильярно похлопала Ставра сзади по плечу.

Ставр обернулся, готовый ко всему.

Ему улыбался стареющий плейбой в темном клубном пиджаке и светлых брюках. Артистичные, очень ухоженные волосы красиво обрамляли моложавое лицо, но морщинистая шея, прикрытая повязанным вместо галстука шелковым платком, выдавала возраст. Впрочем, он все еще был довольно хорош собой.

— Делгадо? — спросил пожилой плейбой. — Я не ошибся?

Ставр кивнул в знак согласия.

— Чино сказал мне, что ты тут будешь. Я Боггс, Сэм Боггс, ты меня понял.

Ставр снова кивнул, хотя не понял пока ничего. Глаза Боггса ощупывали его лицо.

— Знаешь, ты мне нравишься. Нет, правда, ты

классный. Тебе надо менять агента, понимаешь, Делгадо? Чино везде сует твои фотографии, всем надоедает. Это очень плохо для тебя. Он подсунул мне кассету с этой бездарной стряпней «Горячие булочки». Не нервничай, малыш, нет ничего страшного в том, что молодой актер снимается в порнухе.

Ставр еще не решил, как реагировать на такую информацию о себе. Он продолжал молча слушать Боггса. Он поднял стакан и отпил глоток виски, глаза у него смеялись. Боггс знаком показал бармену, что хочет заказать то же, что пьет Ставр.

— На твоем месте я взял бы бензопилу и отпили руки режиссеру, который снимал тебя в «Горячих булочках», — продолжил Боггс. — Там ты просто на себя не похож. Если бы Чино не проел мне все мозги, что ты тут будешь, и не этот костюм, я бы тебя не узнал. Я правду говорю, ты совсем другой парень, совсем не тот, что там. И знаешь, я попробую тебя на роль парня, который сбежал из тюрьмы. Ты понимаешь, что я имею в виду? Чино давал тебе сценарий?

— Нет, я не читаю сценариев, — ответил Ставр, и это была истинная правда.

Но режиссер ему не поверил. Он подмигнул, давая понять, что они отлично понимают друг друга, и придвинулся вплотную к Ставру:

— Давай найдем тихое местечко, где мы сможем спокойно поговорить про эту роль. Я тебе объясню, как ты должен мне ее сделать.

И тут Ставр в первый момент даже не поверил своему ощущению, но оно было совершенно очевидно — рука Боггса взяла его за яйца.

Дальше все было очень быстро. Ставр не думал о последствиях своих действий, он реагировал. Бац! — его кулак въехал Боггсу в скулу.

Режиссер грохнулся на пол, при этом с него слетел скальп. Это было так неожиданно и так нелепо обнаружила себя плешивая башка, что пьяные гости вокруг просто зашлись от хохота. Ставр решил, что надо быстро отваливать отсюда.

— Придурок! — заорал ему вслед Боггс. — Ты никогда не будешь сниматься! Ты всю жизнь будешь убирать собачье говно на автостоянке, чтобы я не испачкал кроссовок!

Если бы настоящий Делгадо, «отдыхающий» на унитазе, услышал эти слова — удавился бы, не сходя с места.

Макс Карин толкался среди гостей, отслеживал боссов и их прихвостней, присматривался, кто чем занят. Он стремился к тому, чтобы главные, вычисленные им гориллы-«пистольерос» не выпадали из поля зрения и под шумок не ухайдакали какого-нибудь авторитета, из-за чего у хозяина могли бы случиться неприятности. В ухе у Макса была клипса ультракоротковолнового передатчика, с помощью которого он постоянно получал информацию с центрального поста своей службы безопасности. В небольшой комнате два парня сидели за пультом связи перед мониторами, на которые шло изображение со скрытых видеокамер. Они сообщили Максу, что видят чужого в «башне» — так условно обозначались галерея и купол над центральным залом.

— Какой-то ублюдок забрался на галерею. Пойду разберусь с ним, — сказал Макс Ариссе.

По долгу службы изображая из себя светского человека, Макс, прежде чем уйти, взял с подноса официанта фужер с вином и подал Ариссе. Она, уже и так изрядно пьяная, машинально поднесла фужер к губам и одновременно поймала на себе пристальный взгляд золотистых тигриных глаз. Губы Ариссы медленно раздвинулись в улыбке, открыв детскую порочную щель между передними зубами.

Ставр узнал Ариссу. Он достаточно хорошо рассмотрел ее тогда в бинокль и теперь решил не упускать случая выяснить, что чувствуешь, если стоишь рядом с ней. Он направился к Ариссе, но на всякий случай засунул руки в карманы брюк. Прямой, укороченный пиджак был словно специально скроен для таких жестов. Остановившись перед Ариссой, Ставр нагло и откровенно осмотрел ее с ног до головы, словно они стояли на улице под фонарем.

— Такая классная девочка и носишь одежду секонд хенд? — усмехнулся он.

— Ты меня просто убил тем, что сейчас сказал. Где ты увидел дешевое тряпье?

— Кажется, я ничего такого не говорил. Просто мне показалось, что это уже кто-то носил. — Ставр осторожно вынул одну руку из кармана и потрогал леопардовую шкуру. — А что, разве нет?

Ощущения, возникавшие от прикосновения к Ариссе, были, безусловно, увлекательные, но Ставр начал уже сильно беспокоиться от того, что нигде не видел Советника. Это портило все дело.

Шуракен шел по узкому коридору, освещенному потолочными панелями с лампами дневного света. За железной дверью, рядом с которой он задержался, слышалось гудение трансформатора. Коридор закончился лестницей. Поднявшись по ней, Шуракен оказался на кольцевой галерее под самым куполом, подошел к железному поручню и посмотрел вниз.

— Е-мое! — опешил он.

Внизу он увидел аквариум с голыми девушками. Несмотря на то что отсюда, с галереи, можно было разглядеть все технические детали этого инженерного сооружения, зрелище походило на глюк. Девушки в воде отрабатывали то же, что обычно делают танцовщицы в стриптиз-барах, но благодаря эффекту невесомости возможностей для демонстрации поз у них имелось значительно больше. Время от времени «русалки» всплывали, чтобы глотнуть воздуха, или делали вдох из кислородных аппаратов, спрятанных среди растений. Под аквариумом просматривались зал и перемещавшиеся по нему группы пьяных гостей. Гигантская линза воды, действуя на манер кривого зеркала, неправдоподобно увеличивала и искажала эту картину.

Шуракен так увлекся оригинальным аттракционом с голенькими «рыбками», что допустил оплошность, которая вполне могла стоить ему жизни. Он не заметил, как на галерею поднялся Макс.

Макс был тупой злющий ублюдок, но свое дело знал. Поэтому он решил не убивать Шуракена сразу, а прежде выяснить, кто он такой и зачем забрался куда не следует.

— Подними руки и медленно повернись ко мне, — приказал Макс.

Шуракен был вынужден выполнить приказ. Повернувшись, он окинул противника оценивающим взглядом и понял, с кем имеет дело: он видел Макса на фотографиях и помнил все, что рассказал о нем Ставр. К сожалению, Шуракен видел также черную дыру ствола направленного на него револьвера.

Держа незнакомца под прицелом, Макс сделал несколько шагов, обходя его и открывая ему направление к лестнице.

— Давай лапы на затылок и спускайся вниз.

Шуракен сложил руки на затылке и медленно, не поворачиваясь к Максу спиной, отступил к лестнице. Но с порога он ушел вниз боковым сальто, сбив резким и неожиданным движением прицел противника. Еще в кувырке, завершая переворот, Шуракен успел выхватить засунутый за пояс пистолет и, грохнувшись на пол, из положения лежа всадил пол-обоймы в Макса, который сунулся в проем двери.

Последним сознательным движением Макс отпрянул назад, но пули в него уже попали. От боли охранник подпрыгнул, ударился боком о поручень, перевалился через него и полетел вниз.

Услышав выстрелы над головой, гости в зале все, как один, посмотрели вверх. Они увидели сильный всплеск. Упавшее с высоты почти десяти метров, тело Макса пробило всю толщу воды и врезалось в стекло.

Голые девицы шарахнулись от него, вынырнули на поверхность и, отпихивая друг друга, с диким визгом полезли из аквариума.

Еще не понимая, что произошло, гости ошеломленно смотрели вверх. Одни впали в столбняк от шока, другие были настолько пьяны, что вообще ничего не соображали, а кто-то даже подумал, что сейчас им показали нечто вроде очередного аттракциона. Через стекло на них глядело мертвое лицо Макса, от ноздрей и рта в воде начала расползаться кровавая вуаль.

И тут в полной тишине раздался весьма неприятный звук. Одновременно в толще стеклянного потолка возникла трещина, а от нее потянулась еще одна. Трещины росли и разбегались, подобно побегам плюща. Очевидно, при сооружении гигантского аквариума была допущена ошибка в расчетах. Стекло, на которое давило несколько тонн воды, оказалось под предельным напряжением, и силы удара от падения тела Макса было достаточно, чтобы оно треснуло.

Сквозь трещины начала просачиваться вода. На головы гостей упали первые капли и моментально превратились в свистящие под напором струи. Зрители поняли, что сейчас произойдет, и бросились спасаться. В зале, как в трюме тонущего корабля, вспыхнула паника. Телохранители сомкнулись вокруг своих боссов и, раскидывая всех, кто подворачивался, пробивали им путь к выходам. Начались драки. Тут же появилось оружие и загрохотали первые выстрелы. Через миг в зале разразилась оголтелая пальба, как в чикагском притоне времен великой войны мафий. Телохранители и бандиты извлекли свои пистолеты, револьверы, а также и машины типа «узи» на манер иллюзионистов — буквально из воздуха. Пули прошивали все пространство: они подбрасывали блюда с закусками, рушили замысловатые башни из фруктов, крушили вазы, разбивали зеркала и светильники. Орали и валились первые жертвы. Переворачивались столы, под их прикрытием люди пытались проползти к выходам. Над головами летели брызги, осколки, подброшенные пулями ананасы. Вырваться из зала пока мало кому удавалось: двери были наглухо забаррикадированы застрявшими телами.

Потолок трещал и хрустел. Трещины расширялись, сквозь них текли уже потоки воды. Через десять секунд несколько тонн воды и обломки стекла метровой толщины обрушились в зал.

К счастью для Ставра, когда это случилось, его в зале не было. Он как раз уговаривал Ариссу провести его в недоступные для чужих апартаменты, обещая ей суперсекс. Выполнять обещание он, к своему огромному сожалению, не собирался. Перед Ставром стояла главная цель — найти Советника. Падения Макса Ставр не видел, а через несколько секунд после того, как в центральном зале что-то случилось, через бар, где Ставр морочил голову Ариссе, проскакала стая телохранителей с пушками наголо. Они волокли своего хозяина и его бабу и были готовы изрешетить любого, кто оказался бы на пути. Следом за первой стаей галопировал уже целый табун. Устоять против этой стихии не смог бы никто. Ставр потерял Ариссу.

Из зала донесся шум, затем выстрелы и вопли. Под белой футболкой Делгадо на Ставре был надет широкий эластичный пояс с карманами для пистолета, запасной обоймы и еще кое-каких необходимых вещей. Такого рода снряжение они с Шуракеном шили себе сами. В мгновенье ока Ставр выдернул из-под футболки пистолет и передернул скобу, досылая патрон в ствол. И тут он увидел такое, что даже не поверил своим глазам.

Людей, вбегавших в бар, вдруг накрыла настоящая волна. Она прокатилась через помещение и ударилась в стену, как в волнорез. Пена и брызги взмыли до самого потолка. Ставр и бармен одновременно вспрыгнули на стойку. Сверху они видели, как вода, бурля воронками, заполняет все помещение. Как при кораблекрушении, в потоке барахтались люди и плавали стулья.

Сидя на корточках, Ставр запустил руку под борт пиджака и вытащил из внутреннего кармана рацию:

— Шур, ты где? Слышишь меня? Где ты?

— Да здесь я, здесь, — послышался искаженный голос Шуракена.

— Ты не поверишь, дружище, но мы тонем!

— Не бойся, не утонешь. Это белобрысый придурок, ну этот — охранник шефа, свалился в аквариум с голыми девками и разбил стекло. Ты шефа нашел?

— Нет пока. Я думаю, он наверху. Я иду туда.

— Давай, я догоню. — С рацией в одной руке и револьвером в другой Шуракен брел по колено в воде. Зажатый в узком коридоре поток, журча, обтекал его ноги.

Катастрофа застала Советника во время очередной доверительной беседы с глазу на глаз. Когда послышались отдаленные крики и выстрелы, в кабинет ворвались телохранители обоих боссов. Собеседник Советника моментально исчез.

— Что, черт возьми, происходит? — спросил Советник своих людей. — Где Макс?

— Макс погиб. Он разбил аквариум с девками.

Советник посмотрел на ответившего ему телохранителя как на полного идиота. Во-первых, Максу просто незачем было разбивать аквариум, а во-вторых, чтобы пробить стеклянную плиту метровой толщины, потребовался бы противотанковый снаряд. Но тем ни менее в доме творилось что-то невообразимое. Слышались стрельба, крики и звук, действительно похожий на шум горной реки. Советник решил немедленно подняться на третий этаж, где помещались его кабинет и центр связи. Оттуда он мог руководить всеми многочисленными охранными службами базы.

По мраморному полу растекалась вода. Здесь она поднялась на уровень всего нескольких сантиметров, но этого было достаточно, чтобы Советник промочил ноги. В сопровождении двух телохранителей он подошел к лифту. Один из телохранителей вставил пластиковую карточку в щель электронного замка. Дверная панель начала мягко откатываться в сторону.

В холл вошел человек в черном костюме и мокрой белой футболке. Что-то в этом человеке привлекло внимание Советника. Он присмотрелся, и его лицо исказила гримаса ужаса. Он узнал Ставра.

После бегства из Сантильяны Советник не интересовался судьбой Ставра и Шуракена, но был уверен, что они наверняка выжили во время взрыва базы «Стюарт», — слишком высок был у них уровень выживаемости. Но Ставр появился здесь. Это означало, что люди, которых Советник «кинул» на полмиллиарда долларов, нашли его.

Ставр отлично понял, какие мысли возникли в голове его бывшего шефа. Он улыбнулся и изобразил гримасу, озвучить которую следовало так: «Сочувствую, шеф. Случаются в жизни огорчения». Ситуация позволяла действовать грубо, не скрывая намерений. Обмен взглядами занял буквально доли секунды. Телохранители Советника еще не поняли, как им следует реагировать на парня в черном костюме. Стреляя с бедра, как в ковбойской дуэли, Ставр имел все шансы опередить их. Но в то мгновение, когда его колени начали сгибаться, а тело поворачиваться характерным движением, знакомым всем по кадрам американских вестернов, точно на директорию огня между ним и целями выскочила Арисса.

«Стреляй!!! Стреляй, идиот!» — Но руки словно парализовало, Ставр не смог нажать на спуск.

Он увидел ослепительные оранжевые вспышки пламени, услышал сухой и гулкий лай двух девятимиллиметровых «глоков». Олег шарахнулся в сторону, пытаясь уйти из-под прицела, но левое плечо пронзила дикая боль, а в следующий миг его как будто ударили кувалдой по голове. Пистолет, серебристо-серый «смит-и-вессон», захваченный в качестве трофея, вылетел из руки. Схватившись за голову, Ставр еще валился на пол, а телохранители уже запихивали Советника в лифт.

Арисса тоже кинулась к лифту, но дверь закрылась прямо перед ее носом. Она пронзительно завизжала и принялась царапать ее, лупить кулаками и ногами. Тощая, длинная, в тунике со слипшимся мехом, она выглядела как бродячая кошка, выползшая из сточной канавы. Один чулок спустился и болтался вокруг костлявой щиколотки, другой, с алмазной подвязкой, еще держался на бедре. Диадема где-то потерялась, но жалеть о ней особо не стоило — бриллианты были фальшивыми.

Человек нетрусливый, к тому же с устойчивым самообладанием, Советник недолго приходил в себя после шока.

— Вы убили этого парня? — спросил он телохранителей.

— Да, господин Майер, я всадил ему пулю в башку, — самодовольно ответил один из них.

— Это не имеет значения. Их тут как минимум двое, а может, на сей раз они прихватили с собой еще кого-нибудь.

Лифт остановился, дверь открылась, и Советник шагнул прямо в свой кабинет. Теперь, когда он обнаружил, что из Москвы за ним прислали специалистов, план дальнейших действий в корне менялся. Нельзя было ни одной лишней минуты оставаться здесь. Обнаруженная противником база «Гранд Риф де Корай» была потеряна на неопределенный срок или навсегда. Но Советник был готов и к такому обороту событий.

Он приказал усилить охрану вертолетной площадки, а экипажу вертолета готовиться к взлету. Затем велел бодигардам упаковать коллекцию носовых автомобильных скульптур в чемодан, предназначенный для их перевозки.

— Никого не впускайте сюда, — приказал Советник телохранителям, прикладывая большой палец к сканирующему экрану замка сейфовой двери, отделанной полированной дубовой панелью. — Убейте любого, кто переступит порог, кто бы это ни был.

Тяжелая сейфовая дверь закрылась за Советником.

Вначале Шуракен продвигался по залам и коридорам с огромным трудом. Отовсюду разило потом, метались толпы людей. Стрельба начиналась без предупреждения и повода, и бандиты и вода устремились в одном направлении — к любым выходам из дома. Но уровень воды быстро падал, она раздробилась на мелкие, шустро бегущие ручейки. Стрельба, ругань и женские вопли быстро откатывались в направлении автостоянки.

Шуракен попытался связаться со Ставром. Ставр на вызов не отвечал.

Самая жестокая драка началась у лифта на отвесной скале: ведь он являлся единственным путем на автостоянку. Бандитов, попытавшихся прорваться на вертолетную площадку, встретил шквальный автоматный огонь. Пробиться через него не было ни малейших шансов. Каждый раз, когда открывались двери подъемника, за него начиналась драка, как за спасательную шлюпку, поэтому коэффициент полезности его действия был весьма незначителен. Лифт доставлял на автостоянку очередную партию изодранных, окровавленных людей, они выскакивали из него и мчались к машинам. Но и тут привычка воевать и любой ценой доказывать превосходство собственной силы продолжала играть свою роковую роль.

Автомобили рвались к воротам, сталкивались, таранили друг друга. Кое-кто не упустил случая проявить себя круче всех. В ход пошло то оружие, которое бандиты не смогли взять с собой на территорию виллы и оставили в багажниках машин. Затрещали автоматы. Одна машина была подорвана из гранатомета.

Видя драку возле лифта, слыша стрельбу на автостоянке, Кустарниковый Пес не полез в гущу потасовки. Применив свой опыт партизанской войны, он двинулся в противоположном направлении — к морю. За ним следовала его жена. Ее изящное лицо, обрамленное каре коротких прямых черных волос, было бесстрастно. При входе на пирс им пришлось вступить в бой с охраной. В умении убивать вьетнамка превосходила Кустарникового Пса жестокостью и хладнокровием. Прикончив охранников, пытавшихся остановить их, контрабандист и его жена прорвались на пирс. Как только они появились там, по ним открыли огонь со сторожевого катера. Но Кустарниковый Пес и его жена успели скатиться по железной лестнице на нижний причал для катеров. Сегодня удача была на их стороне: на воде покачивались несколько водных мотоциклов.

Взревели двигатели, и в лучах береговой прожекторной установки два мотоцикла, рассекая сверкающие волны, понеслись в открытое море. Кустарниковый Пес и его бесстрашная, жестокая подруга стояли на них, пригнувшись к рулям, как жокеи во время призовой скачки.

Комната, в которую вошел Советник, была совсем маленькая, без окон. Здесь помещались вмурованный в стену сейф, небольшой письменный стол и полукресло. Советник подошел к сейфу и начал вводить пароли, чтобы открыть его. Наконец процесс был завершен, и Советник вытащил из сейфа маленький бронированный кейс с переносным компьютером. Поставив кейс на стол, Советник стал быстро просматривать папки с документами.

Сквозь толстую стену сейфовой комнаты донесся приглушенный выстрел. Советник никак на него не прореагировал, продолжая заниматься своим делом. Отобрав особо ценные бумаги, он положил их в кейс, запер его и наручником прикрепил к своему запястью.

Когда Советник вышел из комнаты, телохранители ждали его. Он сразу заметил на их лицах выражение недоумения или замешательства, словно ребята были не уверены, что все сделали правильно.

На пороге двери, ведущей в офис Фанхио, как сломанная кукла, валялась Арисса.

— Шур... ответь мне. Слышишь меня?..
Шуракен схватился за рацию:
— Ставр! Где ты? Почему молчал?
— Вырубился, меня задели немного. Слушай, шеф видел меня. Все понял и сматывается. Он только что протопал к парадному входу. Думаю, будет отваливать с вертолетной площадки. Возьми его там.
— Ты сам-то где?
— Не теряй время. Я иду за тобой.
Ставр отключил рацию, чтобы Шуракен больше не отвлекался от главной цели. Он попытался встать, но стены, мраморные колонны, дверь, в которую минуту назад вышел Советник с телохранителями, — все поплыло, стало терять конкретные очертания, проваливаться в черноту. Теряя сознание, Ставр перекатился на спину и взял под контроль дыхание. Сконцентрировал волю на ра-

боте легких и диафрагмы, затем очень медленно согнул колени, чтобы лучше расслабить мускулатуру пресса. Ему удалось справиться с коротким, изматывающим «собачьим» дыханием, воздух стал глубоко заполнять грудь и брюшную полость. Ставр вполне осознанно представлял, что сейчас происходит: снижается давление, выравнивается ритм сердца, насыщенная кислородом кровь вымывает вредоносную накипь стресса — разъедающую ржавчину отработанных гормонов адреналина и тестостерона. Его воля и воображение бешено работали на то, чтобы восстановиться и действовать. Счет шел на секунды. Ставру казалось, что он слышит вой винта взлетающего вертолета.

Сознание прояснилось. Олег сел и начал осматривать себя.

Немного ниже левого плеча рукав пиджака был порван, из дыры торчали окровавленные клочья белой футболки. Он разорвал рукав и осмотрел рану: ранение было касательным, пуля надсекла дельтавидную мышцу, но не настолько глубоко, чтобы рука перестала действовать. Из-за такой царапины не стоило валяться в обмороке неизвестно сколько времени. Ставр машинально поднял руку к голове. Волосы были мокрые. Кровь текла по шее за воротник. Ставр нащупал кровоточащую ссадину. Буквально под его пальцами вспухала здоровая шишка. Это был поцелуй смерти, рикошетящее ранение головы. Видимо, прав оказался старый диверсант Подшибякин — Ставр и правда был заговорен. Но если считать с того, изменившего всю его судьбу, вылета из окна общаги университета, то сколько еще жизней осталось у него в запасе?

Поддавшись панике, Фаусто Мазуто выскочил из залитого водой дома и помчался вместе со всей толпой гостей. Но, добежав до лифта и увидев драку, которая здесь началась, он вдруг сообразил, что ему совершенно ни к чему подниматься наверх и покидать «Гранд Риф де Корай». Нужно было вернуться в дом и найти господина Майера. Мазуто пошел обратно. Он был очень осторожен и старался никому не попадаться на глаза: пристрелить могли просто так, от раздражения и привычки стрелять по всему, что движется.

Вдруг Мазуто увидел Советника. Под прикрытием двух телохранителей тот быстро шел к вертолетной площадке. Мазуто сообразил, что хозяин сматывается. Это меняло дело. Значит, перестрелка в зале началась не случайно и хитрая лиса Майер знает, кто разворошил его нору. Как бы ситуация ни сложилась дальше, сейчас Мазуто надо было попасть в вертолет вместе с хозяином.

— Господин Майер! Генрих, подождите меня! — заорал Мазуто, кидаясь к Советнику.

Советник слышал крик Мазуто, но даже не обернулся в его сторону. Зато обернулся прикрывавший спину босса телохранитель. К счастью, у Мазуто не было оружия, иначе его тут же могла скосить очередь из автомата.

— Негодяй! Дерьмо собачье! — в ярости бормотал Мазуто, скрежеща зубами. Он перешел с английского на жаргон колумбийских притонов.

Потомок португальских пиратов и черных рабов потрясал кулаками вслед уже исчезнувшему Советнику и совершал непристойные жесты, успешно исполнявшие роль сурдоперевода витиеватой и хамской брани. Под конец он похлопал себя по жирному заду и оглушительно пернул.

В ответ раздалось глухое рычание.

Мазуто резко обернулся и в лучах паркового светильника увидел двух огромных черных собак с лоснящейся шкурой и короткими висячими ушами. При виде фила-бразильеро колумбийца охватил ужас. Он смотрел на собак и, как в кошмаре, хотел бежать, но не мог сдвинуться с места, все мускулы стали словно ватные, желудок свело судорогой.

Собаки пристально смотрели на Мазуто. Если бы он сделал хоть одно движение, пытаясь убежать, они бросились бы на него. Но колумбиец стоял. Черные блестящие носы собак шевелились — они принюхивались к его запаху. На свое несчастье, Мазуто весь покрылся липким вонючим потом. Собаки почуяли, что от него несет страхом, и шерсть начала подниматься на загривках этих чудовищ. Их носы к тому же уловили в поте Мазуто примесь специфического запаха негритянской расы — запаха жертв многих поколений их предков.

Не издав ни звука, один из псов оттолкнулся задними лапами и прыгнул. Он сбил Мазуто с ног. Колумбиец не успел даже заорать — челюсти пса сомкнулись на горле.

Вертолетную площадку заливал яркий свет, его давала панель из прожекторов, установленная на мачте. Вторая такая же мачта, освещавшая автостоянку, была повреждена. Сверху сыпались искры, как при электросварке, прожектора гасли один за другим или взрывались, ослепляя напоследок вспышками.

Советник поднялся на вертолетную площадку. Его ослепил не взрыв очередного прожектора, а прилив ярости: винт вертолета, который должен был уже вращаться на полную мощность, только-только начал раскручиваться. Гибкие лопасти еще провисали под собственной тяжестью. Пока Советник шел к вертолету, какой-то бандит обстрелял его с высоты автостоянки. Телохранители открыли ответный огонь.

Советник влез в салон. Один из телохранителей вскочил следом за ним и на корточках уселся на краю борта. Второй остался стоять рядом. Они следили за тем, чтобы никто не обстрелял вертолет с автостоянки.

— Взлетаем! — заорал Советник пилотам.

Один из пилотов обернулся к нему:

— Две минуты, шеф. Мы не набрали мощность.

— Плевать на вашу мощность! Я приказываю взлет!

Яростный голос Советника едва прорывался сквозь рев двигателя над головой. Лопасти винта поднялись, стремительно раскручиваясь. Они секли лучи прожекторов, и от этого на остеклении кабины пилотов замерцала рябь. Старший пилот взял на себя дроссельную рукоятку.

Лыжи вертолета медленно оторвались от плит. Телохранитель вспрыгнул на лыжу, и не набравший еще необходимой мощности вертолет покачнулся и рухнул на площадку с высоты полуметра.

В эту минуту лифт поднял на автостоянку Шуракена и двух бандитов, которые, пока кабина шла наверх, держали друг друга под прицелом «пушек». Как только дверь открылась, Шуракен, не обращая больше внимания на «пистольерос», бросился к выходу.

Одна из стеклянных панелей павильона обрушилась, выбитая автоматной очередью. Шуракен пригнулся, защищаясь от летящих в него осколков.

Бессмысленная и беспощадная потасовка на автостоянке все еще продолжалась. Главные боссы с их дорогостоящей и суперпрофессиональной охраной успели удрать, но бандиты помельче дрались из-за машин и палили друг в друга. По всей стоянке валялись убитые и раненые, горела подорванная машина, свистели шальные пули.

Шуракен не видел вертолет, стоявший на площадке значительно ниже автостоянки. Но он слышал рев его двигателя. Винт создавал вокруг себя подобие смерча, в его воронку втягивался тяжелый черный хвост, валивший от горящей машины, и легкий сизый туман порохового дыма, висевший над автостоянкой. Видя это, Шуракен понял, что вертолет еще здесь, но он сейчас взлетит.

И действительно, над краем автостоянки поднялся мерцающий в лучах прожекторов диск, а затем появилась верхняя часть корпуса вертолета — изящная и отблескивающая, как спина дельфина.

Однажды Командор так охарактеризовал Шуракена: «Это очень волевой человек, думающий. Во время боя он не впадает в безумство». Сейчас, увидев, как поднимается вертолет, Шуракен обезумел.

В такой ярости, в таком боевом трансе он еще не был никогда.

Презирая шальные пули, он поднялся во весь рост и ломом пошел через автостоянку. По нему тут же начали палить со всех сторон. Пули рикошетили от плит у Шуракена под ногами, вырывали клочья из кожаной куртки. Но остановить его сейчас не смогла бы даже пуля в лоб.

Добежав до красной полуспортивной «Альфа-Ромео», Шуракен рванул дверь и снес ее напрочь. Выкинув из машины оцепеневшего от шока бандита, он прыгнул за руль и буквально на месте развернул мощную и очень резкую в наборе скорости машину в направлении вертолетной площадки. Педаль газа под подошвой его кроссовки ушла в пол.

Машина рванулась, как ракета со старта.

Руки мертвой хваткой сжали руль. Челюсти свело. Шуракен видел только вертолет, медленно всплывающий над краем автостоянки.

В поле зрения экипажа вертолета, Советника и его телохранителей ворвалось красная низкая «Альфа-Ромео», несущаяся на них как торпеда. Для того чтобы круто взмыть вверх, еще не хватало мощности, а для того чтобы уйти в вираж — скорости. Вертолет неминуемо врезался бы в землю. Через проем боковой двери телохранители открыли отчаянный огонь.

Бронированное лобовое стекло автомобиля выдержало, на нем только появились сколы и трещины. Машина пробила легкое ограждение и, как с трамплина, взлетела с края автостоянки.

В последний миг перед столкновением Советник со сверхъестественной четкостью увидел словно приблизившееся вплотную к нему оскаленное лицо Шуракена за лобовым стеклом. Советник инстинктивно отпрянул назад и откатился в глубь салона.

«Альфа-Ромео» вломилась в кабину пилотов. Полетели стекла, обломки металла, брызги крови, искры закоротившей электропроводки. Сбитый на взлете вертолет завалился набок. Со свистом рассекая воздух, во все стороны полетели обломки лопастей. Машина Шуракена врезалась в плиты вертолетной площадки и перевернулась на крышу. Из-под капота повалил дым и вырвались языки огня. Быстро набирая силу, они начали лизать красный блестящий корпус «Альфа-Ромео».

Подбегая к вертолетной площадке, Ставр заметил черную собаку, которая, мотая головой, что-то трепала. Присмотревшись, он понял, что это чьи-то потроха. От такого зрелища могло стошнить, но у Олега не было времени для чувств. Взбегая по лестнице, он видел, как вертолет взлетает с площадки. Потом он увидел красную спортивную машину, которая, прыгнув наперерез, снесла кабину пилотов и сбила вертолет. Это мог сделать только Шуракен.

Мимо Ставра промчались два парня в камуфляже — это удирали охранники. На обезглавленный труп третьего Ставр наткнулся уже на площадке, голову охраннику срубило обломком лопасти.

Ставр оценил обстановку: на площадке валялся покореженный вертолет и горящая «Альфа-Ромео». Шуракен мог находиться только в автомобиле. Ставр кинулся к машине. Защищая лицо согнутой рукой, он сунулся внутрь.

Шуракен был там. Он ворочался, как кабан в берлоге, пытаясь выбраться, но, оглушенный ударом, плохо соображал. Пламя сжирало кислород, едкий дым забивал легкие. Шуракен уже почти потерял сознание, когда Ставр схватил его и потащил наружу, рыча сквозь стиснутые зубы. Короткие волосы трещали от нестерпимого жара огня.

Вытащив напарника, Ставр поволок его от машины. Сашке дьявольски повезло с выбором костюма: толстая кожаная куртка не успела загореться. Ставр сорвал с себя пиджак и сбил им пламя с ног Шуракена.

Убедившись, что с другом все пока обошлось — он жив, а с ожогами и прочими повреждениями можно разобраться попозже, — Ставр посмотрел на вертолет. Ему пришло в голову, что и Советник вполне мог уцелеть.

— Саня, ты меня слышишь?

— Слышу я тебя, слышу... — сквозь зубы просипел Шуракен. — И не только слышу, но и вижу.

— Молодчина. Слушай, ну ты просто Бетмен!

— Ты видел?

— Видел. Саня, отдохни, а я слажу в вертолет, посмотрю, что с шефом. Раз уж я сегодня работаю спасателем...

— Ты думаешь, он жив?

— А черт его знает. У него с собой саквояж был. Если что, мы хоть этим саквояжем отмажемся. Скажем, больше ничего не осталось. Подожди меня, я сейчас.

Но Шуракен с трудом поднялся и, шатаясь, двинулся за Ставром:

— Ну уж нет. Я иду с тобой. А то вы с шефом всегда не ладили.

На кожаной куртке Шуракена зияла внушительная рваная дыра. Обломок лопасти прорубил борт «Альфа-Ромео» и спинку водительского сиденья. Он лишь чудом не прикончил Шуракена.

Советник пришел в себя и удивился, что жив. Затем он подумал, что надо выбираться отсюда как можно скорее, так как сбитые вертолеты имеют скверную привычку взрываться. Советник переполз через труп одного из своих телохранителей — второй выпрыгнул из вертолета, и его обезглавленное тело Ставр видел на краю площадки. Вертолет валялся на боку, поэтому через проем боковой двери Советнику было выбраться сложно, он не обладал необходимой для этого ловкостью. Ему проще было выползти через покореженную кабину пилотов. Советник прополз в кабину. Здесь все было скользким от крови. Он наступил на лежавшие друг на друге изуродованные тела пилотов и ухватился за край дверного проема. И так как у него не было сил подтянуться и вылезти, то Советник мешком перевалился через порог пилотской кабины и скатился вниз.

И тут кто-то поднял его на ноги и прислонил спиной к борту вертолета. Советник всмотрелся в лицо возникшего перед ним человека:

— Олег?.. Черт возьми, я же сам видел...

— Сочувствую, шеф. Случаются в жизни огорчения, — на этот раз Ставр произнес это, а не изобразил мимикой.

И тут Советник засмеялся.

Ставр подозрительно присмотрелся к нему. Нет, это была не истерика. Просто Советник, по-видимому, тоже был из тех, у кого хватает мужества засмеяться.

22

Диск солнца низко висел над линией горизонта. Долина была освещена холодным утренним светом. Кипел чайник на примусе. На земле валялись армейские сумки, выпотрошенные индивидуальные пакеты, рваные прожженные штаны и куртка Шуракена, а также белая, в кровавых пятнах футболка Ставра.

— Четыре трупа возле танка дополнят утренний пейзаж, — пел Шуракен, если хриплые звуки, которые он издавал, можно было назвать пением. С правой стороны рта в зубах у него была зажата кривая беломорина, дымящая, как паровозная труба.

От едкого дыма морда Шуракена кривилась. В морщинах возле глаз скапливалась влага, она собиралась в крупные капли и скатывалась по щекам, смешиваясь с грязным потом. Слезы у Шуракена текли не только от едкого дыма «Беломора» из НЗ.

Шуракен лежал животом на куске брезента, уткнувшись подбородком в скрещенные перед собой руки. Ставр сшивал края глубокой рваной прорехи на его широкой мускулистой спине.

С базы «Гранд Риф де Корай» ребята отвалили, как и планировали, — морем, только не под водой, а на катере. Добравшись до того места, где у них был спрятан автомобиль, рванули в глубь материка, заметая следы. На рассвете разбили лагерь в прохладной зеленой долине. В машине у них имелось все необходимое, чтобы переодеться и обработать раны.

Советник снял чайник с примуса и залил кипяток в термос. Закручивая крышку, он наблюдал, как Ставр штопает шкуру Шуракена. У парней были до черта усталые лица — в ссадинах, в ожогах, в дикой щетине.

— Ну все. — Ставр отрезал ножницами нитку. — Не слишком красиво получилось. Извини, я не Версаче, чтобы лабать от кутюр. В госпитале распорют и зашьют как надо.

Ставр заклеил шов пластырем и принялся сдирать хирургические перчатки.

— Как ваш бывший шеф, — сказал Советник, — я должен сказать, что побоище, которое вы устроили, не делает вам чести как профессионалам спецслужб. Вместо того чтобы спокойно договориться, все переломали, скомпрометировали меня перед деловыми людьми.

— Вы не правы, Вадим Николаевич, — спокойно и устало возразил Ставр. — Мы тут совершенно ни при чем. Я, например, не сделал ни одного выстрела.

— Мне пришлось пристрелить какого-то здорового мрачного ублюдка, — уточнил Шуракен. — Жаль, конечно, что он свалился в аквариум и напугал тусню.

— И волки от испуга слопали друг друга, — улыбнулся Ставр.

— Ну хорошо, не будем с этим разбираться. В конце концов, это теперь не имеет значения. Что вы собираетесь делать дальше?

— Нас ждет самолет. Если не случится накладок, вечером мы будем уже в Москве, — ответил Шуракен.

— В таком случае хватит тут зализывать друг другу раны. Давайте собирайтесь и поехали, — властно заявил Советник. — Нечего терять время, оно, как известно, — деньги.

— Вы чай заварили, Вадим Николаевич? — поинтересовался Ставр. — Вот и отлично. Сейчас чифирнем и поедем.

ПРАВОСУДИЕ ПО-РУССКИ,

НОВАЯ СЕРИЯ

ПРАВОСУДИЕ ПО-РУССКИ

НАЧИНАЕТСЯ, ЕСЛИ ЗАКОН БЕССИЛЕН...

ПРАВОСУДИЕ ПО-РУССКИ

УДАРОМ НА УДАР!

Елена СТРЕЛЬЦОВА
ПОСЛЕДНИЕ СОЛДАТЫ ИМПЕРИИ

Редактор *И.Н. Слюсарева*
Технолог *С.С. Басипова*
Оператор компьютерной верстки *А.В. Волков*
Корректор *О.П. Иванова*

Издательская лицензия № 065676 от 13 февраля 1998 года.
Подписано в печать 15.07.99. Формат 84×108/32
Гарнитура Таймс. Печать офсетная.
Объем 13,5 печ. л. Тираж 11 000 экз.
Изд. № 1065. Заказ № 1941.

Издательство «ВАГРИУС»
129090, Москва, ул. Троицкая, 7/1
Интернет/Home page — http.\\www.vagrius.com
Электронная почта (E-Mail) — vagrius@vagrius.com

Информацию о наших книгах можно получить
в сети Интернет по адресам:
— www.guelman.ru/slava (Современная Русская Литература);
— www.russ.ru (Русский Журнал);
— www.litera.ru (Литера);
— www.gazeta.ru (Газета Ру);

Издание осуществлено при участии
ООО «Фирма «Издательство АСТ»

Отпечатано с готовых диапозитивов
в типографии издательства "Самарский Дом печати".
443086, г. Самара, пр. К. Маркса, 201.